Nikolai W. Gogol

Meisterernovellen

Nikolai W. Gogol

Meisternovellen

KÖNEMANN

Könemann Verlagsgesellschaft mbH
Bonner Straße 126, D-50968 Köln

Herausgegeben von: Bettina Hesse
Gestaltung und Satz: Andreas Pohlmann 714
Herstellung: Nicola Leurs
Umschlaggestaltung: Peter Feierabend, Stephanie Weischer
Druck und Bindung: Reálszisztéma Dabasi Nyomda
Papier: 70 g/m² Permaplan, Arjo Wiggins, Deutschland
Printed in Hungary

ISBN 3-8290-4947-1

10 9 8 7 6 5 4 3 2 1

Inhalt

Die Nase

Deutsch von Mario Spiro und S. Bugow

I.

Am 25. März trug sich in St. Petersburg ein äußerst seltsames Ereignis zu.

Auf dem Wosnessenski-Prospekt wohnte der Barbier Iwan Jakowlewitsch, dessen Familienname von dem Schilde, auf dem man nur noch die Abbildung eines an Wangen und Kinn eingeseiften Herrn nebst der Inschrift: »Hier wird auch zur Ader gelassen!« und sonst nichts mehr erkennen konnte, verschwunden war. Dieser Barbier Iwan Jakowlewitsch wachte also – ziemlich frühzeitig, auf und atmete den Duft von warmen Broten ein. Er richtete sich im Bette etwas empor und sah, wie seine Frau, eine äußerst respektable Dame und leidenschaftliche Liebhaberin des Kaffees, einige frischgebackene Brote aus dem Ofen hervorholte.

»Heute, meine liebe Praskowja Ossipowna, werde ich keinen Kaffee trinken«, sagte Iwan Jakowlewitsch, »ich habe mehr Appetit auf warmes Brot mit Zwiebeln.«

Um die Wahrheit zu sagen: Iwan Jakowlewitsch hätte zwar gar zu gern von beidem gekostet; doch war er von vornherein von der Unmöglichkeit, beides auf einmal zu verlangen, völlig durchdrungen, denn Praskowja Ossipowna ließ solche Launen nicht zu.

»Iß meinetwegen Brot, Schafskopf.« dachte die Frau bei sich, »für mich wird dann um so mehr Kaffee übrigbleiben ...« und sie warf ein Brot auf den Tisch.

Iwan Jakowlewitsch zog aus Schicklichkeitsgründen die Dienstuniform über sein Hemd, nahm – nachdem er am Tische Platz genommen hatte – etwas Salz, putzte zwei Zwiebeln, ergriff ein Messer und schickte sich an, das Brot mit gewichtiger Miene zu zerteilen. Er schnitt es in zwei Hälften, sah sich das Innere an und bemerkte zu seiner größten Verwunderung etwas Weißliches. Iwan

Jakowlewitsch kratzte vorsichtig mit dem Messer daran herum und befühlte es mit dem Daumen. »Das Ding ist ja ganz hart!« sagte er zu sich. »Was mag denn das nur sein?«

Er schälte es mit den Fingern heraus und fand – eine Nase! Iwan Jakowlewitsch ließ seine Arme sinken; dann begann er sich seine Augen zu reiben und befühlte es noch einmal mit dem Finger. In der Tat, es war eine Nase, eine wirkliche Nase, und dazu noch eine Nase, die ihm bekannt vorkam. – Entsetzen malte sich auf Iwan Jakowlewitschs Zügen; aber dieses Entsetzen war harmlos im Vergleich mit der Empörung, die sich seiner Gattin bemächtigte.

»Wo hast du nur diese Nase abgeschnitten, du Vieh?« fing sie wutentbrannt zu schreien an. »Du Dieb, du Trunkenbold! Ich werde dich selbst bei der Polizei anzeigen! Was für ein Lumpenkerl! Schon drei Herren haben mir gesagt, du zerrst beim Rasieren an den Nasen, daß du sie beinahe abreißt!«

Allein Iwan Jakowlewitsch war weder tot noch lebend, hatte er doch soeben festgestellt, daß diese Nase keine andere war als die des Kollegienassessors Kowalew, den er Mittwochs und Sonntags zu rasieren pflegte.

»Schweig doch, Praskowja Ossipowna«, sagte er, »ich werde sie in ein Stück Leinwand einschlagen und sie in irgendeine Ecke stecken, wo sie einige Tage liegen bleiben mag. Dann werde ich sie forttragen.«

»Davon will ich nichts hören! Ich soll zugeben, daß eine abgeschnittene Nase bei mir im Zimmer umherliegt? Du gerösteter Zwieback, du! Er kann nur sein Rasiermesser abziehen und wird bald nicht mehr fähig sein, sein Geschäft schnell und solid auszuführen! Herumstreicher, Strauchdieb! Glaubst du etwa ich werde mir deinetwegen Scherereien mit der Polizei zuziehen? Ach, du dummer Klotz, du Stümper, du! Weg damit! Fort! Da, trag sie weg, wohin du willst. Ich will nichts mehr davon wissen!«

Iwan Jakowlewitsch stand völlig zerschmettert da. Er überlegte und überlegte ... und wußte nicht, was er davon denken sollte. »Der

Teufel soll wissen, wie das nur geschehen konnte!« sagte er endlich, indem er sich mit der Hand den Kopf kratzte. »Bin ich gestern betrunken nach Hause gekommen oder nicht? Allerdings kann ich das nicht mit Gewißheit sagen. Aber allem Anschein nach handelt es sich hier um einen ganz außergewöhnlichen Vorgang; denn das Brot – das Brot wird doch gebacken, während eine Nase doch etwas ganz anderes ist … Weiß Gott, ich verstehe das nie und nimmer!«

Iwan Jakowlewitsch verstummte. Der Gedanke, ein Polizist könnte diese Nase bei ihm entdecken und ihn zur Rechenschaft ziehen, brachte ihn in einen Zustand völliger Benommenheit. Es war ihm bereits, als sähe er einen roten, reich mit Silber besetzten Kragen und einen Degen vor sich … und er zitterte am ganzen Körper. Endlich holte er seine Beinkleider und Stiefel hervor, zog all diesen Plunder an, wickelte die Nase unter den peinlichsten Ermahnungen Praskowja Ossipownas in ein Stück Leinwand und verließ seine Wohnung.

Er hatte die Absicht, die Nase irgendwo in eine Abflußröhre unter einem Haustor zu stecken oder sie unbemerkt fallen zu lassen und dann in eine Seitengasse einzubiegen. Aber unglücklicherweise lief er stets einem Bekannten in die Arme, der ihn sofort zu fragen anfing: »Wo gehst du denn hin?« oder: »Wen willst du denn schon so frühzeitig rasieren?«, so daß Iwan Jakowlewitsch durchaus keinen günstigen Moment für sein Vorhaben erwischen konnte. In der Folge glückte es ihm zwar einmal, die Nase fallen zu lassen, aber ein Wächter machte ihm schon von weitem mit der Hellebarde ein Zeichen und rief ihm zu: »Heb's doch auf! Du hast etwas fallen lassen!« Und Iwan Jakowlewitsch ward so genötigt, die Nase aufzuheben und in seine Tasche zu stecken. Verzweiflung überfiel ihn, und zwar um so heftiger, je mehr sich die Straße bevölkerte und je mehr Läden und Wirtshäuser geöffnet wurden.

Er entschloß sich, auf die Isaaksbrücke zu gehen. Vielleicht würde er dort ein Mittel finden, die Nase unbemerkt in die Newa zu werfen! …

Aber ich habe einen Fehler begangen, daß ich dem Leser bis jetzt noch nichts über Iwan Jakowlewitsch, eine in vieler Hinsicht höchst achtbare Persönlichkeit, berichtet habe. Iwan Jakowlewitsch war wie jeder russische Handwerker, der etwas auf sich hält, ein furchtbarer Trunkenbold, und obgleich er täglich das Kinn anderer Leute rasierte, rasierte er doch niemals sein eigenes. Sein Frack – denn Iwan Jakowlewitsch trug nie einen Überrock – war bunt oder vielmehr schwarz und mit gelbbraunen und grauen Flecken übersät; der Kragen glänzte schon ein wenig, an Stelle von drei Knöpfen sah man nichts mehr als ein paar abgerissene Zwirnsfäden. Iwan Jakowlewitsch war in jeder Beziehung ein Zyniker; wenn der Kollegienassessor Kowalew nach seiner Gewohnheit, während er rasiert wurde, zu ihm sagte: »Deine Hände stinken immer, Iwan Jakowlewitsch!«, so antwortete er gelassen: »Warum sollen sie denn stinken?«

»Ich weiß nicht, Brüderchen, aber sie stinken!« versetzte hierauf der Kollegienassessor Kowalew; und Iwan Jakowlewitsch nahm dann erst eine Prise und seifte hierauf Kowalews Wangen, seine Oberlippe, die Partie hinter den Ohren und hinter dem Kinn ein – mit einem Worte, er seifte ihn ein, wo es ihm Vergnügen machte.

Dieser ehrenwerte Bürger war nun endlich auf der Isaaksbrücke angekommen. Zunächst warf er einen spähenden Blick auf die Umgebung, beugte sich über das Geländer, wie wenn er sich überzeugen wollte, ob im Fluß viele Fische umherschwimmen, und warf dann das Päckchen mit der Nase ganz behutsam hinab. Es war ihm zumute, als fielen mit einem Male zehn Pud* von seinem Herzen. Ja, er lächelte sogar. Anstatt sich nun auf den Weg zu machen, um schnell seine Beamten zu rasieren, wollte er in ein Lokal, das ein Schild mit der Inschrift »Tee und Lebensmittel« trug, eintreten und dort ein Glas Punsch bestellen. Plötzlich bemerkte er jedoch ganz in der Nähe am Ende der Brücke den Bezirkskommissar, einen Mann von vornehmem Äußern, mit breitem Backenbart,

* Ein Pud gleich etwa 35 Pfund

Dreispitz und Degen. Iwan Jakowlewitsch wurde vor Entsetzen ganz starr. Der Kommissr winkte ihm mit der Hand und sagte zu ihm:

»Komm doch mal näher, mein Lieber!«

Iwan Jakowlewitsch zog, da er die gebräuchlichen Höflichkeitsformeln sehr wohl kannte, schon von weitem die Mütze, sprang behende herbei und sagte: »Ich wünsche Ew. Wohlgeboren einen schönen guten Morgen!«

»Nein, nein, Brüderchen, laß nur das 'Ew. Wohlgeboren' aus dem Spiel! – Sag mir lieber, was hattest du da auf der Brücke zu tun?«

»Weiß Gott, Herr, ich war gerade auf dem Wege zu meinen Kunden, die ich rasieren soll, und schaute hinab, ob die Strömung sehr stark ist!«

»Du lügst! Du schwindelst! So kommst du mir nicht davon! Willst du mir jetzt wohl Rede stehen?«

»Ich bin bereit, Ew. Gnaden zwei-, ja sogar dreimal wöchentlich ohne jede Bezahlung zu rasieren!« versetzte Iwan Jakowlewitsch.

»Nein, lieber Freund! Das sind Dummheiten! Mich rasieren bereits drei Barbiere und rechnen sich dies noch zur Ehre an. Aber ich bitte dich, mir zu sagen, was du dort gemacht hast!«

Iwan Jakowlewitsch erblaßte …

Aber hier hüllt plötzlich ein undurchdringlicher Nebel unsere Geschichte ein, und über die folgenden Geschehnisse weiß man absolut nichts zu berichten.

II.

Der Kollegienassessor* Kowalew erwachte eines Morgens besonders früh und bewegte seine Lippen, um ein lautes Brr ... brr ... auszustoßen, wie es so seine Art war, wenn er munter wurde, ohne daß er hierfür einen Grund hätte angeben können. Er reckte sich tüchtig und ließ sich dann einen kleinen Spiegel reichen, der auf dem Tische stand. Er wollte sich ein Pickelchen anschauen, das am Abend vorher auf seiner Nase aufgesprungen war. Aber zu seinem größten Erstaunen bemerkte er, daß sich an Stelle seiner Nase in seinem Gesicht eine durchaus ebene und glatte Fläche befand. Voller Schrecken ließ Kowalew sich Wasser bringen und wusch sich die Augen mit dem Handtuch aus: Wahrhaftig, er hatte keine Nase mehr! Er befühlte die Stelle mit der Hand und kniff sich ins Fleisch, um festzustellen; ob er vielleicht noch schlief; aber nein, er schien tatsächlich nicht zu schlafen. Der Kollegienassessor Kowalew sprang aus seinem Bett, schüttelte und rüttelte sich, – doch die Nase war und blieb verschwunden! Er ließ sich sofort seine Kleider bringen und stürzte schleunigst zum Oberpolizeimeister.

Aber inzwischen ist es Zeit geworden, einige Worte über Kowalew zu sagen, damit der Leser ermessen kann, um welche Art von Kollegienassessor es sich hier handelt.

Man darf nicht etwa die Kollegienassessoren, die diesen Rang ihren wissenschaftlichen Diplomen verdanken, mit denen verwechseln, die ihn während ihrer Dienstzeit im Kaukasus erhalten haben. Das sind zwei völlig verschiedene Arten von Kollegienassessoren. Die Kollegienassessoren mit wissenschaftlicher Bildung ... aber Rußland ist ein so seltsames Land, daß all seine Kollegien-

* Kollegienassessor: – so heißen die Beamten des achten Dienstgrades. Im Heere nennt man sie Major; diese Bezeichnung führt Kowalew. Anm. des Herausg.

assessoren von Riga bis Kamtschatka sich getroffen fühlen, wenn auch nur von einem dieser Gattung die Rede ist. Und das gilt auch für alle Ämter und Grade.

Kowalew war ein *kaukasischer* Kollegienassessor. Seit zwei Jahren erst bekleidete er diesen Rang, und es gab kaum einen Moment, in dem er sich nicht an seine Stellung erinnerte; um sich noch mehr Ansehen und Gewicht zu verleihen, stellte er sich niemals als simplen Kollegienassessor vor, sondern stets als Major. »Hör doch, mein Täubchen«, sagte er gewöhnlich, so oft er auf der Straße eine alte Frau traf, die Vorhemden feilbot, »geh doch zu mir in die Wohnung; ich wohne in der Sadovoja* und frage nur: Wohnt hier der Major Kowalew?« Jedermann wird dir gern Auskunft erteilen.« Oder begegnete er einer artigen Schönen, so flüsterte er ihr ganz leise zu: »Du brauchst nur nach der Wohnung des Majors Kowalew zu fragen; liebes Kind!« Aus diesem Grunde wollen auch wir diesen Kollegienassessor stets als »Major« Kowalew bezeichnen.

Der Major Kowalew pflegte jeden Tag einen Spaziergang auf dem Newski-Prospekt zu machen. Sein Hemdkragen war stets peinlich sauber und frisch gestärkt. Sein Backenbart war von jener Art, wie man ihn noch bei Gouvernements- und Kreislandmessern, Architekten und Militärärzten sowie auch bei Leuten der verschiedensten Berufe, kurz, bei allen denen trifft, die runde Backen und rote Wangen haben und gut »Boston« spielen. Dieser Backenbart zieht sich von der Mitte der Wangen bis direkt unter die Nase hin. Major Kowalew trug an der Uhrkette eine ganze Sammlung von kleinen Karneolberlocken, die mit einem Wappen oder auch mit der Inschrift »Mittwoch«, »Donnerstag«, »Montag« usw. versehen waren. Der Zwang der Verhältnisse hatte ihn dazu veranlaßt, nach Petersburg zu ziehen, hauptsächlich aus dem Grunde, weil er eine seinem Range angemessene Stellung bekleiden wollte, und zwar, wenn er Glück hatte, die eines Vize-Gouverneurs oder doch we-

* Große Straße in St. Petersburg. Anm. des Herausg.

nigstens die eines schlichten Exekutors in irgendeinem angesehenen Departement. Der Major Kowalew war einer Ehe durchaus nicht abgeneigt, doch mußte seine Auserkorene über eine Mitgift von mindestens zweihunderttausend Rubeln verfügen. Und nun mag sich der Leser in die Empfindungen dieses Majors versetzen, als er an Stelle seiner recht hübschen und wohlgebildeten Nase nur eine alberne, glatte und flache Ebene erblickte.

Unglücklicherweise zeigte sich auch nicht ein einziger Kutscher auf der Straße; so war er also genötigt, zu Fuß zu gehen – in seinen Mantel eingehüllt und das Gesicht hinter einem Taschentuch verbergend, wie wenn er gerade Nasenbluten hätte. »Aber vielleicht ist es doch nur eine Einbildung von mir; es ist doch unmöglich, daß mir meine Nase so ohne weiteres aus dem Gesicht geschwunden ist«, dachte er.

Und er kehrte in eine Konditorei ein, um dort einen Blick in den Spiegel zu werfen. Zum Glück für ihn befand sich weiter niemand im Lokal, außer einigen Burschen, die gerade auskehrten und die Stühle zurechtrückten. Einige von ihnen trugen noch ganz schlaftrunken heiße Kuchen in Körben hinaus; auf den Tischen und Stühlen lagen mit Kaffee befleckte Zeitungen vom gestrigen Tage aus.

»Also Mut! Gott sie Dank ist sonst niemand hier«, sagte er, »nun kann ich meine Untersuchung beginnen!« Er näherte sich ängstlich dem Spiegel und blickte hinein.

»Der Teufel mag es verstehen, so eine Schweinerei!« schrie er, indem er empört ausspie.« Wenn sich wenigstens an Stelle meiner Nase noch etwas anderes befände! Aber nichts, absolut gar nichts!«

Nachdem er die Zähne vor Wut aufeinander gebissen hatte, verließ er das Lokal und beschloß, wider seine Gewohnheit, unterwegs niemand anzusehen und keinem auch nur das geringste Lächeln zu spenden.

Plötzlich blieb er wie versteinert vor der Tür eines Hauses stehen. Seine Augen wurden von einer unerklärlichen Erscheinung angezogen: ein Wagen hielt dicht vor der Freitreppe eines Hauses, der Schlag wurde geöffnet und ihm entstieg in gebeugter Haltung ein uniformierter Herr, der eiligst die Treppe hinaufeilte. Wie groß war Kowalews Entsetzen, wie groß war sein Erstaunen, als er in ihm seine eigne Nase wiedererkannte. Angesichts dieses außergewöhnlichen Schauspiels war ihm zu Mute, als ob sich alles um ihn herum drehe, und nur mit Mühe vermochte er sich aufrechtzuhalten. Aber trotzdem beschloß er, obwohl er am ganzen Körper zitterte wie ein Fieberkranker, komme, was kommen mag, zu warten, bis dieser Herr wieder zurückkehren würde, um in seinen Wagen zu steigen. Nach Verlauf zweier Minuten erschien die »Nase« tatsächlich. Sie trug eine goldgestickte Uniform mit hohem Kragen, Beinkleider aus Sämischleder und an der Seite einen Degen. An ihrem mit Federn geschmückten Hute konnte man erkennen, daß es sich um einen Staatsrat handelte. Alles wies darauf hin, daß er gerade Besuche abstattete. Er schaute sich nach links und nach rechts um, rief dem Kutscher ein »Vorwärts« zu und rollte davon.

Der unglückliche Kowalew fühlte sich dem Wahnsinn nahe. Er wußte nicht, was er von einem so überraschenden Ereignis halten sollte. Wie war es denn auch nur möglich, daß eine Nase, die sich gestern noch in seinem Gesicht befand und die weder gehen noch fahren konnte, jetzt eine Uniform trug! Er stürzte hinter dem Wagen her, der glücklicherweise nicht sehr weit fuhr und vor dem Gostinnij-Dwor* haltmachte.

Er rannte wie ein Besessener und schlüpfte zwischen einer Reihe alter Bettlerinnen mit verbundenen Gesichtern und zwei großen Öffnungen statt der Augen, hindurch, über die er sich früher so oft lustig gemacht hatte. Sonst trieben sich hier nur wenig Menschen herum. Kowalew befand sich in einer solchen geistigen Verwirrung, daß er keinen Entschluß fassen konnte und lediglich in allen Ecken und Winkeln nach dem Herrn Ausschau hielt; endlich sah er ihn vor einem Laden stehen. Die Nase verbarg ihr Gesicht völ-

* Großes Kaufhaus in St. Petersburg. Anm. des Herausg.

lig in ihrem hohen Kragen und betrachtete mit gespannter Aufmerksamkeit die ausliegenden Waren.

»Wie komme ich bloß an ihn heran!« dachte Kowalew. »Aus seiner ganzen Persönlichkeit, aus seiner Uniform und aus seinem Dreispitz geht klar und deutlich hervor, daß es ein Staatsrat ist. Zum Teufel, wenn ich nur wüßte, wie ich es anstellen soll! ...«

Schließlich begann er ganz in der Nähe des Staatsrats zu husten; aber die Nase verließ auch nicht für eine Minute den Platz.

»Mein Herr!« sagte Kowalew, der sich innerlich Mut zuzusprechen versuchte. »Mein Herr! ...«

»Was wünschen Sie?« fragte die Nase, indem sie sich umwandte.

»Ich finde es erstaunlich, mein Herr ... mir scheint, daß ... Sie sollten doch wissen, wohin Sie gehören. Und plötzlich finde ich Sie, und noch dazu ... hier? ... Sie müssen doch zugeben ...«

»Verzeihung; ich kann absolut nicht begreifen, wovon Sie sprechen. Erklären Sie sich deutlicher.«

»Wie soll ich mich ihm noch verständlich machen?« dachte Kowalew. Und sich ein Herz fassend, begann er: »Sicherlich ... übrigens bin ich Major. So ohne Nase herumzulaufen, Sie müssen zugeben, das schickt sich doch nicht. Einer Hökerin, die auf der Woskressenski-Brücke geschälte Orangen feilbietet, mag es ja im Grunde nichts ausmachen, ohne Nase dazusitzen. Jedoch was mich anbetrifft, der ich Aussichten habe, ... und der ich außerdem Beziehungen zu vielen Häusern unterhalte, zu Damen der Gesellschaft, wie zum Beispiel zu Frau Tschechtarewa, die die Frau eines Staatsrates ist, und noch zu vielen andern, ... urteilen Sie selbst ... Ich weiß nicht, mein Herr« – und hierbei zuckte der Major Kowalew mit den Achseln – »entschuldigen Sie tausendmal ... aber wenn man die Sache vom Standpunkt der Ehre und der Pflicht betrachtet ... Sie können selbst begreifen ...

»Ich begreife absolut nichts«, erwiderte die Nase. »Erklären Sie sich deutlicher.«

»Mein Herr«, versetzte Kowalew mit Würde, »ich weiß nicht,

wie ich Ihre Worte auffassen soll. Hier handelt es sich doch, wie mich dünkt, um einen durchaus klaren Vorgang. Oder wollen Sie ... denn kurz und gut, Sie sind doch meine eigne Nase!«

Die Nase blickte den Major an und runzelte die Stirne. »Sie täuschen sich, mein Herr; ich bin durchaus selbständig. Außerdem können zwischen uns nicht die geringsten engeren Beziehungen existieren. Nach den Knöpfen Ihrer Uniform zu urteilen, müssen Sie in einem andern Ressort dienen.«

Und nach diesen Worten drehte ihm die Nase den Rücken.

Kowalew war nun völlig verwirrt und wußte nicht, was er tun, ja nicht einmal, was er sich denken sollte. In diesem Augenblick ertönte das angenehme Rascheln eines Damenkleides. Eine alte, über und über mit Spitzen behängte Dame ging an ihm vorbei, begleitet von einem jungen Mädchen, dessen weißes Kleid ihre schlanke Figur aufs vorteilhafteste zur Geltung brachte, sie trug einen gelben Hut, leicht wie eine Schaumtorte. Beide Damen wurden von einem baumlangen Heiducken mit mächtigem Bart und einem ganzen Dutzend von Mantelaufschlägen begleitet. Er blieb hinter ihnen stehen und öffnete seine Tabaksdose.

Kowalew trat nahe an sie heran, rückte den Batistkragen seines Vorhemdes zurecht, brachte sein an einer goldenen Kette hängendes Petschaft in Ordnung und wandte seine ganze Aufmerksamkeit, indem er sich lächelnd nach rechts und links drehte, der leichtbeschwingten Dame zu, die sich wie eine Frühlingsblume bewegte und sich kaum merklich nach vorne neigend eine kleine weiße Hand mit fast durchsichtigen Fingern an die Stirne hob. Das Lächeln auf Kowalews Gesicht wurde noch breiter, als er unter dem Hut ein rundes Kinn von blendender Weiße und einen Teil der Wange bemerkte, die die Farbe einer zarten Frühlingsrose hatte.

Aber plötzlich prallte er zurück, wie wenn er sich verbrannt hätte. Er hatte sich soeben daran erinnert, daß er an der Stelle, wo andere Leute ihre Nase tragen, nichts hatte; und heiße Tränen entströmten seinen Augen.

Er wandte sich um, um dem uniformierten Herrn laut und deutlich zu sagen, daß er nur die Larve eines Staatsrates trüge, daß er ein Lump, ein Spitzbube wäre und daß er nichts weiter sei als seine eigne Nase … Aber die Nase war verschwunden; sie hatte den günstigen Augenblick benutzt und das Weite gesucht, höchstwahrscheinlich um noch einen Besuch abzustatten.

Dieser Umstand stürzte Kowalew vollends in Verzweiflung. Er blieb noch eine Minute unter dem Säulengang stehen und schaute sich gespannt nach allen Seiten um, ob er nicht etwas von der Nase bemerken könne. Er erinnerte sich deutlich, daß ihr Hut mit Federn geschmückt und die Uniform mit Gold gestickt war; aber er hatte nicht auf den Mantel geachtet, auch nicht auf die Farbe des Wagens, noch auf die Pferde; er wußte nicht einmal, ob hinten ein Lakai gestanden hatte und was für eine Livree er trug. Überdies war eine solche Anzahl von Fahrzeugen kreuz und quer und mit einer solchen Schnelligkeit durch die Straßen gefahren, daß es kaum möglich war, sie zu bemerken. Und hätte er auch eines von ihnen herausgefunden, wie hätte er ihm Halt gebieten sollen?

Der Tag war schön und sonnig. Auf dem Newski-Prospekt wimmelte es von Menschen. Ein üppiger Damenflor überschwemmte das ganze Trottoir von der Polizei-Brücke bis zur Anitschkin-Brücke. Hier ging ein Hofrat, ein Bekannter von Kowalew, den er meist, besonders aber vor fremden Leuten, »Oberstleutnant« zu titulieren pflegte. *Dort* sah er seinen Busenfreund Jarnschkin, der Bureauvorsteher im Senat war und sich beim Bostonspiel oft genug hineinlegen ließ, wenn er Acht aus der Hand spielte, und *dort* einen andern Major, der gleich ihm seinen Assessorgrad im Kaukasus erlangt hatte und der ihm nun mit der Hand ein Zeichen gab, er möge doch zu ihm herüberkommen.

»Der Teufel soll ihn holen!« sagte Kowalew. »Kutscher! Bring mich doch auf dem nächsten Wege zum Polizeipräfekten.«

Kowalew bestieg eine Droschke und schrie dem Kutscher jeden Augenblick zu: »Fahr zu, so schnell du kannst!«

»Ist der Polizeipräfekt zu sprechen?« fragte er sofort beim Eintritt in das Vestibül.

»Nein«, antwortete der Portier, »er ist soeben weggegangen.«

»Das ist ja wundervoll!«

»Gewiß«, fügte der Portier hinzu, » erst vor ganz kurzer Zeit ist er fortgegangen. Wären Sie nur eine Minute früher gekommen, Sie hätten ihn vielleicht noch getroffen.«

Ohne das Taschentuch vom Gesicht zu nehmen, sprang Kowalew wieder in den Wagen zurück und rief dem Kutscher mit verzweifelter Stimme zu: »Fahr weiter!«

»Wohin?« fragte der Kutscher.

»Geradeaus!«

»Wie? Geradeaus? Wir befinden uns doch an einer Straßenecke; also rechts oder links?«

Diese Frage verwirrte Kowalew und zwang ihn von neuem zum Nachdenken. In seiner Lage wäre es vor allem angebracht gewesen, sich aufs Polizeipräsidium zu verfügen, nicht, weil seine Angelegenheit direkt in das Polizeiressort gehörte, sondern weil er hier auf eine schnellere Erledigung als sonstwo rechnen konnte. Sich an das Ressort zu wenden, an der die Nase nach ihrer Behauptung angestellt war, wäre sicher unklug gewesen, ging doch bereits aus den eigenen Äußerungen der Nase zur Evidenz hervor, daß es für diesen Mann nichts Heiliges gab. Warum hätte er nicht auch in diesem Fall lügen sollen; er hatte doch ganz frech gelogen, als er behauptete, daß er nie etwas mit Kowalew zu tun gehabt hätte. Kowalew wollte dem Kutscher gerade den Befehl geben, er solle ihn zum Polizeipräsidium fahren, als ihm der Gedanke kam; daß dieser Lügner und Schwindler, der sich bei ihrer ersten Begegnung so perfid benommen hatte, den günstigen Augenblick benutzen und aus der Stadt entweichen könnte; – und dann wären alle Nachforschungen überflüssig gewesen, oder sie konnten sich, was Gott verhüten möchte, wohl gar einen ganzen Monat hinziehen. Endlich gab ihm, wie er glaubte, der Himmel selbst einen Wink. Er beschloß, direkt nach der Expedition der Amtszeitung zu fahren und dort eine Annonce mit der genauen Angabe seines Signalements einrücken zu lassen, damit die, die der Nase begegneten, sie ihm sofort zuführen oder wenigstens ihm doch die Wohnung dieses Räubers mitteilen konnten.

Nachdem er diesen Entschluß gefaßt hatte, befahl er dem Kutscher, nach der betreffenden Expedition zu fahren, bearbeitete während der ganzen Fahrt unaufhörlich den Rücken des Wagenlenkers mit seinen Fäusten und schrie; »Schneller, du Spitzbube! Schneller, du Lump!«

»Aber, Herr!« antwortete nur immer kopfschüttelnd der Kutscher und schlug mit dem Zügel über den Rücken des Pferdes, das so behaart war wie ein Bologneserhund.

Endlich hielt die Droschke, und Kowalew trat ganz atemlos in ein kleines Empfangszimmer, wo ein alter Beamter in einem schäbigen Frack und mit einer Brille hinter dem Tische saß, einen Federkiel zwischen den Zähnen hielt und Kupfergeld zählte.

»Wer nimmt hier Annoncen an?« schrie Kowalew. »Guten Morgen vor allen Dingen!«

»Guten Morgen!« sagte der alte Beamte und blickte einen Moment empor, um seine Aufmerksamkeit sofort wieder seinem Geldhaufen zuzuwenden.

»Ich möchte ein Inserat aufgeben ...«

»Einen Augenblick nur bitte ich Sie, sich gedulden zu wollen«, fuhr der Beamte fort, indem er mit der Hand eine Zahl auf das Papier schrieb und mit einem Finger der Linken an der Rechenmaschine zwei Kugeln verschob.

Ein galonierter Diener von äußerst korrektem Aussehen, dem man es anmerkte, daß er in einem aristokratischen Hause diente, stand mit einem Zettel vor dem Tisch und hielt es für angebracht, auf seine gesellschaftliche Bildung hinzuweisen.

»Seien Sie überzeugt, mein Herr, daß dieser kleine Hund keine acht Groschen wert ist; ich für meine Person würde nicht acht

Pfennige für ihn geben. Aber die Frau Gräfin betet ihn an. Bei Gott, sie betet ihn in der Tat an, – deshalb verspricht sie seinem Überbringer hundert Rubel. In aller Höflichkeit sei's gesagt, aber unter uns: Die Geschmacksrichtungen der Leute sind doch ganz unberechenbar. Wenn man schon einmal Hundeliebhaber ist, so halte man sich meinetwegen einen Jagdhund oder eine Pudel; für so ein Tier kann man ruhig fünfhundert, ja auch tausend Rubel ausgeben, aber dann hat man auch wirklich einen wertvollen Hund.«

Der ehrenwerte Beamte hörte sich diese Ausführungen mit einer sehr bedeutsamen Miene an und zählte unterdessen die Buchstaben des Zettels, den der Diener mitgebracht hatte. Um ihn herum standen eine Menge alter Weiber, Handlungsgehilfen und Portiers, gleichfalls mit Zetteln in der Hand.

Auf einem dieser Zettel war zu lesen, daß ein Kutscher von nüchternem Lebenswandel von seinem Besitzer für eine andere Stellung abzutreten sei, auf einem anderen, daß man eine noch wenig benutzte um 1814 aus Paris bezogene Kutsche zum Verkauf feilbot. Hier war ein neunzehnjähriges Dienstmädchen, das waschen und gleichzeitig noch andere Arbeiten verrichten konnte, abzugeben. Dort wollte jemand eine Droschke, der eine Feder fehlte, verkaufen, oder einen jungen, feurigen, siebzehnjährigen Apfelschimmel, oder erst kürzlich aus London eingetroffenen Rüben- und Rettichsamen, oder ein Landhaus mit allem Zubehör (zwei Pferdeställen, nebst einem Platz, wo man einen prachtvollen Birken- oder Tannenwald anpflanzen konnte usw.). Wieder andere annoncierten, daß sie alte Sohlen zu verkaufen hätten und luden täglich von 8 bis 3 Uhr zur Besichtigung ein.

Das Zimmer, in dem sich der ganze Schwarm aufhielt, war klein, und infolgedessen war die Luft äußerst dick, allein der Kollegienassessor Kowalew merkte nichts davon, denn sein Gesicht war mit einem Taschentuch verhüllt, und seine Nase befand sich Gott weiß wo –

»Mein Herr, darf ich Sie bitten ... ich habe es sehr eilig ...« sagte er endlich ungeduldig.

»Gleich, gleich! ... Zwei Rubel dreiundvierzig Kopeken! ... Sofort! ... Ein Rubel vierundsechzig Kopeken!« sagte der grauhaarige Alte, indem er den alten Frauen und den Portiers die Zettel ins Gesicht warf. »Was wünschen Sie?« fragte er endlich, indem er sich an Kowalew wandte.

»Ich bitte Sie«, sagte Kowalew, »... es handelt sich um eine schier unglaubliche Spitzbüberei; bis zu diesem Augenblick weiß ich noch nicht, wie sie bloß passieren konnte. Ich bitte Sie jetzt nur, annoncieren zu wollen, daß der mir diesen Halunken herbeischafft, eine gute Belohnung erhalten soll.«

»Wollen Sie mir bitte Ihren Namen angeben?«

»Nein, weshalb meinen Namen? Es ist mir ganz unmöglich, ihn zu nennen. Ich habe aber gute Beziehungen, zum Beispiel zu Frau Tschechtarewa; der Gattin eines Staatsrates, oder zu Frau Pelagia Grigorjewna Podtotschina, die einen höheren Offizier zum Mann hat. Wenn sie es erführen ... Gott behüte! Sie können ganz einfach schreiben: 'Ein Kollegienassessor' oder noch besser: 'Ein Major'.«

»Und der Ausgerückte war Ihr Leibeigner?«

»Was für ein Leibeigner? Das wäre noch keine so große Gemeinheit! Nein, mir ist ... die Nase ausgerückt! ...«

»Hm! Was für ein merkwürdiger Familienname! Und um welche Summe hat Sie Herr Nase bestohlen?«

»Nase! Das heißt, Sie verstehen mich nicht! Meine Nase, meine eigne Nase ist es, die verschwunden ist, und ich weiß nicht, wohin. Der Teufel hat mir einen Streich spielen wollen!«

»Aber auf welche Weise ist sie verschwunden? Ich verstehe absolut nichts von alledem!«

»Ich kann Ihnen nicht sagen, auf welche Weise. Und das wichtigste bei dieser Angelegenheit ist die Tatsache, daß sie jetzt in der Stadt herumspaziert und sich Staatsrat tituliert. Aus diesem Grunde bitte ich Sie zu annoncieren, daß der, der sie fassen sollte, sie mir ohne Verzug wiederbringen möge. Sagen Sie übrigens selbst: Wie soll ich ohne diesen so auffallenden Körperteil, der doch unbedingt zu meiner Person gehört, existieren? Es handelt sich hier doch nicht etwa um eine Zehe ... wenn man einen Schuh trägt, würde man ihr Fehlen ja gar nicht merken. Aber ich gehe doch jeden Donnerstag zu Frau Staatsrat Tschechtarewa; Frau Pelagia Grigorjewna Podtotschina, die Gattin eines höheren Offiziers und Mutter eines reizenden Töchterchens, ist eine gute Bekannte von mir. Und nun mögen Sie selbst urteilen, wie ich jetzt ... Es ist mir doch augenblicklich ganz unmöglich, mich bei diesen Leuten zu zeigen.«

Der Beamte wurde nachdenklich, was man aus seinen zusammengekniffenen Lippen erkennen konnte. »Nein, ein solches Inserat kann ich nicht aufnehmen!« sagte er endlich nach längerem Stillschweigen.

»Wie? Weshalb nicht?«

»So! Weil die Zeitung dadurch ihren guten Ruf verlieren könnte. Wenn jeder inserieren wollte, daß ihm seine Nase entlaufen sei, dann ... Auch ohnedies wird schon genug davon gesprochen, daß allerhand abgeschmacktes Zeug und falsche Gerüchte in der Zeitung stehen.«

»Weshalb ist das abgeschmackt? Wie mir scheint, gibt es nichts Derartiges, was ...«

»Das ist Ihre Meinung, daß es nichts Derartiges gibt. Aber hören Sie, was uns vorige Woche passiert ist. Ein ganz ähnlicher Fall. Es erscheint ein Beamter, ganz wie Sie heute, und bringt uns ein Inserat, das ihn zwei Rubel dreiundsiebzig Kopeken kostet. In diesem Inserat wird das Entlaufen eines schwarzen Pudels angekündigt. Sie werden einwenden; 'Ich kann keine Ähnlichkeit mit meinem Fall entdecken!' Aber es stellt sich bald heraus, daß das lediglich eine Mystifikation gewesen war; mit dem Pudel war der Kassierer eines Geschäftes gemeint.«

»Aber ich suche doch gar nicht nach einem Pudel, sondern nach meiner eignen Nase; hören Sie: Das ist doch fast, als ob ich nach mir selbst suchte!«

»Nein, ich kann ein solches Inserat nicht aufnehmen!«

»Aber wenn doch meine Nase in der Tat verschwunden ist?«

»Wenn sie verschwunden ist, so geht das nur den Arzt etwas an; ich habe gehört, daß es Leute gibt, die Ihnen eine Nase von jeder beliebigen Form ansetzen können. Übrigens bin ich der Meinung, daß Sie ein Spaßvogel sind und sich in guter Gesellschaft gern einen Scherz erlauben!«

»Ich beschwöre Sie, bei allem, was mir heilig ist! Gestatten Sie, wenn es nicht anders geht, daß ich es Ihnen demonstriere!«

»Oh, bitte bemühen Sie sich nicht«, fuhr der Beamte fort, indem er eine Prise nahm. »Aber schließlich …, wenn es Sie weiter nicht inkommodiert«, fügte er neugierig hinzu, »ich würde mir die Sache mit Vergnügen ansehen!«

Der Kollegienassessor zog das Taschentuch von seinem Gesichte fort.

»In der Tat, das ist äußerst sonderbar!« sagte der Beamte. »Die Stelle ist ja ganz eben wie ein frischgebackener Eierkuchen. Ja, sie ist glatt, – es ist schier unglaublich!«

»Nun, wollen Sie jetzt noch streiten? Jetzt sehen Sie wohl selbst, daß Sie mein Inserat unmöglich nicht aufnehmen können. Ich wäre Ihnen dafür zu ganz besonderem Dank verpflichtet, und ich bin ganz froh darüber, daß diese Gelegenheit mir das Vergnügen verschafft hat, Ihre Bekanntschaft zu machen.«

Der Major ließ sich, wie man sieht, sogar zu einer Schmeichelei herab.

»Die Sache mit der Annonce hätte an und für sich keine Schwierigkeit«, sagte der Beamte, »nur sehe ich darin keinen Vorteil für Sie. Wenn Sie es durchaus wollen, dann sollten Sie sich an einen geschickten Journalisten wenden, der Ihren Fall als Naturphänomen behandeln und darüber einen Artikel in der »Biene des Nordens« – hierbei nahm er eine Prise – »zur Belehrung der Jugend«

– hierbei schneuzte er sich – »oder einfach zur allgemeinen Unterhaltung veröffentlichen könnte.«

Der Kollegienassessor war der Verzweiflung nahe. Er warf einen Blick auf den Teil am Fuß des Zeitungsblattes, wo die Theaternotizen stehen; schon wollte ein Lächeln über sein Gesicht huschen, als er den Namen einer hübschen Schauspielerin las, und er steckte schon die Hand in die Tasche, um sich zu überzeugen, ob er noch einen blauen Zettel bei sich habe, denn nach seiner Meinung mußten die höheren Offiziere mindestens im Parkett sitzen – ; aber der Gedanke an seine Nase verdarb ihm jedes Vergnügen.

Der Beamte schien das lebhafteste Mitgefühl mit der schwierigen Lage Kowalews zu haben. Von dem Wunsche beseelt, seinen Kummer ein wenig zu mildern, hielt er es für gut, ihm mit einigen Worten seine Teilnahme auszusprechen:

»Wahrhaftig, ich bin sehr betrübt, daß Ihnen eine so sonderbare Geschichte passiert ist. Nehmen Sie vielleicht eine Prise Tabak? Das vertreibt die Kopfschmerzen und den Hang zur Melancholie! Außerdem ist es auch noch ein vorzügliches Mittel gegen Hämorrhoiden!«

Mit diesen Worten reichte der Beamte ihm seine Tabaksdose, indem er ihm den Deckel, der mit dem Porträt einer Dame im Hut geschmückt war, in sehr geschickter Weise unterschob.

Dieser unüberlegte Schritt brachte Kowalew um den Rest seiner Geduld. »Ich verstehe nicht, wie Sie hier einen Anlaß zum Scherzen finden können!« sagte er zornig. »Sehen Sie denn nicht, daß mir augenblicklich gerade der Körperteil fehlt, der zum Nehmen einer Prise unbedingt erforderlich ist? Der Teufel soll Ihren Tabak holen! Ich kann ihn jetzt gar nicht mehr sehen, selbst dann nicht, wenn es kein stinkender Beresinski, sondern echter Rapé wäre.«

Nach diesen Worten verließ er tiefgekränkt das Zeitungsbüro und begab sich aufs Polizeikommissariat.

Als Kowalew ins Büro trat, traf er dort einen Beamten an, der gerade gähnte, sich streckte und laut zu sich selbst sprach: »Ich würde jetzt mit großem Vergnügen noch ein paar Stündchen schlafen.«

Man sieht hieraus, daß ihm die Ankunft des Kollegienassessors nichts weniger als gelegen kam.

Der Polizeikommissar war ein großer Liebhaber von allen möglichen Künsten und Manufakturen, doch zog er eine Staatsbanknote allen andern Dingen vor.

»Das ist ein Ding«, sagte er oft, »es gibt nichts Besseres als solch ein Ding; es braucht keine Nahrung, nimmt wenig Platz ein, läßt sich bequem in die Tasche stecken und zerbricht nicht, wenn es einmal zu Boden fällt.«

Er empfing Kowalew sehr kühl und ließ die Bemerkung fallen, daß die Stunde nach dem Mittagessen nicht der geeignete Moment zur Erledigung amtlicher Nachforschungen wäre, und daß die Natur uns selbst darauf hinweise, daß es gut sei, einen Augenblick der Ruhe zu pflegen, wenn man gegessen habe, – woraus der Kollegienassessor sehen konnte, daß die Aussprüche der Weisen des Altertums dem Kommissar nicht ganz unbekannt waren – und daß keiner einem anständigen Mann seine Nase abreißen werde.

Diese Worte verwundeten unseren Helden aufs tiefste.

Hierbei muß bemerkt werden, daß Kowalew eine äußerst empfindliche Natur war. Er konnte alles verzeihen, was man über ihn sagte, doch niemals vergab er einen Verstoß gegen die seiner amtlichen Würde gebührende Achtung. Er meinte sogar, daß man in den Theaterstücken alle üblen Bemerkungen über die Subalternoffiziere duchgehen lassen könne; nie aber dürften Angriffe gegen höhere Offiziere gestattet werden. Der Empfang des Kommissars brachte ihn derartig aus der Fassung, daß er kopfschüttelnd und im Bewußtsein seiner Würde die Hände erhob und erklärte:

»Ich muß gestehen, daß ich auf solche beleidigenden Äußerungen Ihrerseits nichts zu erwidern habe.«

Und damit ging er.

Er suchte seine Wohnung auf; es war ihm, als wären seine Beine abgestorben. Es wurde bereits dunkel, und seine Behausung erschien ihm nach allen diesen fruchtlosen Nachforschungen sehr traurig und sehr widerwärtig. Beim Eintritt in das Vorzimmer bemerkte er auf dem alten schmutzigen Ledersofa seinen Diener Iwan, der auf dem Rücken lag, sich damit unterhielt, an die Zimmerdecke zu spucken, und hierbei mit großer Geschicklichkeit stets ein und dieselbe Stelle traf. Eine solche Gleichgültigkeit versetzte ihn vollends in Wut; er schlug ihm mit seinem Hut auf die Stirn und schrie ihn an:

»Du Schwein hast doch immer nur Torheiten im Sinn!«

Iwan sprang von seiner Bank herunter und stürzte schleunigst herbei, um ihm seinen Mantel abzunehmen.

Der Major trat in sein Zimmer, warf sich müde und traurig in einen Sessel, seufzte einige Male laut auf und sagte:

»Mein Gott! Mein Gott! Womit habe ich solches Unglück verdient? Hätte ich eine Hand oder einen Fuß verloren, – das wäre noch nicht so schlimm; aber ein Mensch ohne Nase, das ist doch ... weiß der Teufel, was! Ein Vogel, der kein Vogel ist, ein Bürger, der kein Bürgerrecht hat, kurz, das ist ein Ding, das man nehmen und zum Fenster hinauswerfen möchte. Wäre sie mir wenigstens noch im Kriege oder im Duell abgehauen worden, oder hätte ich es wenigstens selbst verschuldet! Aber so um nichts und wieder nichts, ohne jede Veranlassung zu verduften! Nein, nein ... das ist ja ganz unmöglich!« fügte er nach einigem Nachdenken hinzu. »Es ist ganz unglaublich, daß eine Nase so ohne weiteres verschwindet Das ist doch zu unwahrscheinlich. Sicherlich träume ich bloß oder ich bilde es mir nur ein. Vielleicht habe ich aus Versehen statt eines Glases Wasser den Branntwein ausgetrunken, mit dem ich mir nach dem Rasieren mein Kinn einreibe. Dieser Schafskopf Iwan wird ihn sicherlich nicht weggenommen haben, und so habe ich ihn gewiß ganz ahnungslos hinuntergegossen.« Und um sich zu überzeugen, daß er nüchtern sei, kniff sich der Major so heftig ins Fleisch, daß er einen lauten Schrei ausstieß. Dieser Schmerz machte es ihm endgültig klar, daß er tatsächlich lebte und vernünftig handelte. Er trat ganz sachte vor den Spiegel und blinzelte zuerst mit den Augen, da er sich mit der Hoffnung schmeichelte, die Nase könne doch vielleicht noch an ihrem Platze sein; aber er sprang sogleich wieder einen Schritt zurück und murmelte: »Die reinste Karikatur!« Die Sache war ihm völlig unverständlich; wäre ihm noch ein Knopf verschwunden, ein silberner Löffel, eine Uhr oder etwas dergleichen! – aber so einfach verschwinden: Ja, was denn, und noch dazu auf welche Weise? Wohl gar aus seiner eigenen Wohnung ... Der Major Kowalew ließ alle die verschiedenen Umstände dieses Ereignisses an sich vorüberziehen und kam schließlich zu dem Resultat, daß noch am ehesten Frau Podtotschina, die Gattin eines höheren Offiziers, an seinem Unglück Schuld sein konnte, da sie den Wunsch hegte, er solle ihre Tochter heiraten. Es machte ihm Spaß, ihrer Tochter den Hof zu machen, doch ging er einer deutlichen Erklärung stets aus dem Wege. Als die Dame ihm nun offen mitteilte, daß sie ihm gern ihre Tochter zur Frau geben würde, lehnte er diese Ehre unter vielen Komplimenten mit der Begründung ab, er wäre noch zu jung und müsse noch gegen fünf Jahre dienen, um die runde Zahl von zweiundvierzig Jahren zu erreichen. Sicherlich hatte die Frau des höheren Offiziers aus diesem Grunde beschlossen, sich zu rächen, ihn zu verderben, und zu diesem Behufe einige alte Hexen gegen ihn ins Feld geführt; denn man konnte doch nicht annehmen, daß ihm die Nase auf die eine oder die andere Weise abgeschnitten sein sollte. Niemand war im Zimmer gewesen. Der Barbier Iwan Jakowlewitsch hatte ihn noch am Mittwoch rasiert, und während des ganzen Tages, sowie auch am Donnerstag war seine Nase noch ganz heil und gesund gewesen. Daran erinnerte er sich ganz deutlich. Außerdem hätte er doch irgendeinen Schmerz empfinden müssen, die Wunde hätte ohne Zweifel auch nicht so schnell heilen und nicht so platt wie ein Fladen werden können. Er schmiedete in seinem Hirn alle möglichen Pläne: Sollte er die Frau Podtotschina regelrecht vor Gericht laden oder sich wenigstens persönlich zu ihr begeben und sie überführen? Plötzlich wurde er in seinem Sinnen durch einen Lichtschimmer gestört, der durch alle Türritzen drang und ihm ankündigte, daß Iwan bereits im Vorzimmer eine Kerze angezündet hatte. Gleich darauf erschien Iwan selbst, eine Kerze in der Hand haltend, und bald war das Zimmer hell erleuchtet. Kowalews erste Bewegung war es, sein Taschentuch zu ergreifen und die Stelle zu verdecken, an der sich noch tags zuvor seine Nase befunden hatte, damit der dumme Lakai nicht das Maul aufzureißen brauchte, wenn er seinen Herrn so sonderbar entstellt sah.

Iwan hatte noch nicht Zeit gehabt, seine Kammer aufzusuchen, als sich eine unbekannte Stimme im Vorzimmer vernehmen ließ und fragte: »Wohnt hier der Kollegienassessor Kowalew?!«

»Treten Sie ein, der Major Kowalew ist hier«, sagte dieser, indem er aufsprang und eiligst die Tür öffnete. Ein Polizeikommissar, ein schöner Mann mit einem nicht allzu hellen, noch allzu dunklen Backenbart und runden Wangen; derselbe, den wir beim Beginn unserer Erzählung am Ende der Isaaksbrücke angetroffen haben, trat ein.

»Sie hatten die Ehre, Ihre Nase zu verlieren?«

»In der Tat!«

»Sie ist soeben gefunden worden.«

»Was sagen Sie da?« schrie der Major Kowalew. Die Freude machte ihn sprachlos. Er sah den Polizisten, der vor ihm stand, starr an, wobei seine Lippen und Wangen von dem flackernden Kerzenlicht erhellt wurden. »Auf welche Weise?«

»Durch einen erstaunlichen Zufall: Man hat sie gerade im Moment ihrer Abreise verhaftet. Sie hatte schon einen Platz im Postwagen eingenommen, um nach Riga zu fahren. Sie hatte seit längerer Zeit einen Paß, der auf den Namen eines Beamten lautete. Und das sonderbarste ist, daß ich selbst sie zuerst für einen Herrn gehalten habe; aber glücklicherweise hatte ich meine Brille bei mir und erkannte sogleich, daß es eine Nase war. Ich muß Ihnen nämlich sagen, daß ich kurzsichtig bin, und wie Sie jetzt vor mir stehen, erkenne ich wohl, daß Sie ein Gesicht habe, aber ich unterscheide weder Nase, noch Bart, noch sonst etwas. Meine Schwiegermutter, die Mutter meiner Frau, sieht auch nichts.«

Kowalew war außer sich. »Wo ist sie? Wo? Ich laufe sofort hin.«

»Regen Sie sich nicht auf. Ich weiß, daß Sie sie nötig haben, daher habe ich sie gleich mitgebracht. Das merkwürdigste ist, daß der Hauptschuldige an dieser ganzen Angelegenheit ein Lump von Barbier aus der Wosnessenskistraße ist, der zurzeit bereits im Polizeigewahrsam sitzt. Ich habe ihn schon lange im Verdacht, daß er ein Trunkenbold und Dieb ist; erst vorgestern hat er in einem Laden einen Karton mit Knöpfen entwendet. Ihre Nase ist gänzlich unversehrt.« Mit diesen Worten griff der Kommissar in seine Tasche und holte die Nase hervor, die in ein Stück Papier eingewickelt war.

»Ja, das ist sie!« schrie Kowalew.« Das ist sie wirklich! Trinken Sie vielleicht eine Tasse Tee mit mir?«

»Ich weiß die Ehre zu schätzen, aber es ist mir leider unmöglich. Ich muß mich von hier aus sofort ins Zuchthaus begeben ... In den letzten Tagen sind die Lebensmittel entsetzlich teuer geworden ... Ich habe eine Schwiegermutter, die Mutter meiner Frau, und meine Kinder zu Hause, die auf mich warten ... Besonders mein Ältester berechtigt zu den schönsten Hoffnungen; das ist wirklich ein recht intelligenter Bursche; aber mir fehlen die Mittel, ihm eine geeignete Erziehung zu geben ...«

* * *

Nachdem der Kommissar den Kollegienassessor verlassen hatte, befand sich dieser einige Minuten in einer unbeschreiblichen Gemütsverfassung; und erst einige Augenblicke danach gewann er die Herrschaft über seine Sinne und Gefühle wieder. Die plötzliche Freude hatte ihm gänzlich die Besinnung geraubt. Endlich nahm er die wiedergefundene Nase vorsichtig in die Höhlung zwischen beiden Händen und schaute sie noch einmal mit großer Aufmerksamkeit an.

»Ja, das ist sie! Das ist sie in der Tat!« sagte der Major Kowalew. »Hier auf der linken Seite ist das Pickelchen von gestern …« Der Major hätte vor Freude laut aufjubeln mögen.

Aber auf dieser Welt ist nichts von langer Dauer; daher ist auch die Freude im Augenblick, der auf den ersten folgt, nicht mehr so lebhaft; noch einen Augenblick später ist sie noch schwächer, unmerklich wieder zum gewohnten Gleichmaß zurückzukehren, so wie der Kreis, den das Fallen eines Steins im Wasser erzeugt, allmählich in der glatten Oberfläche zerrinnt. Kowalew begann das Vorgefallene zu überdenken und begriff, daß die Sache damit noch nicht zu Ende war. Die Nase war wohl gefunden, aber jetzt mußte man sie wieder an ihren alten Platz bringen und befestigen.

»Wie, wenn sie nun aber nicht halten wird?«

Bei dieser Frage, die er sich selbst stellte, erbleichte der Major.

Von einer unerklärlichen Furcht gepackt, stürzte er an den Tisch und schob den Spiegel näher heran, um sich die Nase nur nicht schief anzusetzen. Seine Hände zitterten. Mit großer Vorsicht und Behutsamkeit drückte er sie wieder an ihren alten Platz. Doch welch ein Schrecken! Die Nase wollte nicht haften … Er führte sie an den Mund, erwärmte sie ein wenig mit seinem Atem und brachte sie von neuem an die glatte Fläche, die sich zwischen seinen beiden Wangen befand. Die Nase wollte absolut nicht halten!

»So sitz' doch, du Rindvieh!« sagte Kowalew zu ihr. Aber die Nase schien aus Holz zu sein und fiel mit einem sonderbaren Ton, gleich einem Stück Kork auf den Tisch. Kowalews ganzes Gesicht zuckte konvulsivisch zusammen.

»Sollte es möglich sein, daß sie in der Tat nicht anwachsen sollte?« fragte er voller Schrecken.

Aber so oft er sie auch auf die Stelle drückte, an die sie gehörte, – alle seine Bemühungen waren und blieben vergeblich.

Kowalew rief Iwan und trug ihm auf, den Arzt zu holen, der eine der schönsten Wohnungen im ersten Stock desselben Hauses inne hatte. Dieser Arzt war ein stattlicher Mann, verfügte über ein Paar herrliche pechschwarze Favoris und eine prachtvolle, urgesunde Frau. Schon am frühen Morgen pflegte er frische Äpfel zu essen und ließ seinem Munde eine außerordentlich Pflege angedeihen, denn er spülte ihn jeden Morgen fast dreiviertel Stunden lang und putze sich stets die Zähne mit fünf verschiedenen Bürstchen. Der Arzt erschien ohne Verzug. Nachdem er sich danach erkundigt hatte, wieviel Zeit seit dem Unglücksfalle verstrichen war, faßte er den Major Kowalew am Kinn und gab ihm mit dem Mittelfinger an der Stelle, wo sich früher die Nase befunden hatte, einen so tüchtigen Nasenstüber, daß der Major mit dem Kopfe zurückzuckte und ziemlich heftig an die Mauer schlug. Der Arzt meinte, das mache weiter nichts, empfahl ihm, mit dem Kopf ein wenig von der Wand abzurücken und ihn erst ein wenig nach rechts zu neigen, befühlte die Stelle, wo sich die Nase befand, und ließ dann ein gedehntes »Hm« vernehmen, ließ ihn dann den Kopf nach links neigen und machte abermals »Hm«. Zum Schluß gab er ihm noch einen Nasenstüber mit dem Mittelfinger, so daß Kowalew mit dem Kopf zurückfuhr wie ein Pferd, dessen Zähne man untersucht. Nach dieser Untersuchung schüttelte der Arzt sein Haupt und sagte: »Nein, es geht nicht! Es ist besser, Sie lassen die Geschichte auf sich beruhen, sonst könnte man die Sache leicht noch verschlimmern. Gewiß kann man die Nase wieder befestigen, ich könnte es sogar auf der Stelle tun. Aber ich gebe Ihnen die Versicherung, daß das noch schlimmer für Sie wäre.«

»Das ist ja großartig!« sagte Kowalew. »Schlimmer als jetzt kann es ja gar nicht werden. Das ist doch ein verteufelter Zustand! Wo kann ich mich denn mit einem solchen grotesken Kopf blicken lassen? Ich verkehre doch in feinen Häusern; heute abend muß ich sogar noch zwei Besuche in zwei Familien abstatten. Ich bin mit vielen einflußreichen Personen bekannt, so zum Beispiel mit Frau Staatsrat Tschechtarewa und mit Frau Podtotschina, die die Gattin eines höheren Offiziers ist, wenngleich ich mit dieser Dame nach ihrem gegenwärtigen Benehmen nur noch mit der Polizei verkehren werde. Tun Sie mir den Gefallen«, fügte Kowalew mit flehender Stimme hinzu, »gibt es nicht doch ein Mittel, setzen Sie sie mir wieder an. Wenn es auch nicht gut aussieht, die Hauptsache ist, daß sie hält; in gefährlichen Situationen könnte ich sie ja etwas mit der Hand stützen. Im übrigen tanze ich auch gar nicht, so daß ich sie nicht durch eine unvorsichtige Bewegung in Gefahr bringen könnte. Und was das Honorar für Ihren Besuch anbetrifft, so können Sie überzeugt sein, daß, soweit es mir meine Mittel gestatten …«

»Glauben Sie mir«, sagte der Arzt nicht allzu laut, doch auch nicht allzu leise, auf jeden Fall aber in überzeugendem und suggestivem Tone, »daß ich meine Kunst niemals um des schnöden Mammons willen ausübe. Das wäre gegen meine Grundsätze und gegen meinen Beruf. Ich nehme gern eine Vergütung für meinen Besuch an, aber einzig und allein, um nicht durch meine Weigerung zu verletzen. Gewiß könnte ich Ihre Nase wieder anheften. Aber ich gebe Ihnen mein Ehrenwort, wenn Sie meinen Worten so nicht glauben wollen, daß es noch viel schlimmer werden würde. Lassen Sie doch lieber die Natur walten! Waschen Sie die betreffende Stelle recht häufig mit kaltem Wasser, und ich versichere Sie, daß Sie sich ohne Nase ebenso wohl befinden werden als mit ihr. Und dann gebe ich Ihnen noch den Rat, die Nase in einem Gefäß mit Spiritus aufzubewahren oder noch besser zwei Suppenlöffel Branntwein und heißen Essig in den Rezipienten zu tun, – dann könnten Sie viel Geld für sie erhalten. Ich selbst sogar würde sie Ihnen gern abnehmen, wenn Sie nicht zu teuer sind.«

»Nein, nein, um keinen Preis der Welt würde ich sie verkaufen!« rief der Major Kowalew verzweifelt aus, »Lieber soll sie zum Teufel gehen!«

»Entschuldigen Sie«, sagte der Arzt, indem er sich empfahl, »ich wollte Ihnen nur nützlich sein … Was ist da zu tun? Auf jeden Fall haben Sie sich von meinem guten Willen überzeugt.« Nach diesen

Worten verließ der Arzt in würdevoller Haltung das Zimmer. Kowalew hatte nicht einmal sein Gesicht deutlich gesehen, und in seiner tiefen Betäubung nur die Manschetten seines schneeweißen Hemdes bemerkt, das aus den Ärmeln seines schwarzen Frackes hervorleuchtete.

Am folgenden Tage beschloß er, noch bevor er die Klage gegen Frau Podtotschina einreichte, an sie zu schreiben und sie zu fragen, ob sie seiner Forderung nicht vielleicht kampflos Folge leisten wollte. Dieser Brief lautete folgendermaßen:

»Sehr geehrte Frau Alexandra Grigorjewna!

Es ist mir unmöglich, Ihre äußerst seltsame Handlungsweise zu begreifen. Seien Sie überzeugt, daß Sie hierdurch nichts gewinnen und mich keineswegs dazu zwingen werden, Ihre Tochter zu heiraten. Die Angelegenheit mit meiner Nase ist, dessen versichere ich Sie, völlig aufgeklärt, ebenso wie der Umstand, daß Sie die Hauptanstifterin sind und kein anderer. Ihr plötzliches Verschwinden von ihrem Platze, ihre Flucht, ihre Verkleidung als Beamter, wie ihr darauffolgendes Auftreten in natürlicher Gestalt: Das alles ist nur die Folge einer Behexung, die Sie oder irgendwelche andere Personen, die sich mit ähnlichen vornehmen Praktiken beschäftigen wie Sie, gegen mich inszeniert haben. Was nun mich anbetrifft, so halte ich es für meine Pflicht, Ihnen im voraus anzukündigen: Daß ich, sollte die in Frage kommende Nase sich nicht noch heute an ihrem alten Platze befinden, mich gezwungen sehen würde, den Beistand und Schutz der Gerichte anzurufen.

Im übrigen bin ich mit der Versicherung meiner vorzüglichen Hochachtung

Ihr ergebener Diener

Platon Kowalew«

* * *

»Sehr geehrter Herr Platon Kowalew!

Ihr Brief hat mich in außerordentliches Erstaunen versetzt. Ich gestehe offen, nie hätte ich von Ihnen ähnliches, vor allem nichts, was mit diesen ungerechten Vorwürfen in Zusammenhang steht, erwartet. Ich gebe Ihnen die Versicherung, daß ich den Beamten, von dem Sie sprechen, niemals weder maskiert noch in eigener Gestalt bei mir im Hause empfangen habe. Allerdings hat mich Philipp Iwanowitsch Potantschikow besucht. Und obgleich er in der Tat um die Hand meiner Tochter angehalten hat und auf einen tadellosen, nüchternen Lebenswandel und große Bildung hinweisen konnte, habe ich ihm doch keinerlei Hoffnung gegeben. Sie sprechen dann noch von Ihrer Nase. Wenn Sie damit sagen wollen, daß ich die Absicht habe, Ihnen eine Nase zu drehen, das heißt, Sie in aller Form abzuweisen, so kann ich hierüber nur meiner Überraschung Ausdruck verleihen, daß Sie eine solche Ansicht äußern, wo ich doch wie Sie sehr wohl wissen, ganz entgegengesetzter Meinung war; und wenn Sie gegenwärtig gesonnen sein sollten, offiziell um meine Tochter anzuhalten, so bin ich bereit, Ihnen sofort jede Genugtuung zuteil werden zu lassen. Denn dies war stets der Gegenstand meiner innigsten Wünsche. In dieser Hoffnung bin ich, wie stets

Ihre gehorsame Dienerin

Alexandra Podtotschina.«

»Nein«, sagte Kowalew, nachdem er den Brief gelesen hatte, »sie ist sicher unschuldig. Das ist ja ganz unmöglich! Solch einen Brief kann nie und nimmer eine Person schreiben, die ein Verbrechen auf ihrem Gewissen hat.« Der Kollegienassessor verstand sich auf diese Dinge, war er doch schon mehrfach mit Untersuchungen in den kaukasischen Provinzen betraut worden. »Wie und auf welche Weise mag es nur geschehen sein?« fragte er sich immer wieder.

»Der Teufel allein mag sich da zurechtfinden!« Und er ließ resigniert die Hände sinken. Unterdessen hatte sich in der ganzen Residenz das Gerücht von diesem außergewöhnlichen Ereignis verbreitet – und zwar, wie es ja der Brauch ist, nicht ohne besondere Zutaten und Übertreibungen. Alle Gemüter neigten gerade in dieser Zeit zu dem Glauben an übernatürliche Vorgänge. Kurz vorher hatten nämlich das Publikum allerhand Experimente mit dem tierischen Magnetismus beschäftigt; dazu kam, daß die Geschichte mit den tanzenden Stühlen in der Scheunenstraße noch frisch in der Erinnerung war. Man braucht es also nicht allzu sonderbar zu finden, daß bald darauf das Gerücht auftauchte, die Nase des Kollegienassessors Kowalew spaziere jeden Tag um drei Uhr auf dem Newski-Prospekt umher. Eine Menge Neugieriger strebte daher alltäglich dorthin. Irgend jemand hatte erzählt, die Nase hielte sich in Junkers Magazin auf, und gleich stauten sich dort die Menschen derartig, daß die Polizei sich genötigt sah, einen Ordnungsdienst einzurichten. Ein Spekulant von höchst würdigem Äußern mit einem prachtvollen Backenbart, der am Ausgang der Theater verschiedene Konditorwaren und trockene Kuchen feilzubieten pflegte, ließ daher schöne, solide hölzerne Bänke vor dem Laden aufstellen, lud die Neugierigen ein, Platz zu nehmen, und erhob ein Eintrittsgeld von sechzig Kopeken pro Zuschauer dafür. Ein Oberst a.D. erschien schon ganz früh an Ort und Stelle, um sich das Schauspiel anzuschauen, und schlängelte sich mit großer Mühe durch die Menge; aber zu seiner größten Empörung sah er im Fenster des Magazins anstatt der Nase nur ein ganz gewöhnliches Kamisol nebst einer Lithographie, die ein junges Mädchen darstellte, wie es sich einen Strumpf hinaufzieht und einen Stutzer mit ausgeschnittener Weste und Spitzbart, der sie hinter einem Baume beobachtet – ein Bild, das schon seit mehr als zehn Jahren immer an derselben Stelle hing. Der Oberst ging fort, indem er ärgerlich sagte: »Wie kann man nur die Leute durch solche dumme und unwahrscheinliche Gerüchte irreführen?«

Dann wurde allgemein davon gesprochen, daß die Nase des Majors Kowalew gar nicht auf dem Newski-Prospekt, sondern im Taurischen Garten umherspaziere; man sagte, sie befände sich schon lange dort, schon Chosrew-Mirza habe zu der Zeit, da er dort wohnte, sehr über dieses seltsame Naturspiel gestaunt. Einige Studenten von der medizinischen Fakultät begaben sich gleichfalls dorthin; vornehme, höchst ehrenwerte Damen baten den Wächter des Gartens in Privatschreiben, dieses seltene Phänomen doch ja ihren Kindern zu zeigen und womöglich mit einer gründlichen, lehrreichen Erklärung für die reifere Jugend zu versehen.

All diese Geschehnisse bildeten das Entzücken aller jener vornehmen Herren, die bei keiner Gesellschaft fehlen dürfen, deren Passion es ist, die Damen zum Lachen zu bringen und deren Vorrat zurzeit völlig erschöpft war. Indes zeigte sich doch eine Minderheit anständiger und wohlgesinnter Leute sehr ungehalten über all diese Vorgänge. Ein Herr erklärte sogar voller Empörung, er begreife nicht, wie in unserm aufgeklärten Jahrhundert solche absurden Gerüchte Verbreitung fänden, ja, er wunderte sich darüber, daß die Regierung diesen Vorgängen nicht Beachtung schenke. Dieser Herr gehörte augenscheinlich zu jener Menschenklasse, die es für wünschenswert hält, daß die Regierung sich in alle Angelegenheiten mische, selbst in die alltäglichen Zwistigkeiten der Ehegatten … Hiernach aber hüllt sich nunmehr der ganze Vorgang von neuem in ein dichtes Netz, und über alles, was weiter folgte, ist wieder nichts bekannt.

III.

In dieser Welt geschehen die unsinnigsten Dinge, die oft jeder Wahrscheinlichkeit spotten. So befand sich dieselbe Nase, die in Gestalt eines Staatsrates spazieren gefahren war und in der ganzen Stadt eine solche Aufregung verursacht hatte, plötzlich wie wenn nichts geschehen wäre, wieder an ihrem alten Platz, das heißt zwischen den beiden Wangen des Majors Kowalew. Das geschah am 7. April. Als der Major erwachte und zufällig in den Spiegel sah, erblickte er darin seine Nase. Er griff mit seiner Hand nach ihr, – wahrhaftig, es war seine Nase. »Sieh da!« sagte Kowalew und wollte schon vor Freude barfuß ein Tänzchen machen, aber das Eintreten Iwans hinderte ihn daran. Er befahl ihm, sofort Waschwasser zu bringen, und besah sich, während er sich wusch, noch einmal im Spiegel – die Nase war in der Tat wieder da! Er trocknete sich mit dem Handtuch ab und blickte abermals in den Spiegel – die Nase war noch immer da!

»Sieh doch mal her, Iwan, ich glaube, ich habe einen Pickel auf der Nase«, sagte er und dachte indessen bei sich: »Was für ein Unglück, wenn Iwan mir plötzlich antwortete: 'Nein, Herr, Sie haben nicht nur keinen Pickel auf der Nase, Sie haben ja überhaupt keine Nase!'

Aber Iwan bemerkte: »Nein, ich sehe gar keinen Pickel, Ihre Nase ist ganz rein.«

»Gut, vortrefflich, hol's der Teufel!« sagte der Major im stillen zu sich selbst und knipste mit den Fingernägeln. In diesem Augenblick erschien der Barbier Iwan Jakowlewitsch in der Türe – furchtsam wie eine Katze, die ein Stück Talg gestohlen und dafür Prügel bekommen hat.

»Sag mal vor allem: Sind deine Hände auch sauber?« schrie Kowalew ihm schon von weitem entgegen.

»Gewiß sind sie sauber.«

»Du lügst!«

»Bei Gott, sie sind sauber, Herr!«

»Sieh dich vor, mein Lieber!«

Kowalew setzte sich und Iwan Jakowlewitsch band ihm eine Serviette um. In einem Moment verwandelte er den ganzen Bart und einen Teil der Wange mit Hilfe eines Pinsels in eine Creme, wie sie die Kaufleute an ihren Namenstagen den Gästen servieren. »Sieh mal an«, sagte Iwan Jakowlewitsch zu sich selbst, nachdem er sich die Nase angesehen; dann wandte er den Kopf ein wenig und sah ihn sich auch von der Seite an, »schau her! So ein Ding, denk mal an!« fuhr er fort und betrachtete noch lange die Nase. Endlich erhob er mit einer Zartheit und Behutsamkeit, die man sich kaum vorstellen kann, zwei Finger, um ihn bei der Nasenspitze zu fassen. Das war Iwan Jakowlewitschs System.

»Halt Achtung! Paß auf!« schrie Kowalew. Iwan Jakowlewitsch ließ die Hände sinken, verlor den Kopf und wurde verlegen, wie noch nie zuvor in seinem Leben. Endlich begann er mit großer Vorsicht, ihm unter dem Kinn mit dem Rasiermesser den Hals zu kitzeln; obwohl ihm das Rasieren unbequem und schwer wurde, da er ja das Geruchsorgan nicht anfassen durfte, überwand er doch schließlich alle Schwierigkeiten dadurch, daß er sich mit seinem rauhen Mittelfinger bald auf die Wange, bald auf den Unterkiefer stützte, und so führte er denn sein Rasiergeschäft glücklich zu Ende.

Als alles fertig war, kleidete sich Kowalew eiligst an, nahm eine Droschke und fuhr schnurstracks nach einer Konditorei. Schon auf der Schwelle rief er dem Kellner zu: »He, he, eine Tasse Schokolade!« und blickte gleichzeitig noch einmal schnell in den Spiegel; die Nase war noch da! Fröhlich wandte er sich um und fixierte mit boshafter Miene, indem er die Augen ein wenig zusammenkniff, zwei Offiziere, deren einer eine Nase hatte, die nicht viel größer war als ein Westenknopf. Dann begab er sich auf die Kanzlei des

Departements, in dem er sich um die Stelle eines Vizegouverneurs oder im Falle eines Mißerfolges doch wenigstens um die eines Exekutors bewarb; als er durch das Empfangszimmer schritt, schaute er in den Spiegel, – die Nase war da. Hierauf fuhr er zu einem andern Kollegienassessor oder Major, einem großen Spötter, dem er auf seine bissigen Bemerkungen häufig nur die Antwort zu geben pflegte:

»Oh, ich kenne dich ja, du bist boshaft und spitz wie eine Nadel!« Und er dachte sich unterwegs:

»Wenn der Major bei meinem Anblick nicht vor Lachen platzt, so ist das das sicherste Zeichen, daß alles an seinem Platze und in Ordnung ist.« Aber der Kollegienassessor ließ sich nichts merken. »Gut! Vortrefflich! Teufel auch!« dachte Kowalew bei sich. Auf der Straße begegnete er Frau Podtotschina, der Gattin eines höheren Offiziers, nebst ihrer Tochter; er machte eine tiefe Verbeugung und wurde mit den freudigsten Ausrufen begrüßt. Demnach war alles gut; es haftete ihm kein Makel an. Er unterhielt sich längere Zeit mit ihnen, zog zuversichtlich die Tabaksdose hervor und stopfte sich ziemlich lange beide Nasenpforten voll; indem er zu sich sagte:

»Da habt ihr's, ihr Weiber, ihr seid Gänse! Ich denke ja gar nicht daran, mich mit deiner Tochter zu verheiraten! Bloß so – *par amour* – meinetwegen! Das ginge noch allenfalls!« Und seitdem zeigte sich der Major Kowalew, als ob nichts geschehen wäre, auf dem Newski-Prospekt, in den Theatern und überall. Und seine Nase saß gleichfalls, wie wenn nichts vorgefallen wäre, stets in seinem Gesicht, ohne es sich im geringsten merken zu lassen, daß sie einst solche Seitensprünge gemacht hatte. Und seitdem sah man den Major Kowalew stets in guter Laune, er lachte und verfolgte ausnahmslos alle schönen Frauen. Einmal sah man ihn sogar in einem Laden von Gostinnyi-Dwor stehen und ein Ordensband kaufen; zu welchem Zwecke dies geschah, wußte freilich niemand, denn er war ja gar nicht Ritter eines Ordens.

Das ist die Geschichte, die sich in der nördlichen Hauptstadt unseres großen Reiches abgespielt hat. Jetzt finden wir allerdings, wenn wir alle Umstände in Erwägung ziehen, viel Unwahrscheinliches in ihr. Ohne davon zu sprechen, daß dieses übernatürliche Verschwinden der Nase und ihr Auftreten an verschiedenen Stellen in Gestalt eines Staatsrates doch recht sonderbar ist, – wie konnte Kowalew nicht begreifen, daß man doch nicht durch eine Amtszeitung nach einer Nase suchen darf? Ich sage das nicht etwa, weil mir der Preis, den man für ein Inserat bezahlen muß, zu hoch erscheint: das ist eine Kleinigkeit. Denn ich gehöre ganz und gar nicht zu den habgierigen Leuten. Aber so etwas ist doch unschicklich, unpassend und unschön! Und dann noch dies: Wie geriet die Nase in ein frischgebackenes Brot, und wie konnte Iwan Jakowlewitsch ...? Nein, das werde ich nie und nimmer begreifen; wahrhaftig, das verstehe ich nicht! Was aber noch erstaunlicher und noch unverständlicher ist, das ist der Umstand, daß sich Autoren solche Gegenstände wählen können. Man muß zugeben, daß das in der Tat ganz unbegreiflich ist. Das ist geradezu ... nein, nein! Ich verstehe auch nicht ein Wort davon! Erstens bringt es dem Vaterland nicht den geringsten Nutzen, und zweitens ... aber auch zweitens hat niemand einen Vorteil davon. Ich weiß einfach nicht, was das bedeuten soll ...

Und dennoch und trotz alledem läßt sich letzten Endes vielleicht doch eins oder das andere oder das dritte davon begreifen! Denn schließlich, wo stößt man denn nicht auf Unbegreifliches? Und wenn man alles ordentlich überdenkt, so bleibt sicher doch wenigstens *etwas* davon bestehen. Man mag sagen, was man will: Derartige Dinge kommen in der Welt vor – wenn gleich höchst selten, aber sie *kommen* vor.

Der Mantel

Deutsch von Mario Spiro und S. Bugow

In einer Ministerialabteilung …

Aber es ist sicher besser, ich sage nicht, in welcher. In Rußland gibt es nämlich eine empfindlichere Menschenklasse als die der Ministerial-, Armee- und Kanzleibeamten, kurz, aller derer, die man unter dem Namen »Bürokraten« zusammenzufassen pflegt. Hält sich heutzutage der eine von ihnen in seiner Ehre gekränkt, so bildet er sich ein, daß in seiner Person auch die ganze Gesellschaft eine Unbill erlitten hat. So soll neulich einmal ein Polizeihauptmann – ich weiß nicht mehr, in welcher Stadt – einen Bericht abgefaßt haben, in dem er klar dartun wollte, daß man den Erlassen der Regierung nicht mehr die gebührende Achtung entgegenbringe, erfreche man sich doch sogar, den geheiligten Titel eines Polizeihauptmanns mit Verachtung auszusprechen. Und zum Beweise dafür hatte er seinem Berichte einen riesigen Folianten beigelegt, eine romantische Geschichte, in der man auf jeder zehnten Seite einem mitunter völlig berauschten Polizeihauptmann begegnen konnte. Um also von vornherein allen künftigen Reklamationen den Riegel vorzuschieben, wollen wir die Ministerialabteilung, von der hier die Rede ist, einfach *»Eine* Ministerialabteilung« nennen. Also, in *einer* Ministerialabteilung war ein Beamter beschäftigt, von dem man kaum behaupten konnte, daß er etwas Bemerkenswertes an sich hatte. Er war klein, ein wenig pockennarbig, hatte rötliche Haare, die ihm jedoch an der Stirn bereits ausgefallen waren, etwas kurzsichtig, beide Wangen waren voller Runzeln und sein Gesicht hatte eine bleiche Farbe, wie bei Leuten, die an Hämorrhoiden leiden. Was soll man machen? Das ist die Schuld des Petersburger Klimas. Was seinen Rang im Amte betrifft – denn bei uns ziemt es sich vor allem, den Rang eines Beamten festzustellen –, so war er das, was man im allgemeinen unter einem ewigen »Titular-Rat«* versteht, das heißt einer von denen, über die gewisse Schriftsteller so reichlich gewitzelt und gespottet haben, eine Menschenklasse, die die schöne Angewohnheit hat, gerade über die herzufallen, die sich nicht wehren können. Der Familienname dieses Beamten war Baschmatschkin**. Dieser Name läßt deutlich erkennen, daß er von dem Worte Schuh herstammt; wann und zu welcher Zeit und weshalb er jedoch von einem Schuh hergeleitet worden ist, das ist völlig unbekannt. Der Vater, der Großvater und sogar der Schwager unseres Beamten, sowie überhaupt sämtliche Baschmatschkins hatten immer nur Stiefel getragen, die sie sich nur dreimal im Jahre neu besohlen ließen. Der Vor- und Vatername unseres Helden war Akakij Akakiewitsch. Vielleicht wird der Leser diesen Namen etwas seltsam und gesucht finden, aber ich kann ihm die Versicherung geben, daß dieser Name keineswegs erklügelt war, sondern daß die Umstände selbst es zur Unmöglichkeit gemacht hatten, ihm andere Namen zu geben. Man höre, wie das kam! Akakij Akakiewitsch wurde, wenn mich nicht alles trügt, in der Nacht zum 23. März geboren. Seine verstorbene Mutter, eine gute Frau, die mit einem Beamten verheiratet war, lag noch im Bette, das sich der Türe gegenüber befand, zu ihrer Rechten stand der Pate Iwan Iwanowitsch Jerischkin, ein ganz vortrefflicher Mensch, Bürochef im Senat, und ihm zur Linken die Patin Arina Semzonowna Bjelobrjuschkow, die Frau eines Polizeileutnants, die mit außergewöhnlichen Vorzügen ausgestattet war. Man schlug der Wöchnerin drei Namen zur Auswahl vor: Mokius, Sossius oder den des Märtyrers Chosdasat.

»Nein«, dachte die Selige, »das sind alles solche Namen.« Um ihren Wünschen Rechnung zu tragen, schlug man im Kalender ein anderes Blatt auf und fand drei andere Namen: Trifilius, Dula und Warachassius. »Aber das ist ja eine Strafe Gottes!« rief die alte Mutter aus. »Hat man jemals solche Namen gesehen? Wahrhaftig,

* Die russische bürokratische Hierarchie oder der Tschin zerfällt in vierzehn Klassen. Der Titularrat gehört der neunten. Anm. des Übersetzers.
** Anm. des Übersetzers.

heute höre ich sie zum ersten Male in meinem ganzen Leben. Wenn er wenigstens noch Waradat oder Baruch wäre, aber Trifilius oder Warachassius.« Man blätterte eine andere Seite im Kalender um und fand nun Pawßikachius und Wachtissius. »Nein, nun wird es mir klar«, rief die Alte, »das Schicksal will es so, mag er denn meinetwegen den Namen seines Vaters bekommen, wenn es nun einmal so sein soll. Der Vater hieß Akakij. So mag der Sohn denn auch Akakij heißen!« Und so entstand der Name Akakij Akakiewitsch. Das Kind wurde getauft: Dabei weinte es und verzog das Gesicht zu einer Grimasse, wie wenn es hätte ahnen können, daß es eines Tages Titularrat werden würde. So nun spielte sich dies alles ab. Wir haben diese Tatsachen deshalb erzählt, damit der Leser sich selbst davon überzeugen kann, daß dies alles notwendig so kommen mußte, und daß ein anderer Name für den kleinen Akakij unmöglich gewesen wäre. Wann und zu welcher Zeit Akakij Akakiewitsch in die Kanzlei eintrat und wer ihm dort eine Stellung verschaffte, vermag heute niemand mehr zu sagen. Wie viele Direktoren und Vorgesetzte aller Art auch schon aufeinander gefolgt waren, man sah ihn seinen alten Platz einnehmen, in derselben Haltung, mit demselben Range eines Kanzleibeamten, so daß man hätte glauben können, daß er schon in diesem Zustande fertig auf die Welt gekommen sei, mit seinen kahlen Schläfen und in seiner Dienstuniform. – In der Kanzlei nahm niemand auch nur die geringste Rücksicht auf ihn. Die Bürodiener erhoben sich nicht, wenn er vorüberkam, sie beachteten ihn nicht im mindesten und rechneten mit ihm nicht mehr als mit einer Fliege, die durchs Vorzimmer flog. Seine Vorgesetzten behandelten ihn mit kalter Herrschsucht. Die Gehilfen des Bürochefs dachten nicht einmal daran, ihm zu sagen, wenn sie ihm einen Stoß von Papieren unter die Nase hielten: »Bitte schreiben Sie das ab«, oder etwa: »Das ist eine nette, interessante Sache«, oder sonst etwas angenehmes, wie es unter wohlerzogenen Beamten üblich ist. Akakij nahm jedoch stets die Akten an, ohne danach zu fragen, wer sie vor ihn hingelegt hatte, und ob der

Betreffende überhaupt dazu berechtigt gewesen war. Er nahm sie und begann sie sofort abzuschreiben. Seinen Kollegen, die jünger als er waren, diente er als Gegenstand für ihre Spöttereien und Witze – soweit man bei Kanzleibeamten von Witz reden kann –, sie erzählten sich in seiner Gegenwart allerhand erfundene Geschichten über ihn und die Frau, bei der er wohnte, eine siebzigjährige Greisin. Man sprach davon, daß sie ihn hin und wieder verprügele, man fragte ihn, wann er denn mit ihr Hochzeit machen wolle. Oder man ließ auf sein Haupt Papierschnitzel herabregnen, und wollte ihm dann weismachen, daß es Schneeflocken wären. Aber Akakij sagte kein Wort zu diesen Späßen; er erweckte den Eindruck, als wüßte er gar nichts von der Gegenwart der anderen. Alle diese Dinge taten seiner Beharrlichkeit im Arbeiten keinen Abbruch, und trotz all dieser Quälereien lief ihm auch nicht ein einziger Schreibfehler unter. Wurde ihm jedoch einmal der Scherz zu unerträglich, stieß man ihn etwa am Arme oder hinderte ihn am Arbeiten, so sagte er auch dann nur: »Lassen Sie mich doch in Ruhe! Warum wollen sie mich beleidigen?« Und es lag etwas Seltsames in diesen Worten und in Stimme und Ausdruck, wie er sie sprach, etwas Rührendes und Mitleiderregendes, so daß einmal ein junger Mann, der soeben eine Anstellung im Büro erhalten hatte und nach dem Beispiel der anderen sich auf seine Kosten lustig machen wollte, plötzlich dastand, als hätte er einen Stich ins Herz bekommen, – und von nun an kam ihm alles wie verwandelt vor, und er sah alles mit ganz anderen Augen an. Man hätte meinen können, daß eine übernatürliche Macht ihn von seinen Kollegen, die er soeben erst kennen gelernt, und die er zuerst für gebildete und anständige Leute gehalten hatte, fortstieß. Und noch viel später, mitten in Augenblicken höchster Fröhlichkeit stand ihm das Bild dieses kleinen Beamten mit der kahlen Stirn vor Augen, und in seinen Ohren tönten die tief in ihn dringenden Worte wieder: »Lassen Sich mich doch! Weshalb wollen Sie mich beleidigen?« Und mit diesen zu Herzen dringenden Worten klangen auch noch die andern mit: »Ich bin dein Bruder!«

Der arme junge Mann verbarg sein Gesicht in den Händen, und oft noch zuckte er später bei der Erkenntnis zusammen, wieviel Unmenschliches das menschliche Herz in sich berge, und wieviel Härte und Roheit selbst denen eigen wäre, die eine feine und vornehme Erziehung genossen hätten und, o Gott! Auch in denen, die im allgemeinen für gütige und ehrenwerte Menschen galten.

Kaum hätte man einen Menschen finden können, der seinen Pflichten mit gleichem Eifer oblag, wie Akakij Akakiewitsch. Was sage ich, mit gleichem Eifer – arbeitete er doch mit Liebe, mit Leidenschaft. Wenn er Akten abschrieb, so öffnete sich vor ihm eine bunte, freundliche Welt. Man konnte das Vergnügen von seinen Zügen ablesen. Es gab für ihn Lieblingsbuchstaben, – begegnete er einem solchen, so geriet er förmlich in Ekstase: er lächelte, zwinkerte mit den Augen und schien mit den Lippen nachzuhelfen, und man glaubte aus seiner Physiognomie ersehen zu können, welchen Buchstaben seine Feder gerade malte. Wäre er seinem Eifer entsprechend belohnt worden, so hätte er sich zu seinem eigenen Erstaunen vielleicht zum Range eines Staatsrates erhoben gesehen. Aber, wie seine witzigen Kollegen sagten, hatte er sich nur eine Schnalle verdient, die er in seinem Knopfloche tragen durfte, und seine ganze Beharrlichkeit trug ihm nur Hämorrhoiden ein. Übrigens kann man nicht sagen, daß er gänzlich übersehen worden wäre. Ein Direktor, ein freundlicher, wohlgesinnter Mann, der ihn für seine langen Dienste belohnen wollte, befahl, ihm eine wichtigere Arbeit anzuvertrauen als die, die in der Kopierung gewöhnlicher Akten bestand, und zwar sollte er nach bereits vorliegenden Akten einen Bericht an irgendeine andere Behörde abfassen, dazu mußte der Titel geändert und im ganzen Texte das Pronomen der ersten Person durch das der dritten ersetzt werden; allein das kostete ihn solche Anstrengungen, daß er förmlich in Schweiß geriet, sich die Stirne rieb und endlich ausrief: »Nein, gebt mir lieber etwas zum Abschreiben!« Und von nun an ließ man ihn bis an sein Lebensende kopieren.

Es schien fast, als ob außer seiner Kopierarbeit nichts auf der Welt für ihn existiere. An seinen Anzug dachte er nie. Seine ursprünglich grüne Uniform hatte allmählich eine mehlig-rote Farbe angenommen; sein Kragen war so eng und so niedrig, daß sein Hals, der eigentlich kurz war, beträchtlich über ihn hinausragte und abnorm lang erschien, ähnlich wie bei jenen Gipskatzen mit beweglichen Köpfen, die die fremden Hausierer zu Dutzenden auf dem Kopfe umhertragen und feilbieten. Stets gab es irgendein Ding, das an seiner Kleidung haften geblieben war, – bald war es ein Faden, bald etwas Heu. Außerdem hatte er ein ganz besonderes Talent dafür, gerade in dem Moment unter einem Fenster vorbeizugehen, wo man aus ihm allerhand Kehrricht auf die Straße warf, daher trug er auf seinem Hut stets eine Melonen- oder Wassermelonenschale und ähnlichen Plunder mit sich herum. Niemals fiel es ihm ein, sich mit dem, was auf den Straßen vor sich geht, zu beschäftigen, mit Dingen, die seine jungen Kollegen unbedingt bemerkten, deren scharfem, forschendem Blick es nicht einmal entgeht, wenn sich gegenüber auf dem Trottoir einer in Beinkleidern mit abgetretenen Stegen zeigt, was ihnen stets ein boshaftes Lächeln entlockt.

Akakij Akakiewitsch seinerseits sah, wo er auch hinblickte, nur die sonderbaren und regelmäßigen Linien seiner Kopien vor sich, und er mußte schon plötzlich auf seiner Schulter die Schnauze eines Pferdes fühlen, das ihm seinen vollen Atem ins Gesicht blies, um sich zu erinnern, daß er sich nicht mitten in der Zeile, sondern mitten auf der Straße befand. Und kam er nach Hause, so setzte er sich sofort zu Tisch, schlang hastig seine Kohlsuppe hinunter und verzehrte dann, unbekümmert, wie es schmeckte, irgendein Stück Rindfleisch mit Zwiebeln – samt den Fliegen und anderen Lieblichkeiten, die Gott und der Zufall dazugetan hatten. Wenn er merkte, daß sein Magen voll zu werden begann, stand er auf, holte ein kleines Tintenfaß aus der Tasche und begann die Akten abzuschreiben, die er sich nach Hause mitgenommen hatte. Hatte er zufällig gerade keine dienstlichen Schriftstücke abzuschreiben, so kopierte er zu seinem eigenen Vergnügen Dokumente, besonders wenn sie sich nicht so sehr durch die Schönheit des Stils als dadurch auszeichneten, daß sie an irgendeine neue oder hochgestellte Persönlichkeit gerichtet waren.

Selbst dann, wenn der graue Himmel St. Petersburgs völlig zu verblassen beginnt, und der ganze Beamtenstab sich gesättigt und sein Mahl je nach seinem Appetit und der Höhe seines Gehalts eingenommen hat, – wenn alle Welt sich von dem Kratzen der Federn im Büro, von der ständigen Unruhe, den eigenen und fremden Sorgen, den Geschäften und all den Unbequemlichkeiten, die sich die unruhigen Menschen oft selbst unnützerweise auferlegen, zu erholen sucht, wenn die Beamten den Rest des Tages dem Vergnügen widmen – die Unternehmungslustigeren fahren ins Theater, die anderen gehen spazieren und vergnügen sich damit gewisse Hütchen zu betrachten, andere wieder besuchen eine Soiree, wo sie an irgendein hübsches Mädchen: irgendeinen Stern, der am bescheidenen Horizonte ihres bürokratischen Himmels aufsteigt, ihre Komplimente verschwenden, manche dagegen – und diese sind die zahlreichsten – besuchen einen Kollegen, der im dritten oder vierten Stockwerke eine kleine Wohnung aus zwei Zimmern, einer Küche oder einem Vorzimmer innehat, mit einigen modernen, prätentiösen Luxusgegenständen, einer Lampe oder irgendeinem auf Grund langer Entbehrungen und unter häufigen Verzichtleistungen auf ein Mittagessen oder einen vergnügten Abend erworbenen Artikel: kurz, um die Stunde, da alle Beamten sich in den dürftigen Wohnungen ihrer Kollegen zerstreuen, um eine Partie Whist zu spielen, ein Glas Tee mit billigen Biskuits einzunehmen und aus einer langen Pfeife Tabak zu rauchen: Während man die Karten gibt, erzählt man sich Skandalgeschichten, die in der großen Welt passieren, von der der Russe, in welcher Situation er sich auch immer befinden vermag, nie seine Gedanken wegwenden kann, und wenn es nichts anderes zu berichten gibt, kommt man immer wider auf die alte Anekdote von dem Kommandanten zurück, dem hinterbracht wird, man habe dem Pferde auf dem Standbild Peters des Großen von Falkonet den Schweif abgeschnitten – mit einem Wort, selbst in diesen Stunden, da alles der Erholung und dem Amüsement nachgeht, gestatte sich Akakij Akakiewitsch keine Zerstreuung. Niemand hätte sagen können, daß er ihn auch nur ein einziges Mal des Abends in Gesellschaft gesehen habe. Wenn er nach Herzenslust abgeschrieben hatte und müde geworden war, legte er sich zu Bett und lächelte glückselig bei dem Gedanken an den folgenden Tag und an die schönen Kopien, die ihm der liebe Gott für morgen reserviert hatte. So floß das friedliche Leben eines Mannes hin, der bei einem Einkommen von vierhundert Rubeln mit seinem Schicksale vollkommen zufrieden war, und der vielleicht ein hohes Alter erreicht hätte, gäbe es nicht verschiedenerlei Zufälle, wie sie nicht nur die Titularräte, sondern auch die Geheimen, die Wirklichen Staatsräte, Hofräte und anderen Räte, ja, selbst die, die niemand mehr einen Rat geben und von niemand einen empfangen, auf ihrem Lebenswege treffen können.

In St. Petersburg haben alle die, die nur über ein Jahreseinkommen von ungefähr vierhundert Rubeln verfügen, einen furchtbaren Feind, und dieser Feind ist kein anderer als unser nordischer Winter, obwohl man behauptet, er wäre der Gesundheit sehr zuträglich. Gegen neun Uhr morgens, zu der Stunde, wenn die Beamten der verschiedenen Ämter sich in ihre Büros begeben, sticht ihnen die Kälte ohne Unterschied so scharf und kräftig in die Nase, daß die armen Beamten nicht wissen, wohin sie sie verstecken sollen. Wenn in solchen Augenblicken selbst dem hohen Würdenträger die Stirn vor Kälte wehtut und die Tränen in die Augen steigen, dann sind die armen Titularräte häufig völlig wehrlos. So bleibt ihnen als letzte Rettung nur übrig, in ein dünnes Mäntelchen gehüllt, fünf oder sechs Straßen im Eilschritt zu durchlaufen und sodann in der Portiersloge Halt zu machen, um hier so lange auf den Füßen herumzuspringen, bis auf diese Weise ihre unterwegs eingefrorenen bürokratischen Talente und Fähigkeiten wieder aufgetaut sind. Seit einiger Zeit empfand Akakij Akakiewitsch im Rücken und in den Schultern einen heftigen stechenden Schmerz, obwohl er in größter Eile den Weg nach seinem Büro zu durchlaufen pflegte. Nachdem er lange hierüber nachgedacht hatte, kam er schließlich auf den Gedanken, daß vielleicht sein Mantel nicht mehr ganz intakt sein müsse. Als er dieses Kleidungsstück daheim sorgfältig untersuchte, stellte er fest, daß der Stoff an zwei oder drei Stellen, und zwar im Rücken und an den Schultern, sich in den reinsten Tüll verwandelt hatte und so fadenscheinig geworden war, daß er fast durchsichtig schien; außerdem war das Futter völlig zerrissen. Man muß nämlich wissen, daß der Mantel Akakij Akakiewitschs auch zur Zielscheibe für die Spöttereien seiner Kollegen gedient hatte. Ja, man hatte ihm sogar die edle Bezeichnung eines Mantels entzogen, um ihn »Kapuze« zu taufen. Tatsache ist allerdings, daß dieses Kleidungsstück eine äußerst merkwürdige Form angenommen hatte. Im Laufe der Jahre war der Kragen immer mehr zusammengeschrumpft, diente er doch zur Ausbesserung der anderen Teile des Mantels, und diese Flicken verrieten nichts weniger als eine kundige Schneiderhand, waren möglichst ungeschickt angesetzt und sahen keineswegs schön aus. Als Akakij Akakiewitsch die Sachlage erfaßt hatte, sagte er sich, er müsse den Mantel zu dem Schneider Petrowitsch tragen, der im vierten Stock eines Hinterhauses wohnte und der, obwohl er schielte und trotzdem sein ganzes Gesicht mit Pockennarben bedeckt war, eine gewisse Geschicklichkeit in der Reparatur von Hosen und Dienstuniformen für Beamte und andere Herrschaften entfaltete, natürlich, wenn er nüchtern war und nicht etwas anderes im Kopfe hatte. Ich könnte wohl darauf verzichten, hier länger bei diesem Schneider zu verweilen; aber da es der Brauch nun einmal so will, daß in einer Erzählung der Charakter einer jeder handelnden Person vollständig und scharf umrissen sein muß, so bleibt nichts übrig, so müssen wir auch den Schneider herbeizitieren. Früher, als er noch bei einem Herrn Leibeigener war, hieß er ganz schlicht Grigorij. Freigelassen, nahm er den Namen Petrowitsch an. Zugleich begann er tüchtig zu trinken, und zwar zunächst an allen möglichen Feiertagen, dann jedoch ohne Wahl an allen Kirchenfesten, die im Kalender mit einem Kreuz verzeichnet sind. In dieser Beziehung blieb er den Gewohnheiten seiner Großväter treu, und wenn seine Frau mit ihm zanken wollte, hieß er sie eine gottlose Person und eine Deutsche. Und da wir diese Frau schon erwähnt haben, so wollen wir auch von ihr noch ein paar Worte sagen: Leider ist nur nicht viel über sie zu berichten, außer daß sie eben die Frau des Petrowitsch war, und daß sie eine Haube und kein Tuch auf dem Kopfe trug. Auf ihre Schönheit konnte sie offenbar nicht gerade stolz sein, höchstens erlaubte es sich ein Gardesoldat, wenn er ihr auf der Straße begegnete, ihr unter die Haube zu gucken, wobei er eigentümlich mit Lippe und Schnurrbart zuckte und einen unbestimmten Laut von sich gab.

Akakij Akakiewitsch kletterte also die Treppe bis zur Wohnung des Schneiders hinauf. Die Treppe, die zu ihr führte, war – es läßt sich freilich nicht leugnen – ganz feucht, triefte von Wasser und Spülicht und strömte einen die Augen beizenden Branntweingeruch aus, der bekanntlich allen Hintertreppen der Petersburger Häuser anhaftet. Während Akakij Akakiewitsch also die Stiege hinaufkroch, überlegte er schon, welchen Preis Petrowitsch wohl für die Reparatur fordern könnte, und er beschloß, ihm unter keinen Umständen mehr als zwei Rubel anzubieten. Die Tür des Schneiders stand offen, weil Petrowitschs Frau, die gerade dabei war, einen Fisch zu braten, die Küche so mit Rauchwolken angefüllt hatte, daß man nicht einmal die sie bevölkernden Schwaben sehen konnte. Akakij Akakiewitsch ging durch die Küche, ohne daß die Frau seiner ansichtig wurde, und trat schließlich in die Stube hinein, wo er Petrowitsch auf einem großen und ungestrichenen Holztische sitzen sah, die Beine wie ein türkischer Pascha übereinandergeschlagen, und nach der Art der meisten Schneider, wenn sie bei der Arbeit sind, mit nackten Füßen.

Vor allem zog ein Umstand die Aufmerksamkeit auf ihn; nämlich der dem Akakij Akakiewitsch wohlbekannte Daumen, dessen Nagel ein wenig verstümmelt, sonst aber dick und fest war, wie die Schale einer Schildkröte. Um den Hals hatte er ein Knäul Seidenfaden und Zwirnsträhne geschlungen und auf seinen Knien lag ein zerfetztes Kleidungsstück. Seit etwa drei Minuten bemühte er sich, eine Nadel einzufädeln, jedoch ohne Erfolg. Er wetterte zuerst auf die Dunkelheit, dann auf den Faden und brummelte halblaut vor sich hin:

»Willst du nun endlich hinein, Taugenichts!« schrie er. »Bald habe ich keine Kraft mehr, verdammtes Ding!«

Akakij Akakiewitsch empfand es peinlich, daß er in einem ungünstigen Moment erschien, wo Petrowitsch schlechter Laune war. Er zog es vor, Petrowitsch in einer jener günstigen Stunden einen Auftrag zu erteilen, in denen der Schneider sich schon ein wenig Mut angetrunken oder – wie seine Frau sich auszudrücken pflegte –, wo dieser einäugige Teufel sich eine solide Ration Fusel einverleibt hatte. In solch einem Zustand zeigte sich Petrowitsch gewöhnlich sehr entgegenkommend und ging leicht auf jeden Preis ein, ja, er verbeugte sich stets ehrfürchtig von dem Kunden und überschüttete ihn mit Danksagungen. Oft jedoch erschien die Frau bald danach, beklagte sich über ihren Mann und erklärte, er sei betrunken gewesen und habe die Arbeit zu einem viel zu niedrigen Preise angenommen. Dann bot man wohl einige zehn Kopeken mehr, und der Handel war abgeschlossen. Heute aber schien Petrowitsch gerade nüchtern zu sein, und in dieser Gemütsverfassung war der Schneider starrköpfig, unzugänglich und geneigt, einen Gott weiß wie hohen Preis zu fordern.

Akakij Akakiewitsch sah das voraus und hätte gern wieder, wie man zu sagen pflegt, Reißaus genommen; jedoch der Anfang war bereits gemacht: Der Schneider hatte sein einziges Auge bereits eindringlich auf ihn gerichtet und blickte ihn an, und so stammelte denn Akakij Akakiewitsch mechanisch: »Guten Tag, Petrowitsch!«

»Guten Tag, Herr!« antwortete der Schneider, indem er einen Seitenblick auf die Hände des Titularrats warf, um zu erkennen, was für ein Objekt sie trugen.

»Ich bin zu dir gekommen ... Petrowitsch, nun ... Ich wollte ...« Hier ist die Bemerkung am Platze, daß Akakij Akakiewitsch sich meist nur durch Präpositionen, Adverbien oder Redeteile auszudrücken pflegte, die überhaupt keinen Sinn hatten. War jedoch die Angelegenheit, um die es sich handelte, besonders schwierig, so hatte er sogar die Gewohnheit, den angefangenen Satz überhaupt nicht zu Ende zu sprechen; dann begann er wohl mit den Worten: »Das ist doch wirklich ganz ...«, und dann folgte überhaupt nichts mehr. Bald hatte er selbst vergessen, was er eigentlich sagen wollte, und glaubte, er habe schon alles gesagt.

»Was wünschen Sie, Herr?« fragte Petrowitsch ihn, indem er sein einziges Auge forschend über die gesamte Uniform, Kragen, Manschetten, Taille, Schöße und Knopflöcher gleiten ließ, die er sehr gut kannte, da er selbst all diese Dinge angefertigt hatte. Das ist nun mal die Eigentümlichkeit aller Schneider, dies ist das erste, was sie tun, sowie sie jemand begegnen.

»Ich möchte ... Petrowitsch ... dieser Mantel ... Sehen Sie, das Tuch ... ist noch überall ganz gut ... nur ein wenig bestaubt, nun, er sieht ein wenig abgetragen aus, aber er ist doch noch ganz neu, nur an einer Stelle ist er ein wenig ... da, am Rücken, und dann noch hier an der Schulter ein wenig abgescheuert ... Sehen Sie, das ist alles ... Es ist gar nicht viel daran zu tun ...«

Petrowitsch ergriff die Kapuze, breitete sie auf dem Tische aus, betrachtete sie lange und schüttelte den Kopf. Dann streckte er den Arm nach dem Fenster aus, um sich seine runde, mit dem Bilde eines Generals gezierte Tabaksdose herunterzunehmen. Ich weiß nicht, was das für ein General war, denn die Stelle, wo sich sein Gesicht befand, war mit dem Finger durchlöchert und sodann mit einem viereckigen Streifen Papier überklebt. Nachdem Petrowitsch eine Prise genommen hatte, stülpte er die Kapuze von neuem über die Hände, hielt sie ans Licht, betrachtete sie und schüttelte zum zweiten Male den Kopf. Sodann kehrte er sie um, mit dem Futter nach außen, und schüttelte wieder den Kopf, hob wiederum den Deckel der mit dem Porträt eines Generals geschmückten und mit einem Papierstreifen geflickten Tabaksdose hoch, stopfte sich die Nase mit Tabak voll, machte die Dose zu, steckte sie ein und sagte endlich:

»Daran ist überhaupt nichts mehr auszubessern! Das ist ein schlechtes Garderobenstück!«

Bei diesen Worten krampfte sich Akakij Akakiewitschs Herz zusammen.

»Weshalb nicht, Petrowitsch?« fragte er in dem flehenden Ton eines Kindes. »Er ist doch nur an der Schulter ein wenig durchgerieben, und du hast doch sicher ein paar Flicken.«

»Gewiß, Flicken werden sich schon finden, Flicken werden sich schon finden«, versetzte Petrowitsch, »man kann sie bloß nicht annähen; das ist ja ein ganz morsches Zeug, kaum berührt man es mit der Nadel, da geht es schon auseinander.«

»Laß es gehen! So wirst du einfach noch einen Flicken nehmen!«

»Man kann bloß den Flicken nirgends aufsetzen, es ist nichts da, um ihn zu befestigen, der Flicken würde auch zu groß; das kann man doch kaum noch Tuch nennen, ein Windstoß genügt ja, um es völlig in Nichts aufzulösen.«

»Näh ihn … schon auf … Ich bitte dich … Das ist doch wirklich …«

»Nein!« erwiderte Petrowitsch sehr bestimmt. »Da ist gar nichts mehr zu machen! Das ist eine ganz faule Sache: Sie täten besser, wenn der Winter kommt und es kalt wird, Fußlappen daraus zu machen, weil Strümpfe nicht warm halten. Ja, ja, das ist auch so eine deutsche Erfindung, um den Leuten das Geld abzunehmen.« Petrowitsch liebte es, bei jeder Gelegenheit den Deutschen eins auszuwischen. »Was aber den Mantel betrifft, so werden Sie sich schon einen neuen machen lassen müssen.«

Bei den Worten: »Einen neuen« ward es Akakij Akakiewitsch schwarz vor Augen; alle Gegenstände in des Schneiders Zimmer fingen sich an zu drehen, und der einzige Gegenstand, den er deutlich zu erkennen vermochte, war das mit Papier überklebte Gesicht des Generals auf Petrowitschs Tabaksdose. »Wie, einen neuen Mantel?« murmelte er, wie traumverloren. »Aber ich habe doch kein Geld dazu.«

»Jawohl, einen neuen Mantel!« wiederholte Petrowitsch mit grausamer Ruhe.

»Und … wenn … ich mir nun einen neuen machen ließe, … wieviel würde es wohl …«

»Sie wollen sagen, wieviel er kosten würde?«

»Ja.«

»So was wie hundertfünfzig Rubel werden Sie schon anwenden müssen«, erwiderte Petrowitsch, indem er die Lippen bedeutungsvoll zusammenkniff: Der Schneider liebte die starken Effekte und fand ein ganz besonderes Vergnügen darin, seine Kunden völlig in Erstaunen zu setzen, und dann mit seinem einzigen schielenden Auge zu beobachten, was für ein verblüfftes Gesicht der Angeredete bei diesen Worten machte.

»Hundertfünfzig Rubel für einen Mantel?« schrie der arme Akakij Akakiewitsch auf; vielleicht zum erstenmal in seinem Leben war ihm ein solcher Schrei entfahren, denn er zeichnete sich stets durch eine besonders leise Stimme aus.

»Ja«, sagte Petrowitsch, »und was für ein Mantel noch! Wenn Ihr Marder zum Kragen nehmen und die Kapuze mit Seide gefüttert haben wollt, würde er auch auf zweihundert zu stehen kommen.«

»Petrowitsch, ich beschwöre dich«, unterbrach ihn Akakij Akakiewitsch flehend, der kaum noch auf die Worte Petrowitschs und alle seine Effekte hörte und sie auch nicht hören wollte; »bessere den Mantel irgendwie aus, damit er noch eine Zeit, und wäre sie noch so kurz, halten kann!«

»Nein! Das wäre verlorene Mühe und eine ganz unnütze Ausgabe, eine reine Verschwendung«, versetzte Petrowitsch, und Akakij Akakiewitsch zog sich nach diesen Worten ganz niedergeschmettert zurück, während Petrowitsch noch lange mit bedeutungsvoll zusammengekniffenen Lippen dastand und die Arbeit ruhen ließ, mit sich selbst äußerst zufrieden, daß er sich nichts vergeben und das Schneiderhandwerk so mannhaft verteidigt hatte.

Akakij Akakiewitsch war wie betäubt, als er auf die Straße hinaustrat.

»Ist das eine dumme Geschichte!« sprach er vor sich hin. »Wahrhaftig, ich hätte niemals gedacht, daß das so ausgehen würde ... So also«, fuhr er nach einem kurzen Schweigen fort, »so also steht die Sache, dazu mußte es kommen ... Ich konnte wirklich nicht annehmen, daß es so damit steht ...« Dann schwieg er wieder eine Weile still und sagte schließlich: »So, so, das ist wirklich eine ganz unerwartete ... das hatte ich ... ist das eine peinliche Situation ...«

Nach diesen Worten schlug er, anstatt nach Hause zu gehen, eine völlig entgegengesetzte Richtung ein, ohne dessen gewahr zu werden. Unterwegs streifte ihn ein Schornsteinfeger mit seiner völlig rußigen Schulter und schwärzte ihm beim Vorübergehen den Rükken. Vom Dach eines im Bau befindlichen Hauses fiel im eine ganze Mütze voll Kalk auf den Kopf; er jedoch sah und merkte nichts. Erst als er gegen einen Nachtwächter stieß, der mit aufgepflanzter Hellebarde dastand und sich aus seiner Dose Tabak auf die schwielige Hand schüttete, erwachte er einen Augenblick, und auch das nur, weil ihn der Nachtwächter anschrie:

»Was springst du mir gerade ins Gesicht? Wozu gibt's denn ein Trottoir?«

Dieser plötzliche Anruf veranlaßte Akakij Akakiewitsch, endlich aufzublicken und sich nach Hause zu begeben. Hier erst sammelte er wieder seine Gedanken, überblickte klar seine wirkliche Lage und ging nicht mehr zusammenhanglos, sondern verständig und freimütig mit sich zu Rate, wie mit einem klugen Freunde, dem man seine intimsten Herzensangelegenheiten anvertrauen kann. »Nein«, sagte Akakij Akakiewitsch, »heute läßt sich nicht mit Petrowitsch reden; heute ist er etwas ... vielleicht hat ihn seine Frau ein wenig durchgeprügelt, – ich werde ihn lieber an einem Sonntagmorgen aufsuchen. Nach dem Samstagabend wird er schielen, verschlafen sein, Durst haben, trinken wollen, um seinen Katzenjammer loszuwerden, und seine Frau wird ihm kein Geld dazu geben wollen. Ich werde ihm ein Zehnkopekenstück in die Hand drücken, dann wird er viel eher zugänglich sein, und der Mantel wird dann schon ...«

Nachdem Akakij Akakiewitsch diesen Entschluß gefaßt hatte, sprach er sich Mut zu, wartete bis zum nächsten Sonntag und begab sich, als er Petrowitschs Frau hatte ihr Haus verlassen sehen, direkt zu dem Schneider. Petrowitsch schielte tatsächlich nach dem durchschwärmten Sonnabend stärker denn je, ließ den Kopf hängen und war ganz verschlafen. Kaum hatte jedoch der Schneider vernommen, worum es sich handelte, so schnauzte er dennoch Akakij Akakiewitsch sofort an, als sei der Teufel in ihn gefahren.

»Nein, da gibt's gar nichts mehr zu tun! Bitte, bestellen Sie sich gefälligst einen neuen Mantel.« Akakij Akakiewitsch drückte ihm hier ein Zehnkopekenstück in die Hand. »Danke, Euer Gnaden«, sagte Petrowitsch, »ich werde auf Ihre Gesundheit trinken. Was jedoch Ihren Mantel anbetrifft, so dürfen Sie gar nicht mehr an ihn denken. Er ist rein zu nichts mehr zu gebrauchen. Ich werde Ihnen schon einen prachtvollen neuen anfertigen, – ich bürge Ihnen dafür!«

Der arme Akakij Akakiewitsch bat noch einmal über das andere den Schneider, den alten zu reparieren, aber Petrowitsch wollte ihn gar nicht mehr anhören und sagte: »Ich will Ihnen unbedingt einen neuen anfertigen ... Darauf können Sie sich verlassen. Ich werde mir die größte Mühe geben. Sie werden sich sogar den Kragen, wie es jetzt Mode ist, mit applizierten silbernen Pfötchen und Ösen zumachen können.«

Jetzt erst begriff Akakij Akakiewitsch, daß er tatsächlich nicht um den neuen Mantel werde herumkommen, und ließ nun den Mut sinken. Wie denn nur? Er hatte allerdings, um die Wahrheit zu sagen, zu den Feiertagen Anspruch auf eine Gratifikation. Aber über dies Geld hatte er schon längst verfügt und seine Bestimmung getroffen. Er mußte sich ein Paar neue Beinkleider kaufen und einem Schuhmacher eine alte Schuld bezahlen, der ihm neue Kappen an die alten Schäfte gesetzt hatte. Er mußte sich bei der Näherin drei neue Hemden und zwei von jenen Wäschestücken anfertigen lassen, die beim Namen zu nennen, gegen die Gesetze des literarischen Stils verstößt, kurz, alles Geld war schon im voraus ausgegeben. Und sollte der Direktor so gnädig sein, die Gratifikation von vierzig auf fünfundvierzig oder fünfzig Rubel zu erhöhen, so wäre schließlich doch nur ein magerer Überschuß übriggeblieben, der im Vergleich zu dem für den Mantel erforderlichen Kapital einen Tropfen Wasser im Ozean bedeutet hätte. Er wußte freilich, daß Petrowitsch die verrückte Angewohnheit hatte, mitunter der Teufel weiß was für Preise zu verlangen, so daß sich sogar seine Frau oft nicht enthalten konnte, auszurufen: »Bist du verrückt, du Esel? Bald arbeitest du für ein reines Nichts, und ein andermal reitet dich der Teufel, einen solchen Preis zu fordern, den der Kerl selbst nicht wert ist.« Er wußte wohl, daß Petrowitsch auch mit einem Preise von achtzig Rubeln für einen neuen Mantel einverstanden sein würde. Aber wo sollte man selbst diese achtzig Rubel hernehmen? Vielleicht würde es ihm noch gelingen, die Hälfte oder sogar noch etwas mehr aufzutreiben. Woher aber sollte er die andere Hälfte nehmen?

Allein zunächst muß der Leser etwas Näheres darüber erfahren, auf welche Weise sich Akakij Akakiewitsch die erste Hälfte der Summe verschafft hatte. Er hatte die Gewohnheit angenommen, so oft er einen Rubel ausgab, eine Kopeke in ein kleines Sparkästchen zu werfen, das stets fest verschlossen war und dessen Deckel eine kleine Öffnung zum Einwerfen des Geldes enthielt. Am Ende eines jeden Halbjahrs nahm er eine Revision dieser kleinen Summe Kupfergeldes vor und ersetzte sie durch kleine Silbermünzen. Dieses System hatte er schon ziemlich lange durchgeführt, und so beliefen sich nach Verlauf einiger Jahre seine Ersparnisse auf etwas mehr als vierzig Rubel. So besaß er wenigstens die Hälfte der in Betracht kommenden Summe. Aber wo sollte er die andere Hälfte, wo die anderen vierzig hernehmen? Akakij stellte unabsehbare Berechnungen an; schließlich sagte er sich, daß er mindestens ein Jahr hindurch die gewöhnlichen täglichen Ausgaben reduzieren könne, des Abends auf den Tee verzichten, keine Kerze anzünden und – wenn er etwas zu arbeiten hätte – sich ins Zimmer der Wirtin setzen müßte, um bei ihrer Kerze zu arbeiten. Auch würde es nötig sein, auf der Straße möglichst sanft und vorsichtig aufzutreten, ja, wenn es ging, auf den Zehenspitzen über Steine und Fliesen zu gehen, um seine Sohlen nicht zu schnell durchzuscheuern, seine Wäsche nicht so oft waschen zu lassen, sie beim Nachhausekommen auszuziehen und statt dessen bloß seinen Schlafrock aus Kattun anzulegen, ein zwar sehr altes Stück, das die Zeit jedoch glücklicherweise noch ziemlich verschont hatte. Man muß gestehen, daß es ihm anfangs schwer wurde, sich an diese Entbehrungen zu gewöhnen, nach und nach jedoch gelang es ihm dennoch, ja, es ging ganz gut, und er brachte es sogar so weit, ohne Abendessen auszukommen. Dafür aber nährte er sich geistig, in seiner Seele die ewige Idee des Mantels tragend. Von diesem Augenblicke an wurde sein Dasein gewissermaßen voller und reicher; es war, als ob er sich verheiratet hätte, als ob noch ein anderer Mensch immer um ihn war; er nicht mehr einsam war, und daß eine liebe Gefährtin sich bereit erklärt hätte, den ganzen Lebensweg gemeinsam mit ihm zu durchwandern; diese Gefährtin – war niemand anders als unser Mantel, dick wattiert und versehen mit festem Futter, das nicht umzubringen war. Man möchte sagen, er wurde lebhafter und energischer, gleich einem Menschen, der sich ein bestimmtes Ziel gesetzt hatte. Die Unsicherheit und Unentschiedenheit in seinem Gesichtsausdruck und in seinen Handlungen, seine lässige Haltung, mit einem Wort, all jene schwankenden und unbestimmten Ziele waren wie von selbst verschwunden. Mitunter blitzte in seinen Augen sogar etwas wie ein Feuer auf, und in seinem Geiste regten sich geradezu kühne und verwegene Pläne; er legte sich die Frage vor, ob er sich wirklich einen Kragen aus Marder machen lassen solle.

Diese Überlegungen hätten beinahe dazu geführt, ihn unaufmerksam und zerstreut zu machen. Eines Tage, als er wieder Akten abschrieb, wäre ihm beinahe ein Fehler unterlaufen, so daß er nahe daran war, »Oh, oh!« auszurufen. Und schnell machte er ein Zeichen des Kreuzes. Mindestens einmal im Monat begab er sich zu Petrowitsch, um sich mit ihm zu besprechen, wo er wohl am besten das Tuch kaufen, welche Farbe er dazu nehmen solle und wie teuer es wohl zu stehen kommen werde, und jedesmal kehrte er zwar etwas besorgt, aber doch glücklich und zufrieden nach Hause zurück, denn nun mußte doch endlich der Tag erscheinen, an dem alles besorgt und der Mantel fertig sein würde. Dieses Ereignis trat viel früher ein, als er gehofft hatte. Wider alles Erwarten bewilligte ihm der Direktor eine Gratifikation nicht von vierzig oder fünfundvierzig, sondern von ganzen sechzig Rubeln. Hatte er etwa geahnt, daß Akakij Akakiewitsch dringend eines neuen Mantels bedurfte? Oder war es von selbst so gekommen? Wie dem auch immer war, Akakij Akakiewitsch war plötzlich um zwanzig Rubel reicher. Dieser Umstand mußte notwendig den Gang der Ereignisse beschleunigen. Noch zwei oder drei Monate, während deren er hungerte, und Akakij Akakiewitsch hatte seine achtzig Rubel zusammengebracht. Sein gewöhnlich so friedliches Herz begann heftig zu schlagen. Sowie er die Summe beisammen hatte, begab er sich mit Petrowitsch noch am selbigen Tage nach dem Tuchladen. Sie kauften dort einen vorzüglichen Stoff. Kein Wunder! Seit mehr denn einem halben Jahre hatten sie darüber gesprochen und Überlegungen angestellt, und hatten kaum einen

Monat vorüber gehen lassen, ohne sich im Laden über die Preise zu vergewissern. Dafür erklärte aber Petrowitsch auch, einen besseren Stoff würde man schwerlich finden. Als Futter nahmen sie Kaliko aber von äußerst fester und dauerhafter Qualität, die nach der Meinung des Schneiders besser als Seide war und überdies noch feiner aussah und einen viel schöneren Glanz hatte. Marder kauften sie nicht, da er ihnen denn doch etwas zu teuer war, aber sie entschieden sich für das schönste Katzenfell, das es in dem ganzen Laden gab und das man schließlich von ferne wohl auch für Marder halten konnte. Um den Mantel anzufertigen, bedurfte Petrowitsch voller vierzehn Tage; denn es gab da viel zu steppen, ohne dies wäre er allerdings früher fertig geworden. Er berechnete seine Arbeit mit zwölf Rubeln; weniger konnte er nicht fordern: Alles war auf reiner Seide gearbeitet, doppelt mit feinen Nähten genäht und gewendet, jede Naht hatte Petrowitsch mit den Zähnen nachgebügelt und hierbei allerhand schöne Arabesken eingepreßt. Es ist schwer zu sagen, an welchem Tage es war, aber sicherlich war es der feierlichste Tag in dem Leben Akakij Akakiewitschs, als Petrowitsch endlich mit dem Mantel erschien.

Der Schneider brachte ihn schon am frühen Morgen, bevor der Titularrat sich in sein Büro begab. Er hätte gar nicht zu gelegenerer Zeit kommen können, denn die Kälte begann sich bereits bitter fühlbar zu machen und drohte mit der Zeit noch weit heftiger zu werden. Petrowitsch erschien mit dem Mantel, wie es sich für einen guten Schneider schickt. In seiner Physiognomie lag ein solcher Ausdruck von Würde, wie ihn Akakij Akakiewitsch noch nie gesehen hatte. Er schien völlig davon durchdrungen zu sein, daß er ein großes Werk verrichtet, und ließ deutlich den Abgrund merken, der den Flickschneider von dem Verfertiger neuer Kleidungsstücke scheidet.

Der Schneider knüpfte das Tuch auf, in dem er den Mantel gebracht hatte, und nahm in heraus (das Tuch kam soeben aus der Wäsche; erst nachher legte er es wieder zusammen und steckte es in die Tasche, da es ihm als Schnupftuch diente). Nachdem er den Mantel herausgenommen, betrachtete er ihn mit stolzer Genugtuung, faßte ihn mit beiden Händen an und legte ihn Akakij Akakiewitsch geschickt über die Schultern. Dann zupfte er ihn zurecht, zog ihn mit der Hand nach unten und drapierte ihn mit vorn offenen Revers. Als ein Mann reiferen Alters wollte Akakij Akakiewitsch auch in die Ärmel hineinschlüpfen; Petrowitsch half ihm in die Ärmel hinein, und, siehe da, auch so saß er wundervoll. Kurz, der Mantel war in jeder Hinsicht vollkommen und saß tadellos.

Der Schneider verfehlte hierbei nicht, darauf hinzuweisen, daß er ihn nur wegen der geringen Miete, weil er in einer kleinen Nebenstraße wohne und kein Aushängeschild habe, sowie wegen seiner langjährigen Bekanntschaft mit Akakij Akakiewitsch so billig hergestellt hätte, ein Schneider vom Newski-Prospekt hätte allein für die Fasson fünfundsiebzig Rubel gefordert. Akakij Akakiewitsch wollte sich jedoch über diesen Punkt nicht erst in eine Diskussion mit Petrowitsch einlassen, denn er fürchtete sich vor den horrenden Summen, mit denen Petrowitsch zu prahlen liebte. Er zahlte, dankte und verließ seine Stube, um sich in seinem neuen Mantel nach dem Büro zu begeben Petrowitsch ging mit ihm, machte mitten auf der Straße halt, folgte ihm noch lange mit den Augen, in Betrachtung des Mantels versunken. Dann verließ er die Straße, durchquerte eiligst eine kleine, krumme Gasse und rannte nach der Straße zurück, um den Mantel noch einmal von einer anderen Seite, das heißt von vorne, zu sehen. Unterdessen schritt Akakij Akakiewitsch voll süßer Gedanken in einer wahren Feiertagsstimmung weiter. Jeden Augenblick fühlte er, daß er einen neuen Mantel auf den Schultern trug, und lächelte sogar mehrmals vor innerer Genugtuung. Die Sache hatte in der Tat zwei gute Seiten: Erstens war der Mantel warm und zweitens sah er gut aus. Ohne auf den Weg, den er gegangen war, geachtet zu haben, befand er sich plötzlich in der Kanzlei, legte seinen Mantel in der Portierolge ab, schaute ihn sich noch einmal sorgfältig von allen Seiten an und bat den Portier, recht sorgsam auf den Mantel zu achten. Ich weiß nicht, wie sich mit einem Schlage im ganzen Büro die Kunde verbreitet hatte, daß Akakij Akakiewitsch sich einen neuen Mantel angeschafft und die alte Kapuze zu existieren aufgehört habe. Jedenfalls eilten alle sogleich in die Portierloge, um sich den neuen Mantel anzusehen und Akakij Akakiewitsch mit so warmen Glückwünschen zu überhäufen, daß er zuerst nicht umhin konnte, ihnen mit einem Lächeln zu antworten, das bald jedoch wieder einem Gefühl der Verlegenheit Platz machte. Aber als dann alle an ihn herantraten und ihm klarzumachen suchten, daß der neue Mantel begossen werden und daß er mindestens ein Fest geben müsse, wurde der arme Akakij Akakiewitsch darüber so bestürzt, so betäubt, daß er nicht wußte, was er tun, was er antworten und was er zu seiner Entschuldigung anführen sollte. Erst nach einigen Minuten versuchte er mit rotem Kopf ganz einfältig zu versichern, der Mantel sei gar nicht neu, das sei vielmehr der alte Mantel.

Endlich sagte einer von den Beamten, irgendein Gehilfe des Bürovorstehers, der ohne Zweifel dartun wollte, daß er so gar nicht stolz auf seinen Rang und Titel war, und daß er die Gesellschaft seiner Untergebenen nicht verschmähte:

»Nun gut, meine Herren, an Stelle von Akakij Akakiewitsch werde ich Sie bewirten. Ich lade Sie ein, diesen Abend den Tee bei mir einzunehmen, es trifft sich gut, daß ich heute gerade Geburtstag habe.« Die Beamten gratulierten dem Gehilfen des Bürochefs natürlich und beeilten sich, seine Einladung mit großer Freude anzunehmen. Akakij Akakiewitsch wollte zuerst ablehnen, man hielt ihm jedoch vor, daß das sehr unhöflich von ihm wäre, daß er sich schämen solle, und daß das einfach unverzeihlich wäre, und so mußte er sich denn in das Unvermeidliche fügen.

Übrigens empfand er eine gewisse Freude darüber, daß er auf diese Art Gelegenheit hatte, sich abends in seinem neuen Mantel auf der Straße zu zeigen. Dieser ganze Tag war für ihn gewissermaßen ein großes, herrliches Fest. In dieser glücklichen Stimmung kehrte er in seine Wohnung heim, zog seinen Mantel aus und hängte ihn sorgsam, nachdem er einmal übers andere ganz glückselig Stoff und Futter geprüft hatte, an die Wand. Dann holte er seine alte Kapuze hervor, die schon völlig zu zerfallen drohte, um sie mit dem neuen Mantel zu vergleichen. Er betrachtete ihn und fing sogar an zu lachen, so gewaltig war der Unterschied. Und noch lange nachher, beim Mittagessen, mußte er fortwährend lächeln, wenn er daran dachte, in was für einer Verfassung seine alte Kapuze sich befand. Ganz fröhlich nahm er seine Mahlzeit ein, und danach setzte er sich nicht, wie sonst, an seine Kopien. Nein, er streckte sich wie ein rechter Sybarit auf seinem Bette aus und erwartete das Herannahen der Dunkelheit. Dann zog er sich unverzüglich an, warf seinen Mantel um und ging. Es ist mir leider nicht möglich, Ihnen die Wohnung des Beamten anzugeben, der seine Kollegen eingeladen hatte. Mein Gedächtnis beginnt bereits stark nachzulassen, und alles was es in Petersburg gibt, seine Straßen und Häuser, fließen in meinem Hirn derartig zusammen und geraten in eine solche Verwirrung, daß es mich große Mühe kostet, ein einzelnes Ding aus diesem Chaos in einigermaßen annehmbarer Gestalt hervorzuziehen. Wie dem auch sei, soviel steht fest, daß der Beamte in einem der schönsten Stadtviertel wohnte und daß seine Wohnung sehr weit von der Akakij Akakiewitschs entfernt war. Zuerst mußte dieser mehrere einsame, schlecht beleuchtete Straßen durchwandern, aber je mehr er sich der Wohnung des Beamten näherte, um so heller und belebter wurden die Straßen. Immer häufiger begegnete er Fußgängern, schön gekleideten Frauen und Herren, die Biberkragen trugen. Die mit goldenen Nägeln geschmückten Schlitten mit ihren Holzbänken und ihren Gittern wurden immer seltener, vielmehr begegnete er alle Augenblicke forschen Kutschern mit himbeerroten Samtmützen, die mit Bärenfellen versehene Schlitten aus lackiertem Holz lenkten, oder er sah vornehme Equipagen mit eleganten Kutschböcken, die knirschend über den Schnee dahinglitten. Das war für unsern Akakij Akakiewitsch ein gänzlich neues Schauspiel. Seit vielen Jahren schon war er nicht des Abends ausgegangen. Neugierig blieb er vor dem erleuchteten Fenster einer Kunsthandlung stehen. Ein Gemälde zog seine Aufmerksamkeit auf sich. Das war die Abbildung einer schönen Frau, die im Begriff war, ihren Schuh auszuziehen und gerade ihren ganz entzückenden Fuß entblößt hatte; hinter ihrem Rücken steckte ein Mann mit Backenbart und einer reizenden Fliege seinen Kopf zur Tür herein. Akakij Akakiewitsch schüttelte den Kopf und setzte lächelnd seinen Weg fort. Warum lächelte er wohl? Etwa, weil er hier einem ihm völlig fremden Gegenstand begegnete? Für den sich trotzdem ein jeder ein gewisses Verständnis bewahrt? Oder vielleicht, weil er dachte, was die meisten Beamten gedacht hätten: Oh, diese Franzosen, da ist kein Wort zu verlieren; wenn sie sich einmal so eine Sache vornehmen, dann ist es wirklich so eine Sache. Vielleicht aber dachte er nicht einmal etwas Derartiges, und im übrigen ist es unmöglich, sich in die Seele eines anderen zu versetzen und alle seine Gedanken zu lesen. Endlich gelangte er vor das Haus, in dem der Gehilfe des Bürochefs wohnte. Dieser Gehilfe lebte wie ein Grandseigneur, auf der Treppe brannte eine Laterne, denn die Wohnung befand sich im zweiten Stock. Als Akakij Akakiewitsch das Vorzimmer betrat, erblickte er eine lange Reihe Galoschen, dazwischen brodelte mitten im Zimmer ein Samowar aus dem der Dampf in dichten Wolken aufstieg. An den Wänden hingen lauter Paletots und Mäntel, von denen mehrere mit Biberkragen und Samtaufschlägen versehen waren. Aus dem Zimmer nebenan drang ein wirres Geräusch von Stimmen, das plötzlich laut, deutlich und verständlich wurde, als sich die Tür öffnete und ein Diener mit einem Tablett voll leerer Gläser, einem Sahnenkännchen und einem Korb mit Zwieback herausschritt. Die Gäste mußten bereits lange versammelt sein, und sie hatten augenscheinlich bereits ihr erstes Glas Tee geleert. Akakij Akakiewitsch hängte seinen Mantel selbst an den Haken, trat in das Zimmer und sah plötzlich ein buntes Gewirr von Lichtern, Beamten, Pfeifen, Spieltischen vor sich, und sein Gehör wurde von dem dumpfen Geräusch durcheinanderschwirrender Stimmen, die aus allen Ecken kamen, sowie dem hin und her geschobener Stühle getroffen.

Er blieb verlegen in der Mitte des Zimmers stehen und überlegte, was er tun sollte. Aber seine Kollegen hatten ihn schon bemerkt, begrüßten ihn mit großem Hallo, und alle eilten sofort in das Vorzimmer, um seinen Mantel aufs neue zu bewundern Akakij Akakiewitsch war zunächst ein wenig verwirrt; da er aber ein schlichter und treuherziger Mann war, freute er sich dennoch ganz aufrichtig über den Beifall, den sein Mantel fand. Bald darauf ließen die Kollegen ihn mitsamt seinem Mantel stehen und gingen an die Whisttische zurück. Der Lärm, die Stimmen, die vielen Menschen ... das alles erschien Akakij Akakiewitsch wie ein Wunder. Er wußte nicht, wie er sich benehmen, wo er seine Füße und Hände hintun, was er mit sich selbst anfangen sollte; schließlich setzte er sich zu den Spielern, sah bald auf ihre Karten, bald auf ihre Gesichter, nach kurzer Zeit fing er jedoch zu gähnen und sich zu langweilen an, um so mehr, als die Stunde bereits verstrichen war, um die er sich zur Ruhe zu begeben pflegte. Er wollte sich vom Gastgeber verabschieden, doch hielt man ihn zurück, indem man ihm klar machte, er müßte unbedingt noch ein Glas Champagner zur Feier des neuen Mantels trinken.

Nach einer Stunde trug man das Abendessen auf, das aus Heringsalat, kaltem Kalbsbraten, Pasteten, Konditoreiwaren und Champagner bestand. Akakij Akakiewitsch wurde genötigt, zwei Gläser zu leeren, und nach kurzer Zeit bereits begann im Zimmer alles ein heiteres Assehen für ihn anzunehmen. Indes konnte er doch nicht vergessen, daß Mitternacht vorüber und daß es längst Zeit zum Nachhausegehen war. In der Furcht, der Herr des Hauses könnte ihn veranlassen, noch länger zu bleiben, schlich er sich insgeheim aus dem Zimmer, um im Vorzimmer nach seinem

Mantel zu suchen, den er zu seinem Schmerz auf dem Boden liegend erblickte. Er schüttelte ihn, entfernte jedes kleine Federchen, zog ihn an und ging die Treppe hinunter. Die Straßen waren noch beleuchtet. Einzelne kleine Läden, diese ewigen Treffpunkte von Dienstboten und anderem Volk, waren noch geöffnet; einige waren zwar schon geschlossen, doch konnte man an dem breiten Lichtschein, der aus den Türspalten drang, erkennen, daß die Gäste noch nicht gegangen waren. Wahrscheinlich saßen die Diener und Mägde noch immer in lebhaftem Gespräch beisammen, indem sie ihre Herren in vollkommener Unklarheit über ihren Aufenthaltsort ließen. In fröhlicher Stimmung ging Akakij Akakiewitsch die Straßen entlang. Er lief sogar, ohne zu wissen, warum, einer Dame nach, die wie ein Blitz an ihm vorbeihuschte, und deren sämtliche Körperteile sich in einer merkwürdig lebhaften Bewegung befanden. Aber er besann sich bald wieder, blieb eine Augenblick stehen und setzte dann seinen Weg wieder langsam weiter fort, höchst verwundert über das lebhafte Tempo, das er plötzlich angeschlagen hatte. Bald gelangte er wieder in dunkle und unbelebte Gassen, die sich schon während des Tages und noch mehr in der Nacht durch ihre Öde und Langeweile auszeichneten. Heute aber erschienen sie noch einsamer und schauerlicher. Die Laternen wurden immer seltener, da die Stadtverwaltung offenbar nur wenig Öl für die Beleuchtung bewilligte. Dann folgten Holzhäuser und Palisadenzäune – aber nirgends eine lebende Seele. Nur der Schnee glänze auf den Straßen, und all die elenden, kleinen Häuser mit ihren verschlossenen Läden lagen gar trübselig und verschlafen da. Er näherte sich einer Stelle, wo die Straße in einen riesigen, mit Häusern bebauten Platz mündete, die von der andern Seite aus kaum zu sehen waren. Es schien fast als befände man sich in einer weiten und trostlosen Wüste.

In der Ferne, Gott weiß wo, schimmerte ein Licht von einem Schilderhause her, das am Ende der Welt zu stehen schien. Akakij Akakiewitschs fröhliche Stimmung begann plötzlich zu schwinden. Er betrat den Platz nicht ohne eine gewisse Angst, und es war, als ahnte sein Herz eine drohende Gefahr. Er sah sich nach allen Seiten um, der Raum um ihn herum erschien ihm wie ein endloser Ozean. »Nein«, sagte er, »ich will lieber gar nicht hinsehen!« Und er ging weiter, indem er die Augen zumachte. Als er sie öffnete, um sich zu überzeugen, ob er bald am Ende des Platzes angelangt sein werde, sah er plötzlich dicht vor seiner Nase mehrere Männer mit Schnurrbärten stehen, ohne daß er erkennen konnte, wer sie waren. Es wurde ihm dunkel vor den Augen, sein Herz begann heftig zu klopfen.

»Dieser Mantel gehört doch mir!« schrie einer der Männer mit Donnerstimme, indem er Akakij Akakiewitsch am Kragen faßte. Akakij Akakiewitsch wollte um Hilfe rufen. Einer der Angreifer schloß ihm indessen mit seiner Faust, die die Größe eines Beamtenkopfes hatte, den Mund und brummte: »Laß dir's nur nicht einfallen, zu schreien!« Im selben Augenblick fühlte Akakij Akakiewitsch, wie man ihm seinen Mantel auszog, und fast gleichzeitig ließ ihn ein Fußtritt in den Schnee rollen, in dem er bewußtlos liegen blieb. Einige Sekunden später kam er wieder zu sich; er richtete sich auf, aber es war niemand mehr da. Er fühlte, daß es draußen sehr kalt war und daß ihm der Mantel fehlte, und begann zu schreien, aber seine Stimme schien kaum bis zum anderen Ende des Platzes zu dringen. Ganz verzweifelt und mit lautem Geschrei lief er über den Platz und stürzte auf das Häuschen zu, wo der Wächter auf die Hellebarde gestützt, dastand, ihn neugierig betrachtete und sich fragte, weshalb zum Teufel dieser Mann von weitem laut schreiend auf ihn zulief.

Als Akakij Akakiewitsch ihn erreicht hatte, rief er ihm atemlos und mit bebender Stimme zu, er schlafe wohl und bemerke nicht, daß man die Leute bestehle und ausplündere. »Ich habe nichts gesehen«, erwiderte der Nachtwächter, er habe nur bemerkt, wie er mitten auf dem Platze von zwei Individuen angehalten worden sei, und hätte geglaubt, es wären seine Freunde. Es sei unnütz, sich deshalb aufzuregen und zu schimpfen. Er solle lieber morgen den Polizeiinspektor aufsuchen, der werde schon feststellen, wer den Mantel gestohlen habe.

Akakij Akakiewitsch kam in einem fürchterlichen Zustande zu Hause an: die wenigen Haare, die er noch am Hinterkopf und an den Schläfen hatte, waren völlig in Unordnung geraten; Brust, Rücken und Beinkleider waren voller Schnee. Als seine alte Wirtin ihn heftig an der Tür klopfen hörte, sprang sie schnell aus ihrem Bett auf und kam auf nackten Sohlen, bloß mit einem Pantoffel am Fuß, herbeigeeilt. Sie öffnetet die Tür, indem sie ihre nur mit einem Hemde bekleidete Brust mit der einen Hand schamhaft bedeckte. Aber bei Akakij Akakiewitschs Anblick prallte sie entsetzt zurück. Als er ihr erzählte, was ihm zugestoßen war, schlug sie die Hände zusammen und rief, er müsse sich direkt an den Bezirkskommissar wenden und nicht an den Polizeiinspektor des Reviers. Der Inspektor würde ihn beschwindeln, mit schönen Worten abspeisen und doch nichts für ihn tun. Besser, man gehe direkt zum Bezirkskommissar, den kenne sie schon lange, weil ihre alte Köchin Anna, eine Finnländerin, jetzt bei ihm als Kinderfrau diene, sie sehe ihn oft unter ihren Fenstern vorbeikommen. Auch gehe er jeden Sonntag in die Kirche, um zu beten, und werfe allen Leuten freundliche Blicke zu, man sehe es ihm gleich an, daß er ein braver Mann sei.

Nach dieser Erklärung zog sich Akakij Akakiewitsch traurig in sein Zimmer zurück. Wie er die Nacht verbrachte, überlasse ich dem zu beurteilen, der sich auch nur einigermaßen in die Situation eines anderen hineinversetzen kann. Am andern Morgen begab er sich schon ganz früh zum Bezirkskommissar. Man bedeutete ihm, daß dieser noch schliefe. Um zehn Uhr kam er wieder. Der Beamte schlief noch. Er kam um elf Uhr, es hieß, der Kommissar sei ausgegangen. Akakij Akakiewitsch stellte sich noch einmal um die Mittagszeit ein, aber die Sekretäre im Vorzimmer wollten ihn durchaus nicht vorlassen, wollten durchaus wissen, was er wolle und was ihn herführe und was denn geschehen sei. Zum erstenmal in seinem Leben versuchte es Akakij Akakiewitsch, endlich Energie zu zeigen. Er erklärte kategorisch, daß er unbedingt, und zwar persönlich mit dem Kommissar reden müsse, er komme aus dem Departement in einer amtlichen Angelegenheit, daher dürfe man ihn keinesfalls abweisen, er würde sich beschweren, und dies könnte sie teuer zu stehen kommen. Auf solchen Ton wagten die Sekretäre nichts weiter zu erwidern, und einer von ihnen ging hinaus, um den Chef herbeizuzitieren. Dieser hörte sich die Erzählung über den Raub des Mantels in einer recht merkwürdigen Weise an. Anstatt sich für den Hauptpunkt zu interessieren, fragte er Akakij Akakiewitsch, wie er denn dazu gekommen wäre, so spät nach Hause zu gehen, und ob er nicht etwa in einem verdächtigen Hause gewesen sei.

Völlig verblüfft durch diese Frage, ging Akakij Akakiewitsch fort, ohne zu wissen, ob die Angelegenheit mit dem Mantel überhaupt richtig in die Wege geleitet werden würde oder nicht.

Er war den ganzen Tag über nicht in seinem Büro gewesen (ein unerhörtes Ereignis in seinem Leben). Am folgenden Tage erschien er wieder: totenbleich und mit seiner alten Kapuze, die nun noch jämmerlicher aussah als ehedem. Die Erzählung vom Raube des Mantels rührte zwar viele von ihnen – trotzdem fanden sich noch immer einige Beamte, die es auch hier nicht unterlassen konnten, sich über Akakij Akakiewitsch lustig zu machen. Man beschloß, zu seinen Gunsten eine Sammlung zu veranstalten, leider hatte diese jedoch nur ein höchst dürftiges Resultat, weil die Beamten sich bereits kurz vorher anläßlich zweier Subskriptionen völlig verausgabt hatten; einer behufs Anschaffung eines Porträts ihres Direktors, und einer zweiten, bei der es sich um ein Werk handelte, dessen Verfasser ein Freund des Abteilungschefs wäre, und das sie sich auf Betreiben des Chefs erwerben mußten. Das war der Grund, weswegen nur eine ganz unbedeutende Summe zusammenkam. Einer von ihnen, der Akakij Akakiewitsch ehrliche Teilnahme entgegenbrachte, wollte ihm wenigstens einen guten Rat geben. Er sagte ihm, er solle sich nicht an den Polizeikommissar wenden, denn vorausgesetzt, daß dieser Beamte sich wirklich Mühe geben sollte, um sich das Lob seines Vorgesetzten zu verdienen, und daß es ihm in der Tat glücken sollte, den Mantel aufzufinden, so würde die Polizei diesen doch so lange in Verwahrung behalten, bis sich Akakij Akakiewitsch als der rechtmäßige Besitzer des Mantels legitimiert habe. Er riet ihm vielmehr, sich an eine gewisse *hochgestellte Persönlichkeit* zu wenden, welche *hochgestellte Persönlichkeit* sich schriftlich und auf anderem Wege mit den maßgebenden Instanzen in Verbindung setzen und damit der Sache eine günstige Wendung geben könnte.

Da Akakij Akakiewitsch nichts anderes mehr übrigblieb; entschloß er sich also, die *hochgestellte Persönlichkeit* aufzusuchen. Welche Stellung diese *hochgestellte Persönlichkeit* eigentlich bekleidete und worin ihre Tätigkeit bestand, kann auch heute niemand sagen. Man muß nämlich wissen, daß die *hochgestellte Persönlichkeit* erst seit kurzer Zeit eine hochgestellte Persönlichkeit geworden, bis dahin dagegen eine ganz unbedeutende Persönlichkeit gewesen war. Übrigens galt ihre Stellung auch damals als nicht allzu bedeutend im Vergleich mit anderen noch höher gestellten Persönlichkeiten, aber es finden sich ja immer Leute, in deren Augen das, was andere Menschen für unbedeutend halten, schon sehr bedeutend ist. Genug, der in Frage stehende Beamte setzte alle möglichen Hebel in Bewegung, um seine Bedeutung noch weiter zu steigern. So zwang er die Beamten, die unter ihm standen, auf der Treppe auf ihn zu warten, bis er im Amte erschien, und niemand konnte direkt zu ihm gelangen, sondern dies alles mußte auf strengstem Ordnungswege geschehen. Der Kollegienregistrator mußte einem Gouvernementssekretär das Audienzgesuch mitteilen, der es seinerseits an einen Titularrat oder einen noch höheren Beamten weitergeben mußte, und so gelangte es endlich bis an ihn selbst. So ist eben in unserm heiligen Rußland alles von der Nachahmungssucht infiziert. Jeder versucht, seinem Vorgesetzten nachzuäffen und es ihm gleichzutun. Ja, man erzählt, daß vor noch nicht allzu langer Zeit ein eben erst zum Chef irgendeines kleinen Büros beförderter Titularrat sich ein besonderes Zimmer anweisen und darüber die Aufschrift »Sitzungssaal« anbringen ließ. An der Tür mußten irgendwelche Portiers mit roten Kragen und Tressen stehen, die stets die Türklinke in der Hand hielten, um den Besuchern die Tür zu öffnen, obwohl der Sitzungssaal kaum Platz für einen gewöhnlichen Schreibtisch hatte.

Die Haltung und die Manieren der hochstehenden Persönlichkeit hatten etwas Imponierendes und zeichneten sich durch große Gediegenheit aus, wenn sie gleich recht primitiv waren; die wichtigste Grundlage seines Systems war die Strenge: Strenge, Strenge und Strenge pflegte er gewöhnlich zu sagen, und beim letztenmal sah er den, mit dem er gerade zu tun hatte, bedeutungsvoll an, obgleich keinerlei Anlaß dafür vorhanden war, da seine zehn Untergebenen, die den ganzen Regierungsmechanismus seiner Kanzlei bekleideten, ihn schon ohnehin genug fürchteten. Wenn sie ihn nur von weitem sahen, ließen sie ihre Arbeit liegen und warteten in strammer Haltung, bis er vorübergegangen war. In seinen Gesprächen mit seinen Untergebenen beobachtete er immer eine strenge Haltung, und seine Unterhaltung bestand eigentlich nur aus folgenden drei Sätzen; »Was erlauben Sie sich? Wissen Sie auch, mit wem Sie sprechen? Vergessen Sie nicht, wen Sie vor sich haben!«

Im übrigen war er im Grunde seines Herzens ein braver Mann und liebenswürdig und gefällig gegen seine Freunde. Nur sein Generalsrang hatte ihm völlig den Kopf verdreht. Seit dem Tage, an dem er diesen Rang erhalten hatte, hatte er sein Gleichgewicht verloren, war ganz aus dem Gleise geraten und wußte kaum noch, wie er sich benehmen sollte. Im Verkehr mit Gleichgestellten war er noch menschlich und vernünftig. Dann benahm er sich wie ein anständiger und in mancher Beziehung sogar gescheiter Mensch. Befand er sich jedoch in einer Gesellschaft, wo es Leute gab, die auch nur um einen Dienstgrad unter ihm standen, dann war der

Teufel los – dann schwieg er hartnäckig, und in dieser Situation war er wirklich zu bedauern, um so mehr, als er sogar selbst empfand, wieviel angenehmer er seine Zeit hätte verbringen können. Man konnte ihm manchmal an den Augen ansehen, daß er vor Verlangen brannte, sich in eine interessante Konversation einzulassen oder sich einer Gruppe zuzugesellen, aber die Furcht, zu weit zu gehen, seiner Würde etwas zu vergeben, sich zu familiär zu zeigen, hielt ihn davon zurück. Und aus diesen Erwägungen beobachtete er stets dasselbe Stillschwiegen und gab nur von Zeit zu Zeit irgendeinen einsilbigen Laut von sich, wodurch er in den Ruf eines äußerst langweiligen Menschen kam.

So eine hochgestellte Persönlichkeit war es, die unser Akakij Akakiewitsch aufsuchte, und der Augenblick, den er wählte, schien äußerst ungünstig, dae heißt äußerst ungünstig für ihn selbst, dagegen um so günstiger für die hochgestellte Persönlichkeit.

Die hochgestellte Persönlichkeit befand sich gerade in ihrem Arbeitszimmer und plauderte sehr angeregt mit einem alten Jugendfreunde, der vor kurzem angekommen war und den sie seit Jahren nicht mehr gesehen hatte, als man ihr meldete, daß ein Herr Baschmatschkin vorgelassen werden möchte.

»Wer ist das?« fragte er kurz.

»Ein Beamter!«

»Ah, er kann warten. Ich habe keine Zeit«, sagte die hochgestellte Persönlichkeit.

Hier muß ich bemerken, daß die hochgestellte Persönlichkeit einfach schwindelte. Sie hatte Zeit. Beide Freunde hatten schon alles durchgesprochen. Schon mehr als einmal war die Unterhaltung von langen Pausen unterbrochen worden, wobei sie sich beide freundschaftlich mit den Worten auf die Knie klopften:

»So ist es, lieber Iwan Abramowitsch!«

»Ja, ja, Stephan Warlamowitsch!«

Aber der Direktor ließ den Beamten warten, um seinem Freunde, der schon lange den Dienst quittiert hatte und auf dem Lande wohnte, zu zeigen, wie lange die Beamten bei ihm im Vorzimmer antichambrieren mußten. Endlich, nachdem sie genug gesprochen und noch mehr geschwiegen hatten und in ihren bequemen Lehnsesseln liegend ihre Zigarren ausgeraucht hatten, schien sich der hohe Herr Direktor plötzlich daran zu erinnern, daß jemand auf ihn warte. Er rief seinen Sekretär, der zur Berichterstattung erschienen war und mit den Akten an der Tür stand, und sagte: »Ich glaube, es wartet da irgendein Beamter auf mich, sagen Sie ihm, er könne eintreten!«

Als er Akakij Akakiewitschs ansichtig wurde, wie er mit demütiger Miene und in seiner alten Uniform vor ihm stand, wandte er sich schroff zu ihm und fuhr ihn in jenem kurzen und rauhen Tone an, den er sich, wenn er in seinem Zimmer allein war, vor dem Spiegel einstudiert hatte, noch eine ganze Woche, bevor er seinen neuen Posten einnehmen und sich General nennen durfte: »Was wollen Sie?« Der schon vorher ganz eingeschüchterte Akakij Akakiewitsch empfand den gebührenden Respekt und wurde verlegen. Indes versuchte er es, so gut er es vermochte und soweit er seiner Zunge freien Lauf lassen konnte, verständlich zu machen, daß er einen neuen Mantel besessen und wie man ihn ihm in unmenschlicher Weise geraubt hatte, nicht ohne seinen Bericht mit noch mehr überflüssigen Flickworten als sonst zu verbrämen. Er fügte hinzu, er habe sich an Seine Exzellenz gewandt in der Hoffnung, daß diese sich in irgendeiner Weise sozusagen, das heißt und so weiter bei dem Polizeipräsidenten oder jemand anderem dahin verwenden und schriftlich darum nachsuchen würde, daß der Mantel wieder beschafft werde.

Der General fand aus irgendeinem Grunde, daß dies Benehmen viel zu familiär sei und herrschte ihn daher kurz an: »Wie, Herr! Sie wissen nicht, was Sie in so einem Falle zu tun haben? Was fällt Ihnen ein? Sie kennen wohl den Instanzenweg nicht? Sie hätten eine Bittschrift bei der Kanzlei einreichen sollen, die in die Hände des Bürovorstehers und von hier in die des Abteilungsdirektors gelangt wäre; dieser hätte sie meinem Sekretär überreicht, durch den sie mir hätte zugestellt werden müssen.«

»Eure Exzellenz«, bemerkte Akakij Akakiewitsch, indem er versuchte, den kargen Rest von Geistesgegenwart, der ihm noch geblieben war, zusammenzunehmen. Fühlte er doch, daß er schon vor Schrecken und Erregung fürchterlich schwitzte. »Euere Exzellenz, ich habe mir die Freiheit genommen, Sie mit dieser Angelegenheit zu belästigen, weil die Sekretäre nämlich … weil die Sekretäre ein … ein sehr unzuverlässiges Volk sind.«

»Wie? Was? Was sagen Sie?« rief die hochgestellte Persönlichkeit aus. »Wie wagen Sie es, hier eine solche Sprache zu führen? Wie kommen Sie zu solchen Ansichten? Welch ein Geist der Auflehnung gegen die Obrigkeit und gegen ihre Vorgesetzten herrscht heute unter den jungen Leuten!«

Die hochgestellte Persönlichkeit hatte offenbar gar nicht bemerkt, daß Akakij Akakiewitsch bereits die Fünfzig überschritten hatte, und daß die Bezeichnung »junger Mann« nur noch relativ auf ihn angewendet werden konnte, im Vergleich mit einem Siebzigjährigen nämlich!

»Wissen Sie auch«, fuhr die hochgestellte Persönlichkeit fort, »mit wem Sie sprechen? Wissen Sie, vor wem Sie stehen? Wissen Sie es? Verstehen Sie das? Frage ich Sie.«

Diese Worte begleitete er mit heftigem Fußstampfen, und seine Stimme nahm eine solche Schärfe an, daß auch ein anderer als Akakij Akakiewitsch erschrocken gewesen wäre.

Akakij war völlig gelähmt; er wankte, zitterte am ganzen Körper, konnte sich kaum aufrecht halten und wäre unfehlbar zu Boden gesunken, wären nicht die Anwesenden herbeigeeilt, um ihn zu halten. Man schleppte ihn fast ohnmächtig hinaus.

Die hochgestellte Persönlichkeit war höchst befriedigt über die Wirkung ihrer Worte, die ihre Erwartung bei weitem überstieg, und voller Genugtuung darüber, daß ein Wort von ihr solchen Eindruck machen konnte, daß ein Mensch darüber sein Bewußtsein verlor. Er warf einen flüchtigen Blick auf seinen Freund, um zu sehen, wie er diesen Ausgang aufgenommen hatte, und er konnte nicht ohne Zufriedenheit feststellen, daß sein Freund unschlüssig dasaß und selbst so etwas wie einen gewissen Schrecken empfand.

Wie Akakij Akakiewitsch die Treppe hinunter und wie er auf die Straße gelangt war, daran konnte er sich später nicht mehr erinnern, fühlte er doch kaum noch, daß er Hände und Füße hatte. In seinem ganzen Leben war er noch nie von einem General, und noch dazu von einem fremden, so angeschnauzt worden. In dem heulenden Schneesturm, der draußen tobte, wanderte er mit offenem Munde dahin, wobei er ständig vom Trottoir herabstolperte. Der Wind blies ihm nach Petersburger Sitte aus allen vier Himmelsrichtungen und aus allen Gassen entgegen. In einem Nu hatte er sich eine Halsentzündung zugezogen. Nach Hause zurückgekehrt, war er außerstande, auch nur ein Wort zu sprechen. Sein ganzer Körper war geschwollen, und daher legte sich Akakij Akakiewitsch zu Bett. So groß ist mitunter die Wirkung einer gründlichen Moralpauke! Am folgenden Tage fieberte Akakij heftig. Dank der großmütigen Hilfe des St. Petersburger Klimas machte seine Krankheit über Erwarten schnelle Fortschritte. Der Arzt, der sich einstellte, fühlte ihm den Puls, aber er konnte nichts mehr ausrichten, so verschrieb er ihm denn Umschläge, bloß um den Kranken nicht ohne die Segnungen der medizinischen Wissenschaft zu lassen, im übrigen aber erklärte er, in anderthalb Tagen müsse die vollständige Katastrophe erfolgen.

Dann wandte er sich an Akakijs Wirtin und sagte: »Sie haben keine Zeit mehr zu verlieren; lassen Sie ihm doch gleich einen Sarg aus Fichtenholz machen, denn ein eichener wäre für ihn wohl zu teuer.« Hörte Akakij Akakiewitsch diese für ihn so verhängnisvollen Worte? Und wenn er sie hörte, waren sie es, die eine so erschütternde Wirkung auf ihn ausübten? Beklagte er sein trauriges Schicksal? Niemand hätte es sagen können, fieberte er doch heftig und redete er doch bereits im Delirium. Merkwürdige Visionen, eine seltsamer und phantastischer als die andere, jagten unaufhörlich durch sein Hirn. Bald sah er sich Petrowitsch gegenüber, den er beauftragte, ihm einen Mantel mit eigentümlichen Fußangeln für die Diebe anzufertigen, die er beständig unter seinem Bett zu entdecken glaubte. Und jeden Augenblick rief er seine Wirtin und flehte sie an, einen Dieb, der sich unter seiner Decke verkrochen hätte, hervorzuziehen. Bald fragte er, warum die alte Kapuze noch vor ihm hänge, wo er doch den neuen Mantel hätte; bald sah er, wie er vor dem General stand, wie dieser ihn wieder mit Vorwürfen überhäufte und wie er murmelte: »Verzeihung, Euere Exzellenz, Verzeihung!« Schließlich begann er so furchtbare Worte und so schreckliche Flüche auszustoßen, daß die erschreckte alte Wirtin sich bekreuzigte. Niemals in ihrem Leben hatte sie derartige Dinge von ihm gehört, und sie war um so mehr erschrocken, als diese Reden unmittelbar auf den Titel Exzellenz folgten. Zuletzt murmelte er völlig sinnlose Sätze, von denen man überhaupt nichts mehr verstehen konnte. Man konnte nur soviel erkennen, daß die zusammenhanglosen Worte und Gedanken sich immer nur um denselben Punkt, nämlich um den Mantel, drehten.

Endlich hauchte der arme Akakij Akakiewitsch seinen letzten Seufzer aus. Man legte weder auf sein Zimmer noch auf seine Sachen Siegel – und zwar aus dem einfachen Grunde, weil er erstens keinen Erben hatte, und zweitens, weil er nur ein Päckchen Gänsefedern, ein Heft mit weißem Aktenpapier, drei Paar Stümpfe, einige abgesprungene Hosenknöpfe und die unsern Lesern schon bekannte Kapuze hinterließ. Wem fielen alle diese Dinge zu? Das weiß Gott allein! Der Verfasser dieser Erzählung muß gestehen, daß selbst er es unterlassen hat, sich genauer darüber zu informieren. Akakij Akakiewitsch wurde hinausgetragen und beigesetzt. Und Petersburg blieb ohne Akakij Akakiewitsch zurück, wie wenn er überhaupt niemals existiert hätte.

So schwand ein menschliches Wesen dahin, das nie einen Beschützer hatte, noch einen, dem es lieb und teuer war, das nie jemand ein Interesse eingeflößt und das nicht einmal die Neugierde jener Naturforscher erregt hatte, die es doch sonst nicht verschmähen, eine gewöhnliche Fliege zum Zwecke einer mikroskopischen Untersuchung auf die Nadel zu spießen. Ein Wesen, das geduldig den Spott seiner Kollegen vom Amt ertragen und, ohne daß es je eine außerordentliche Tat vollbracht hätte, ins Grab hinabstieg; das jedoch, wenn auch erst am Ende seiner Tage, ein freundlicher Gast in Form eines Mantels besucht hatte, der sein elendes Dasein belebte, und das zuletzt ebenso von der ganzen Schwere des Schicksals getroffen wurde, wie die Großen dieser Welt von ihm betroffen werden! ... Einige Tage nach seinem Tode wurde ein Bürodiener aus dem Amt zu ihm geschickt und ihm der Befehl überbracht, er solle sofort erscheinen, der Chef wünsche ihn zu sehen. Der Bürodiener kam jedoch unverrichteter Sache mit der Nachricht zurück, daß der Titularrat nicht mehr kommen könne. Auf die Frage: »Und weshalb nicht?« gab er zur Antwort: »So, er ist bereits tot, vor vier Tagen wurde er begraben!« So erfuhr man im Amt Akakij Akakiewitschs Tod.

Am Tage darauf nahm bereits ein anderer Beamter seinen Platz ein, der viel größer war als er und der beim Kopieren der Akten die Buchstaben nicht so aufrecht hinmalte, sondern eine viel schrägere Schrift hatte.

Allein, wer könnte sich wohl vorstellen, daß hiermit die Geschichte Akakij Akakiewitschs noch nicht zu Ende ist, und daß er dazu bestimmt war, nach seinem Tode noch manchen Tag zu leben und von sich reden zu machen: Wie zur Belohnung für sein von niemand beachtetes Dasein. Und doch ist dem so, und unsere schlichte Erzählung nimmt hier ganz unerwarteterweise eine recht phantastische Wendung. Eines Tages verbreitete sich in St. Petersburg das Gerücht, daß in der Nähe der Kalinkinbrücke und in einiger Entfernung von ihr nachts das Gespenst eines Kanzleibeamten erscheine, einen gestohlenen Mantel suche, und unter dem Vorwand, es sei ihm ein solcher geraubt worden, allen Passanten, ohne sich im mindesten um deren Rang und Titel zu kümmern, ihre wattierten, mit Katzen-, Otter-, Bären-, Fuchs-, Biberfell, kurz, mit allen solchen Fellen und Häuten gefütterten Mäntel, die die Menschen erfunden haben, um ihr eigenes Fell gegen die Kälte zu schützen, herunterreiße. Ein Beamter des Departements hatte dieses Gespenst mit eigenen Augen gesehen und in ihm sofort Akakij Akakiewitsch erkannt. Er war, tödlich erschrocken, so schnell er konnte, davongelaufen, und so war es ihm nicht gelungen, sich ein genaueres Bild vom Gespenst zu machen, – und er hatte nur gesehen, wie es ihm von ferne mit dem Finger drohte. Überall hörte man klagen, daß die Rücken und Schultern von Räten – nicht etwa nur von Titularräten, sonder sogar von Hofräten – infolge dieses häufigen Raubes ihrer schönen Mäntel den heftigsten Erkältungen ausgesetzt wurden. Die Polizei traf natürlich alle Maßregeln, um dieses Gespenst unbedingt – tot oder lebend – zu ergreifen und an ihm zur Abschreckung aller andern eine exemplarische Strafe zu vollziehen; und das wäre ihr auch beinahe gelungen. Eines Abends hatte ein Posten eines Reviers in der Kirjuschkingasse beinahe das Glück, das Gespenst auf dem Schauplatz der Tat gerade in dem Momente am Kragen zu packen, als es einem alten Musiker, der vormals die Flöte gespielt hatte, seinen Friesmantel fortnehmen wollte. Die Wache rief, während sie nur einen kurzen Augenblick mit der Hand in ihren Stiefel langte, um ihre Tabaksdose zu suchen und ihre schon zum sechsten Male erfrorene Nase wieder etwas zu beleben. Aber der Tabak war wohl von solcher Art, daß selbst ein Toter ihn nicht gut vertragen konnte. Kaum hatte der Posten mit seinem linken Nasenloch fast eine Handvoll eingesogen, während er das rechte zuhielt, als das Gespenst so gewaltig zu niesen begann, daß es allen dreien völlig die Augen vollspritzte. Während sie ihre Fäuste hoben, um sich die Augen auszuwischen, verschwand das Gespenst spurlos, so daß sie nicht einmal wußten, ob sie es auch wirklich in ihren Händen gehalten hatten. Von diesem Tage an hatten alle Wachen eine so große Furcht vor Gespenstern, daß sie nicht einmal einen lebendigen Menschen mehr zu verhaften wagten und sich darauf beschränkten, ihm von ferne zuzurufen: »Holla, du! Geh' weiter! Geht weiter!«, und das Phantom des Beamten fing an, auch jenseits der Kalinkinbrücke umzugehen und verbreitete einen gewaltigen Schrecken unter allen ängstlichen Leuten.

Allein wir haben die hochgestellte Persönlichkeit völlig vergessen, die eigentlich die Veranlassung der phantastischen Wendung war, die unsere übrigens durchaus wahre Geschichte genommen hat. Geben wir der Gerechtigkeit die Ehre und gestehen wir zu, daß die hochgestellte Persönlichkeit, bald nachdem sich der arme, von ihr so völlig vernichtete Akakij Akakiewitsch entfernt hatte, etwas wie Mitleid mit ihm empfand. Ein gewisses Gefühl der Teilnahme war seinem Herzen durchaus nicht fremd, er selbst hatte manche edle Regung, – trotzdem sein hoher Rang es ihm häufig unmöglich machte, sie zu äußern. Sobald sein zugereister Freund das Zimmer verlassen hatte, erinnerte er sich wieder des unglücklichen Akakij Akakiewitsch, und seitdem sah er ihn täglich vor sich, bleich und zusammenbrechend unter dem strengen Verweis, den er ihm erteilt hatte. Der Gedanke an ihn beunruhigte ihn derartig, daß er sich eine Woche später sogar entschloß, einen seiner Beamten zu ihm zu schicken, um sich über Akakij Akakiewitschs Befinden zu unterrichten und festzustellen, ob man nicht doch etwas für ihn tun könne.

Als man ihm die Nachricht überbrachte, daß Akakij Akakiewitsch einem plötzlichen Fieberanfall zum Opfer gefallen wäre, war er sogar erschüttert, empfand Gewissensbisse und war den ganzen Tag schlechter Laune. Um sich ein wenig zu zerstreuen und seine peinlichen Eindrücke zu verjagen, begab er sich des Abends zu einem Freunde, bei dem er eine sehr respektable Gesellschaft antraf und – was die Hauptsache war – fast lauter Personen von gleichem Rang, so daß er sich durchaus keinen Zwang aufzuerlegen brauchte. Das hatte eine außerordentlich günstige Wirkung auf seine Stimmung; er wurde ganz lebhaft, wurde liebenswürdig, beteiligte sich in angenehmster Weise an den Gesprächen, kurz, er verbrachte so einen sehr schönen Abend. Zum Souper trank er zwei Glas Champagner – bekanntlich ein gutes Mittel zur Erzeugung einer fröhlichen Stimmung. Unter dem Einflusse des Champagners bekam er Lust zu etwas ganz Besonderem: Und zwar beschloß er, nicht unmittelbar nach Hause zu gehen, sondern eine seiner Freundinnen namens Karoline Iwanowna, die, wie ich glaube, deutscher Herkunft war, aufzusuchen, eine Dame, für die er ein inniges Freundschaftsgefühl empfand. Ich möchte hierbei betonen, daß die hochgestellte Persönlichkeit keineswegs mehr jung, ein tadelloser Gatte und ein guter Familienvater war. Ihre beiden Söhne, deren einer bereits in einem Ministerium angestellt war, und ein liebliches sechzehnjähriges Töchterchen mit einer etwas eingebogenen, ganz reizenden Nase kamen jeden Tag in ihr Zimmer, um ihr die Hand zu küssen und ihr mit den Worten: Bonjour, Papa, guten Morgen zu sagen. Seine Gattin, eine noch frische und sogar anziehende Erscheinung, bot ihm zuerst die Hand zum Kusse, ergriff sodann die seine, und drehte sie nach innen, um sie ihrerseits an ihre Lippen zu führen. Obgleich die hochgestellte Persönlichkeit also durch die Zärtlichkeiten der Familienmitglieder vollauf befriedigt war, hielt sie es dennoch für schicklich, auch in einem anderen Stadtviertel eine Freundin zu besitzen und mit dieser freundschaftliche Beziehungen zu unterhalten. Diese Freundin war keineswegs jünger oder hübscher als seine Gattin, aber es gibt nun einmal solche Rätsel in unserm Leben, und wir sind nicht befugt, über sie abzuurteilen. Die hochgestellte Persönlichkeit ging also die Treppe hinunter, bestieg den Schlitten und sagte zu dem Kutscher: »Zu Karoline Iwanowna!«

In seinen prächtigen, warmen Mantel eingehüllt, befand er sich in der angenehmsten Stimmung, die sich ein Russe nur zu denken vermag, einer Stimmung, in der man selbst an nichts denkt und sich die Gedanken einem dennoch wie von selbst aufdrängen,

Gedanken, deren einer immer wohltuender ist als der andere, und wo man sich gar nicht die Mühe zu nehmen braucht, nach ihnen zu suchen oder ihnen nachzujagen. Voller Zufriedenheit dachte er an die glücklichen Stunden, die er soeben in so angenehmer Gesellschaft verbracht hatte, und an die Witze und Bemerkungen, die den kleinen Kreis zu lautem Lachen gereizt hatten, und von denen er sogar mehrere halblaut bei sich wiederholte. Hierbei fand er, daß sie noch genau so komisch waren wie vorher, und er wunderte sich daher nicht darüber, daß er so herzhaft hatte lachen müssen. Von Zeit zu Zeit störte ihn jedoch ein heftiger Windstoß, der ihn plötzlich, Gott weiß, woher und warum, eisig anblies und ihm ganze Schneehaufen ins Gesicht schleuderte, in seinen Betrachtungen. Er blähte seinen Mantelkragen wie ein Segel auf, schlug ihn ihm plötzlich mit übernatürlicher Kraft über den Kopf, ihn zu fortwährenden Anstrengungen nötigend, sich wieder herauszuwinden. Plötzlich fühlte die hochgestellte Persönlichkeit, wie ihn jemand kräftig am Kragen packte. Sie wandte sich um und bemerkte einen kleinen, mit einer alten, abgetragenen Dienstuniform bekleideten Mann und erkannte mit Entsetzen in ihm Akakij Akakiewitsch wieder. Die Züge dieses kleinen Beamten waren bleich wie der Schnee und glichen denen eines Toten. Aber der Schreck der hochgestellten Persönlichkeit ging über alles Maß hinaus, als sie bemerkte, daß sich der Mund des Toten in krampfhaften Zuckungen verzog, den General mit eisigem, entsetzlichem Grabeshauche anblies und folgende Worte sprach: »Endlich habe ich dich ... endlich habe ich dich am Kragen gepackt. Ich will deinen Mantel. Du hast dich nicht um meinen gekümmert ... mich nur heftig angeschnauzt. – Nun mußt du mir deinen Mantel geben!«

Die arme hochgestellte Persönlichkeit war ein Kind des Todes. So charakterfest er im Büro und ganz allgemein seinen Untergebenen gegenüber war, und obgleich ein jeder, der einen Blick auf seine kräftige Gestalt und sein imponierendes Äußeres warf, ausrief: »Welch ein Charakter!«, so empfand er hier gleich vielen Leuten von reckenhafter Gestalt einen solchen Schrecken, daß er nicht ohne Grund befürchtete, der Schlag könnte ihn treffen. Er zog sich selbst schleunigst seinen Mantel aus und rief mit sich überschlagender Stimme seinem Kutscher zu: »Schnell! Fahr' fahr nach Hause! So schnell du kannst!« Als der Kutscher diese Stimme hörte, eine Stimme, wie sie gewöhnlich in entscheidenden Augenblicken zu ertönen pflegt, und dann aber einen sehr bestimmten und energischen Klang hat und meist von noch viel bestimmteren und energischeren Taten begleitet wird, versteckte er der Sicherheit halber seinen Kopf zwischen den Schultern, schwang seine Peitsche und ließ seine Schlitten pfeilschnell dahinsausen. Nach kaum mehr als sechs Minuten war die hochgestellte Persönlichkeit zu Hause. Bleich, erschrocken und ohne Mantel kam er an. Statt zu Karoline Iwanowna war er nach Hause gefahren. Er gelangte mühsam bis in sein Zimmer und verbrachte eine so unruhige Nacht, daß seine Tochter am andern Morgen während des Tees zu ihm sagte: »Du bist ja heute so bleich, Papa!« Aber der Papa schwieg hartnäckig und sagte zu niemand ein Wort, weder darüber, was ihm begegnet, noch darüber, wo er gewesen war und wohin er hatte fahren wollen. Indes machte dieses Ereignis einen tiefen Eindruck auf ihn. Ja, von da ab schnauzte er seine Untergebenen viel seltener mit den Worten an: »Was erlauben Sie sich? Wissen Sie wer vor Ihnen steht?« Oder, wenn es ihm dich bisweilen widerfuhr, so hörte er sie doch wenigstens vorher erst an. Was jedoch noch seltsamer ist: Von diesem Tage an zeigte sich das Gespenst des toten Beamten nicht mehr. Augenscheinlich war ihm der Generalsmantel äußerst gelegen gekommen. Jedenfalls hörte man von nun an nichts mehr davon, daß den Leuten ihre Mäntel von den Schultern gerissen würden. Allerdings gab es noch einige ängstliche und übereifrige Personen, die sich durchaus nicht beruhigen wollten und erzählten, daß das Phantom des toten Beamten noch immer, und zwar in anderen, entlegeneren Stadtvierteln sich zeige … Und in der Tat, ein Wachtposten des Kolomenschen Stadtteils wollte sogar mit eigenen Augen gesehen haben, wie das Gespenst hinter einem Hause hervorgekommen war. Da er jedoch von Natur ein wenig schwächlich war, – hatte doch sogar ein gewöhnliches ausgewachsenes Ferkel, das aus einem Privathause ausgebrochen war, ihn zur größten Freude und Erheiterung der umherstehenden Droschkenkutscher, von denen er sich freilich nachher einen Groschen für Tabak geben ließ, weil sie sich über ihn lustig gemacht hatten, einmal ganz einfach umgeworfen, – da er also ein Schwächling war, wagte er es nicht, das Gespenst zu verhaften, sondern begnügte sich damit, ihm in der Dunkelheit so lange nachzuschleichen, bis dieses sich plötzlich umdrehte und ihn frage: »Was willst du?«, wobei es ihm eine so schreckliche Faust zeigte, wie man sie sogar bei einem Lebenden nicht so leicht zu sehen bekommt. »Nichts!« antwortete der Wachtposten und machte sofort kehrt.

Dieses Gespenst war jedoch schon bedeutend größer und hatte einen enormen Schnauzbart. Es schien mit mächtigen Schritten der Obuchowbrücke zuzueilen und verschwand gleich darauf im Dunkel der Nacht.

Das Porträt

Deutsch von Mario Spiro und S. Bugow

Erster Teil

Nirgends blieben soviel Menschen stehen wie vor dem Bilderladen in der Schtschukin-Passage. Dieser Laden bot in der Tat eine äußerst mannigfaltige Sammlung von Sehenswürdigkeiten dar: Die Bilder waren meistenteils mit Ölfarbe gemalt, mit dunkelgrünem Lack gefirnißt und mit dunkelgelben, flittergoldenen Rahmen versehen. Eine Winterlandschaft mit weißen Bäumen, ein völlig roter, einer Feuersbrunst gleichender Abend, ein flämischer Bauer mit einer Pfeife und einem ausgerenkten Arm, der eher einem Truthahn in Manschetten als einem Menschen ähnlich sieht: das sind gewöhnlich die Lieblingsthemata dieser Gemälde. Dazu kamen noch einige gestochene Abbildungen: ein Porträt von Chosrew-Mirza in einer Hammelfellmütze und etwa das Bild eines Generals mit Dreispitz und krummer Nase. Überdies pflegen die Türen eines solchen Ladens mit ganzen Bündeln von Werken, die auf große Bogen gedruckt sind und von der instinktiven Begabung des Russen zeugen, behangen zu sein. Auf einem war die Zarentochter Miliktrissa Kirbitjewna, auf einem andern die Stadt Jerusalem zu sehen, über deren Häuser und Kirchen ohne weitere Umstände ein intensives Rot gestrichen war, ein Rot, das auch einen Teil der Erde und zwei betende russische Bauern in Fausthandschuhen einhüllte. Für diese Erzeugnisse findet sich schwer ein Käufer, um so leichter jedoch ein Zuschauer. Irgendein Taugenichts von Lakai bleibt sicher vor ihnen stehen, um sie sich anzusehen, während er die Wirtshausmenage für seinen Herrn in der Hand hält, der seinem Magen die Suppe nicht allzu heiß einverleiben wird; neben ihm steht sicher irgendein in einen Mantel eingehüllter Soldat, dieser Kavalier des Trödelmarktes, der zwei Federmesser feilbietet, und eine Hökerfrau aus Ochta mit einer Schachtel, die Schuhe enthält.

Jeder genießt auf seine Art. Die Bauern betasten die Bilder mit den Fingern, die Kavaliere betrachten sie mit ernster Miene, junge Handwerksburschen lachen und machen sich mit dem Hinweis auf die Karikaturen übereinander lustig, alte Lakaien in Friesmänteln schauen sich diese Dinge an, weil sie schließlich doch irgendwo ihre Zeit vertrödeln müssen, und die Hökerinnen, diese jungen russischen Weiber kommen instinktiv hierher gelaufen, um zu hören, was denn das Volk wieder zusammenklatscht, und um sich das anzuschaun, was sich das Volk anschaut.

Um diese Zeit blieb auch der junge Künstler Tschartkow; der gerade die Passage passierte, unwillkürlich vor dem Laden stehen; der alte Mantel und der nicht sehr sorgfältige Anzug ließen in ihm einen Menschen erkennen, der seiner Arbeit mit Selbstvergessenheit ergeben war und keine Zeit hatte, sich um die Kleidung zu kümmern, die doch gerade für die Jugend sonst einen geheimnisvollen Reiz in sich zu bergen pflegt. Er blieb vor dem Laden stehen und lachte zuerst innerlich über diese greulichen Bilder. Dann bemächtigte sich seiner eine unwillkürliche Versonnenheit, er fing an, darüber nachzudenken, wem diese Machwerke wohl von Nutzen wären. Daß das russische Volk von diesen Jeruslanen Lazarewitschen, diesen Freß- und Saufhelden, sowie von dem Foma und Jerjoma hingerissen wird, das erschien ihm nicht verwunderlich: die abgebildeten Gegenstände waren dem Volke durchaus verständlich. Aber wo sind die Käufer für diese bunten, schmutzigen Ölpinseleien; wem konnten diese flämischen Bauern, diese roten und blauen Landschaften, die bereits einen gewissen Anspruch auf eine etwas höhere Stufe der Kunst erheben, gefallen, einer Kunst, die gerade hier aufs tiefste erniedrigt wird? Dies waren allem Anschein nach keineswegs Werke eines Kindes, das ohne Anleitung eines Lehrers zeichnen lernte, sonst wäre in ihnen bei aller gefühllosen Karikierung doch etwas wie ein starker Impuls zum Ausdruck gekommen. Aber hier war nichts zu entdecken als Stumpfheit, eine kraftlose, greisenhafte Talentlosigkeit, die sich eigenmächtig in die Reihen der Künste drängte, während sie doch lediglich unter den niedrigsten Handwerken ihren Platz hatte, – eine Talentlosigkeit, die übrigens ihrem Beruf treu blieb und das handwerkliche mitten in die Kunst importierte. Dieselben Farben, die gleiche Manier, dieselbe geübte Hand; die eher einem roh gearbeiteten Automaten gehören mochte als einem Menschen! …

Lange stand er vor diesen schmutzigen Bildern, bis er schließlich gar nicht mehr an sie dachte; inzwischen aber sprach der Besitzer des Ladens, ein verschimmelter Kerl in einem Friesmantel und mit einem seit Sonntag nicht rasierten Barte, auf ihn ein und feilschte mit ihm um den Preis, ohne sich davon unterrichtet zu haben, was ihm gefallen hatte und was er kaufen wollte. »Hier, für diese Bäuerlein und diese kleine Landschaft will ich nur einen weißen Schein haben. Sehen Sie sich doch nur diese Malerei an! Die sticht einem geradezu in die Augen; die sind eben erst aus der Börse gekommen, sogar der Firnis ist noch nicht trocken. Oder nehmen Sie doch vielleicht den Winter hier! Nur fünfzehn Rubel. Der Rahmen kostet doch allein soviel! Das ist dafür aber auch ein rechter Winter!« Hierbei schnellte der Händler mit den Fingerspitzen leicht gegen die Leinwand, wahrscheinlich, um die Güte des Winters recht zu betonen. »Befehlen der Herr, daß ich sie zusammenbinde und zu Ihnen trage? Wo belieben Sie zu wohnen? He, Junge, gib mal einen Bindfaden her!« – »Wart, Bruder, nicht so schnell!« sagte der endlich zu sich kommende Maler, als er sah, daß der lebhafte Händler sich im Ernst daran machte, sie zusammenzubinden. Es war ihm etwas peinlich, nichts zu kaufen, nachdem er sich schon so lange im Laden aufgehalten hatte, und er sagte: »Aber warte, ich will mal sehen, ob ich nicht dort etwas für mich finde.« Und er bückte sich und fing an, die auf dem Fußboden aufgestapelten, abgescheuerten, verstaubten alten Schmierereien aufzuheben, die offenbar keine sonderliche Ehre genossen. Da waren altertümliche Porträts von Ahnen, deren Nachkommen man in der Welt sicher nirgends hätte finden können – unbekannte Bilder, deren Leinwand durchgerissen war, mit Rahmen ohne Vergoldung mit einem Worte, allerlei alter Plunder. Aber der Maler fing an, sie genauer zu untersuchen, indem er in seinem Innern zu sich sagte: »Vielleicht findet sich doch noch etwas darunter!« Er hatte mehr als einmal gehört, wie man mitunter bei Trödlern zwischen altem Kram Gemälde großer Meister fand.

Als der Besitzer merkte, wohin sich Tschartkow verkrochen hatte, ließ seine Zuvorkommenheit nach, er plazierte sich in seiner gewöhnlichen Stellung und gebührenden Würde wieder vor seiner Tür, rief die Passanten an und zeigte mit einer Hand auf seinen Laden. »Hierher Väterchen! Hier sind die Bilder! Kommen Sie herein, kommen Sie herein! Soeben von der Börse importiert!« Er schrie sich tot, aber meistenteils ohne jeden Erfolg, schwatzte unterdessen zur Genüge mit dem Resteverkäufer, der ebenfalls ihm gegenüber an der Türe seiner Bude stand, und erinnerte sich schließlich, daß er noch einen Käufer im Laden hatte, sofort wandte er den Außenstehenden den Rücken zu und begab sich hinein. »Na, Väterchen, haben Sie schon etwas ausgewählt?« Aber der Künstler stand schon eine geraume Zeit unbeweglich vor einem Porträt in einem großen Rahmen, der von vergangener Pracht zeugte, und auf dem jetzt kaum noch die Spuren der Vergoldung glänzten.

Das war ein Greis mit einem bronzefarbenen schmächtigen Gesicht und hervorstehenden Backenknochen. Seine Züge schienen einen Augenblick von einer krampfhaften Bewegung erfaßt zu sein und muteten nicht wie nordische Kraft an, der feurige Süden spiegelte sich in ihnen wieder. Er war in ein weites asiatisches Kostüm gehüllt. Wie schmutzig und beschädigt das Porträt auch war, Tschartkow entdeckte in ihm sofort die Spuren der Arbeit eines großen Künstlers, nachdem es ihm gelungen war, den Staub vom Gesicht zu entfernen. Das Porträt schien nicht ausgeführt zu sein, aber die Kraft der Pinselführung war eine überwältigende. Seltsamer als alles waren jedoch die Augen; der Künstler schien seine ganze Kraft und seine ganze Sorgfalt auf sie verwandt zu haben. Sie starrten einen an, blickten geradezu aus dem Porträt heraus und zerstörten beinahe die ganze Harmonie durch ihre sonderbare Lebhaftigkeit. Als er das Porträt näher an die Tür gebracht hatte, blickten ihn die Augen noch stärker an. Fast denselben Eindruck machten sie auch auf die Umstehenden. Die Frau, die hinter ihm stehen geblieben war, rief: »Er starrt, er starrt mich an!«, und wich zurück. Eine unangenehme, ihm selbst unbegreifliche Empfindung bemächtigte sich seiner, und er stellte das Bild auf den Boden.

»Na, meinetwegen nehmen Sie doch das Porträt!« meinte der Ladenbesitzer.

»Und was kostet es?« fragte der Künstler.

»Nun, dafür kann man doch nicht viel verlangen! Geben Sie fünfundsiebzig Kopeken!«

»Nein.«

»Na, was geben Sie?«

»Zwanzig«, sagte der Maler, indem er sich zum Weggehen anschickte.

»Nein, mit was für einem Preis Sie herausrücken! Mit zwanzig Kopeken ist ja nicht einmal der Rahmen bezahlt! Sie wollen um das Bild feilschen? Herr, Herr, kehren Sie doch zurück! Legen Sie wenigstens zehn Kopeken zu. Nehmen Sie, nehmen Sie es, also gut, geben Sie zwanzig Kopeken. Wirklich, nur um den Angang zu machen, nur, weil Sie der erste Käufer sind.« Und dabei machte er mit der Hand eine Geste, die zu sagen schien: »Sei dem, wie ihm sei, mag das Bild verloren gehen!«

So hatte denn Tschartkow ganz unerwartet ein altes Porträt gekauft, und er dachte sich: »Wozu habe ich es gekauft? Wozu brauche ich es?« Aber es blieb ihm nichts mehr übrig. Er nahm ein Zwanzigkopekenstück aus der Tasche, gab es dem Ladenbesitzer, nahm das Porträt unter den Arm und trug es nach Hause. Unterwegs erinnerte er sich daran, daß die zwanzig Kopeken, die er soeben weggegeben hatte, sein letztes Geld waren. Seine Gedanken trübten sich mit einemmal; ein Gefühl des Ärgers und der gleichgültigen Leere erfaßte ihn im selben Augenblick. »Hol's der Teufel! Wie scheußlich ist es auf der Welt!« dachte er, wie jeder Russe, dessen Geschäfte nicht blühen. Und fast mechanisch ging er schnellen Schrittes, voller Verdrossenheit, weiter. Der Schimmer der untergehenden Sonne tauchte die eine Himmelshälfte in ein tiefes Rot; noch waren die dieser Seite zugewandten Häuser von ihrem warmen Schein schwach bestrahlt; aber nach und nach erglänzte immer stärker und stärker der kühle, bläuliche Schein des Mondes. Halbdurchsichtige Schatten von Häusern und Menschen fielen wie lange Schweife auf die Erde. Voller Bewunderung blickte der Maler zum Himmel empor, der in einem durchsichtigen, feinen, unbestimmten Lichte schimmerte, und dabei entschlüpften seinem Munde die Worte: »Was für ein zarter Ton!« »Wie ärgerlich! Hol's der Teufel!« Und während er sich das Porträt bequemer zurechtschob, das fortwährend unter seinem Arme hinunterglitt, beschleunigte er seine Schritte.

Müde und ganz in Schweiß gebadet, schleppte er sich nach seiner Wohnung in der fünfzehnten Linie auf der Wassilij-Insel, mühsam und keuchend kletterte er die mit Spülwasser begossenen und von den Spuren von Katzen und Hunden verunreinigten Treppen hinauf. Er pochte an die Tür; niemand antwortete, sein Diener war nicht zu Hause. Er lehnte sich auf das Fensterbrett und entschloß sich, geduldig zu warten, bis er endlich hinter sich die Schritte eines Burschen in blauem Hemde vernahm: Dies war sein Faktotum und Modell, sein Farbenreiber und Dielenfeger, der den Fußboden allerdings mit seinen Stiefeln stets wieder zu beschmutzen pflegte, während er ihn fegte. Der Bursche hieß Nikita und brachte während der Abwesenheit seines Herrn die ganze Zeit vor dem Tore zu. Nikita gab sich lange Zeit große Mühe, das Schlüsselloch zu finden, das infolge der Dunkelheit kaum zu sehen war. Endlich wurde die Tür geöffnet. Tschartkow betrat sein Vorzimmer, das, wie bei den meisten Künstlern, unerträglich kalt war, ein Umstand, den sie allerdings im allgemeinen nicht bemerken. Ohne Nikita seinen Mantel zu übergeben, begab er sich in sein Atelier, einen großen, aber niedrigen quadratischen Raum mit zugefrorenen Fensterscheiben, der mit allerlei künstlerischem Plunder, Stücken von Gipshänden, Keilrahmen, angefangenen und wieder weggeworfenen Skizzen und bunten, auf Tischen und Stühlen liegenden Draperien angefüllt war. Er war äußerst müde, legte den Mantel ab, stellte zerstreut das mitgebrachte Porträt zwischen zwei andere Bilder und warf sich auf einen schmalen Diwan, von dem man nicht behaupten konnte, das er mit Leder bezogen war, denn die Messingknöpfe, die es einst befestigt hatten, residierten in stolzer Selbständigkeit. Das gleiche ließ sich von dem Leder behaupten, so daß Nikita seine schwarzen Socken, Hemden und allerlei schmutzige Wäsche darunter aufbewahren konnte. Nachdem er ein wenig auf ihm gesessen und gelegen, soweit auf diesem engen Diwan vom Liegen die Rede sein konnte, und sich genügend ausgeruht hatte, fragte er endlich nach einer Kerze.

»Wir haben keine Kerze mehr!« sagte Nikita.

»Weshalb nicht?«

»Es war doch schon gestern keine da«, sagte Nikita. Der Künstler erinnerte sich in der Tat, daß es auch gestern keine Kerze mehr gab, beruhigte sich und schwieg still. Er ließ sich auskleiden und zog hierauf seinen schon arg zerschlissenen Schlafrock an.

»Der Wirt ist wieder dagewesen!« fuhr Nikita fort.

»So! Er kam wegen des Geldes!« meinte der Künstler mit wegwerfender Miene.

»Aber er war nicht allein da«, sagte Nikita.

»Wer denn noch?«

»Ich weiß nicht, wer. Irgend so ein Polizeibeamter.«

»Wozu denn ein Polizeibeamter?«

»Ich weiß nicht, wozu! Er meinte, weil die Wohnung noch nicht bezahlt ist.«

»Nun, und was soll daraus werden?«

»Ich weiß nicht, was daraus werden soll. Er meinte, wenn er nicht zahlen will, so soll er doch ausziehen! Sie wollten beide morgen wiederkommen.«

»Mögen sie nur kommen!« sagte Tschartkow mit trauriger Gleichgültigkeit, und eine melancholische Regenstimmung bemächtigte sich seiner.

Der junge Tschartkow war ein Künstler, dessen Talent zu manchen Hoffnungen berechtigte. In Augenblicken der Inspiration zeigte sein Pinsel scharfe Beobachtungsgabe, tiefes Verständnis und einen heißen Drang, der Natur nahezukommen. »Sieh, sieh, Bruder«, sagte ihm mehr als einmal sein Professor, »du hast Talent. Es wäre eine Sünde, wenn du es zugrunde richten wolltest. Aber du hast keine Geduld.

Irgend etwas lockt dich, dir gefällt etwas, und du bist gleich davon hingerissen, alles übrige ist dir dann Quark, hat für dich keinen Wert mehr, du willst es dir gar nicht einmal anschauen ... Sie dich nur vor, daß aus dir nicht etwa ein moderner Maler wird. Deine Farben sind schon jetzt etwas zu scharf und zu schreiend; deine Zeichnung ist nicht mehr streng und manchmal geradezu schwach ... Die Linie verschwimmt, du trachtest schon nach modernen Beleuchtungseffekten und willst nur das wiedergeben, was dem ersten besten in die Augen springt. Nimm dich in acht, daß du nicht etwa in die Manier der Engländer verfällst! ... Gib acht, die große Welt beginnt dich bereits dich zu reizen. Ich habe schon manchmal ein stutzerhaftes Halstuch bei dir bemerkt oder einen glänzenden Hut ... Ich weiß ja, wie verlockend es ist, für Geld Porträts und Bilder nach dem Geschmack der Mode zu malen. Aber daran geht ein Talent zugrunde, anstatt daß es ihm Förderung einträgt. Hab Geduld, beschäftige dich sorgfältig mit jeder Arbeit, laß ab vom Dandytum ... Mögen doch andere dem Gelde nachjagen ... dein Vermögen wird dir trotzdem nicht entgehen.«

Der Professor hatte zum Teil recht. Manchmal mochte unser Maler in der Tat etwas über die Stränge schlagen, es den Gecken gleichtun, mit einem Wort: Zeigen, daß auch er eigentlich noch recht jung war. Aber bei alledem verstand er es auch, sich zu zügeln. Bisweilen konnte er, wenn er an seine Arbeit gegangen war, alles vergessen, und er riß sich nicht anders von ihr los, als wie von einem herrlichen Traume. Sein Geschmack verfeinerte sich merklich, noch erfaßte er nicht die ganze Tiefe Raffaels, doch wurde er von der raschen, breiten Pinselführung Guidos Hingerissen, er blieb vor den Porträts Tizians stehen und begeisterte sich an der flämischen Schule. Noch war der dunkle Schleier, der die alten Bilder verhüllt, nicht ganz vor ihm geschwunden, aber schon vermochte er ihn hin und wieder mit seinem Blicke zu durchdringen, obgleich er dem Professor innerlich nicht beistimmte, daß die alten Meister für uns so durchaus unerreichbar wären. Ihm schien es sogar, daß das 19. Jahrhundert sie in mancher Beziehung bedeutend überholt hätte, daß die Nachbildung der Natur recht häufig intensiver, lebendiger, treuer geworden war, kurz, er dachte in diesem Falle genau so wie gewöhnlich die Jugend denkt, die schon einiges zu verstehen beginnt und es mit Stolz und Selbstbewußtsein empfindet. Manchmal wurde er ärgerlich, wenn er sah, wie ein zugereister Maler, ein Franzose oder etwa ein Deutscher, der oft genug gar nicht einmal ein Maler von Beruf war, nur durch gewohnheitsmäßige Routine, flotte Pinselführung und schreiende Farben allgemeines Aufsehen erregte und sich in einem Augenblick ein ganzes Kapital erwarb. Solche Gedanken kamen ihm nicht, wenn er, ganz von seiner Arbeit absorbiert, Essen, Trinken und die ganze Welt vergaß, sondern nur dann, wenn die Not ihn zu arg bedrängte, wenn er keine Kopeke mehr hatte, um sich Pinsel und Farben zu kaufen, und wenn der aufdringliche Wirt zehnmal am Tage kam, um die Miete für die Wohnung von ihm zu verlangen. Dann malte sich wohl in seiner hungrigen Phantasie in angenehmem Lichte das Leben eines reichen Malers, dann spielte er sogar mit dem Gedanken, der so oft das Hirn eines Russen überfällt, alles im Stich zu lassen und sich aus Gram und allem zum Trotz dem Trunk zu ergeben. Und nun war er wieder einmal in einer solchen Lage.

»Ja, hab Geduld, hab nur Geduld!« wiederholte er verdrießlich, »aber schließlich hat auch die Geduld ihr Ende. Hab Geduld, und womit soll ich denn eigentlich morgen das Mittagessen bezahlen? Es leiht mir ja doch keiner das Geld dafür, und wenn ich auch alle meine Bilder und Zeichnungen verkaufen wollte, so würde man mir doch für sie alle zusammen noch keine zwanzig Kopeken geben. Sie sind mir wohl von Nutzen gewesen, gewiß, ich fühle es! An keinem von ihnen habe ich umsonst gearbeitet; aus jedem habe ich etwas gelernt. Aber was frommt mir das? Es sind Skizzen, Versuche … und das werden sie immer bleiben, immer nur Skizzen, Versuche … Und wer, der nicht zufällig meinen Namen kennt, wird sie denn kaufen mögen? Wer bedarf denn eigentlich dieser Zeichnungen nach der Antike, dieser Naturstudien oder gar meiner unbeendigten »Psyche«? Wen interessiert dieser Ausblick aus meinem Zimmer oder das Porträt meines Nikita, wenn es auch wirklich besser ist als die Arbeiten irgendeines Modemalers? Und weshalb das alles? Weshalb quäle ich mich ab und plage ich mich wie ein Schüler mit dem Abc, wo ich doch nicht weniger berühmt sein als die andern und gleich ihnen Geld verdienen könnte.«

Bei diesen Worten zitterte und erblaßte der Maler plötzlich. Ein krampfhaft verzerrtes Gesicht starrte ihn von der Leinwand her – sich weit vorbeugend – an; zwei schreckliche Augen richteten sich auf ihn, als ob sie ihn verzehren wollten. Ein drohender Ausdruck lag auf seinen Lippen: Es lag etwas in ihnen wie ein strenger Befehl, daß er schweigen solle. Erschrocken wollte er aufschreien und Nikita rufen, der bereits in seinem Vorzimmer schnarchte wie ein zweiter Polyphem. Aber plötzlich blieb er stehen und lachte. Das Gefühl der Angst verließ ihn einen Augenblick; es war das von ihm gekaufte Porträt, das er ganz vergessen hatte. Der Mondschein, in den das ganze Zimmer getaucht war, beleuchtete auch das Bild und teilte ihm eine sonderbare Lebendigkeit mit. Er fing an, es zu betrachten und zu reinigen. Er benetzte einen Schwamm mit Wasser, fuhr einige Male mit ihm über die Fläche, wusch den dicken und fest an ihm klebenden Staub und Schmutz herunter, hängte es vor sich an die Wand hin und war über dieses ungewöhnliche Werk noch mehr erstaunt als vorher. Das ganze Gesicht schien Leben zu bekommen, und die Augen blickten ihn so an, daß er erzitterte, zurückwich und ganz verdutzt sagte: »Er sieht mich an, er blickt mich mit Menschenaugen an!« Tschartkow mußte plötzlich an eine Geschichte denken, die er einmal von seinem Professor über ein Bildnis des berühmten Lionardo da Vinci gehört hatte, jenes Bildnis, das der große Meister, trotzdem er mehrere Jahre daran gearbeitet hatte, doch noch immer für unvollendet ausgab, und das nach Vasaris Worten dennoch von allen für das vollkommenste und vollendetste Kunstwerk erklärt wurde. Am hervorragendsten waren daran die Augen, die im höchsten Maße die Bewunderung aller Zeitgenossen hervorriefen. Selbst die winzigsten, kaum sichtbaren Äderchen waren berücksichtigt und auf die Leinwand gebannt, aber hier, diesem jetzt vor ihm hängenden Porträt, war es noch sonderbarer. Das war keine Kunst mehr; es störte sogar die Harmonie des Bildes. Das waren lebendige menschliche Augen. Es schien, als wären sie einem lebenden Antlitze entnommen und in dieses Bildnis eingesetzt. Das hatte nichts mehr mit jenem hohen Genuß zu tun, den die Seele angesichts eines Kunstwerkes empfindet, wie entsetzlich auch der dargestellte Gegenstand sein mag. Des Beschauers bemächtigte sich vielmehr nur ein krankhaftes, quälendes Gefühl.

»Was ist das?« fragte sich der Künstler unwillkürlich. »Das ist doch in der Tat Natur, lebendige Natur! Woher also dieses seltsame, unangenehme Gefühl? Oder wäre die sklavische, peinliche Naturnachahmung an sich schon ein Vergehen, wirkte sie wie ein greller, unharmonischer Ton? Oder erscheint der Gegenstand, wenn man gefühllos, gleichgültig, ohne innere Anteilnahme an ihn herantritt, stets nur in seiner abschreckenden Wirklichkeit – ohne jenen Glanz eines gewissen unbegreiflichen, überall verborgenen

Gedankens? – in jener Wirklichkeit, die sich offenbart, wenn wir uns, mit einem anatomischen Messer bewaffnet, einem Menschen nahen, in der Erwartung, etwas Herrliches zu schauen, sein Inneres bloßlegen und eines Ungeheuers gewahr werden? Warum erscheint denn die einfache gemeine Natur bei einem Künstler in einer gewissen Verklärung – und man erhält keinen gemeinen Eindruck? Im Gegenteil! Es scheint einem, als hätte man einen frohen Genuß gehabt, und alles fließt und bewegt sich ruhiger und gleichmäßiger um einen herum. Und warum erscheint eben dieselbe Natur bei einem anderen Künstler niedrig und schmutzig, während doch auch er der Natur treu blieb? Weil etwas fehlt, weil ihm eben das Etwas fehlt, das sie verklärt. Ganz wie eine Landschaft, so herrlich sie auch sein mag, unvollkommen erscheint, wenn kein Sonnenstrahl sie erleuchtet.«

Er näherte sich aufs neue dem Porträt, um diese wunderbaren Augen zu betrachten, und sah wieder mit Entsetzen, daß sie ihn wirklich anstarrten. Das war keine Kopie nach der Natur mehr, das war jene entsetzliche Lebhaftigkeit, die dem Gesicht eines dem Grabe entstiegenen Toten Leben gegeben hätte. War es der Mondschein, der Wahngebilde und Träume mit sich brachte, und jedem Ding eine andere Form verlieh als das nüchterne, positive Tageslicht? Oder war etwas anderes die Ursache? Es wurde ihm – er wußte selbst nicht, warum – ängstlich und bang zumute, er fürchtete sich, allein im Zimmer zu bleiben. Er trat leise vom Porträt zurück, wandte sich nach der andern Seite und bemühte sich, es nicht anzublicken, inzwischen aber schielte sein Auge dennoch ganz wie von selbst unwillkürlich nach ihm hin. Schließlich verursachte ihm sogar die Regelmäßigkeit, mit der er das Zimmer durchmaß, Unruhe. Es war ihm, als folgte ihm immer jemand, und jedesmal sah er sich scheu um. Jede Feigheit lag ihm fern, aber seine Einbildungskraft und seine Nerven waren sehr feinfühlig, und an diesem Abend konnte er sich seine instinktive Furcht selbst nicht erklären. Er setzte sich in eine Ecke, aber auch hier hatte er das Gefühl, als werde ihm gleich jemand über die Achsel in das Gesicht schauen. Selbst Nikitas Schnarchen, das aus dem Vorzimmer herüberdrang, vermochte nicht, seine Angst zu verscheuchen. Endlich erhob er sich zaghaft, ohne die Augen zu erheben, von seinem Platze, begab sich hinter die spanische Wand und legte sich in sein Bett. Durch eine Spalte sah er das vom Monde bestrahlte Zimmer und das ihm gerade gegenüber an der Wand hängende Porträt. Noch bedeutsamer heftete es jetzt die Blicke auf Tschartkow, als suchte es niemand anders als ihn. Voller Unruhe entschloß er sich, sein Lager zu verlassen, er ergriff ein Laken, trat an das Porträt heran und hüllte es in das Bettuch ein.

Nachdem er dies getan hatte, legte er sich ruhig wieder zu Bett und begann über Armut, über das erbärmliche Schicksal des Künstlers, über den Dornenweg, der ihn in dieser Welt erwartet, nachzudenken, unterdessen aber blickten seine Augen unwillkürlich durch die Spalte der spanischen Wand nach dem vom Bettuch verhüllten Porträt. Der Mondschein ließ das Weiß des Lakens noch heller erscheinen, und es kam Tschartkow so vor, als schimmerten die schrecklichen Augen sogar durch das Leinentuch hindurch. Furchtsam starrte er hin, als wollte er sich davon überzeugen, daß es sich um eine Illusion handelte. Aber jetzt … tatsächlich … jetzt steht es vor ihm … er sieht es, sieht es ganz klar. Das Laken ist nicht mehr vorhanden. Das Porträt steht ganz frei da und schaut ihn über alles hinweg unverwandt an, späht geradezu in sein Inneres hinein. Es wurde ihm kalt ums Herz, … doch da sieht er mit einem Male, wie der Greis sich bewegt, sich plötzlich mit beiden Händen auf den Rahmen stützt, sich emporreckt und beide Beine herausstreckend, aus dem Rahmen springt. Durch den Spalt des Bettschirmes war nur noch ein leerer Rahmen wahrzunehmen. Die Schritte hallten im Zimmer wider und näherten sich immer mehr dem Schirme. Das Herz des armen Künstlers begann stärker zu pochen. Während er vor Angst kaum zu atmen wagte, schien er darauf gefaßt zu sein, daß der Greis gleich den Kopf nach ihm hinter den Schirm strecken würde. Und in der Tat, jetzt blickte er mit seinem bronzefarbenen Antlitz und den großen rollenden Augen wirklich hinter den Schirm. Tschartkow versuchte voller Qual aufzuschreien, bemerkte jedoch, daß ihm der Ton in der Kehle stecken blieb; er versuchte sich zu rühren, irgendeine Bewegung auszuführen, jedoch die Glieder versagten ihren Dienst. Mit offenem Munde und stockendem Atem betrachtete er dieses furchtbare, hochgewachsene, in ein weites asiatisches Gewand gehüllte Phantom und wartete ab, was es tun würde. Der Greis ließ sich ganz dicht am Fußende des Lagers nieder und zog etwas aus den Falten seines bauschigen Kleides hervor. Es war ein Geldbeutel. Er schnürte ihn auf, packte ihn an beiden Endzipfeln, schüttelte ihn ... und mit dumpfem Geräusch fielen schwere Rollen, die wie längliche Säulchen aussahen, auf den Boden; jede war in blaues Papier eingeschlagen und trug die Aufschrift: »Tausend Dukaten«. Seine langen knochigen Finger aus den weiten Ärmeln herausstreckend, begann der Alte, die Rollen zu öffnen, aus denen ihm das Gold entgegenglänzte. So qualvoll die Gefühle und die sinnbetörende Angst waren, die den Künstler erfüllten, er starrte unverwandt auf das Gold und beobachtete unausgesetzt, wie die knochigen Hände es aufrollten, wie es glänzte, fern und dumpf klirrte und wie der Alte es dann wieder einhüllte. Plötzlich bemerkte er eine Rolle, die abseits von den anderen zu Boden gefallen und bis an den Fuß des Bettes nahe am Kopfende gerollt war; fast krampfhaft ergriff er sie und spähte voller Furcht danach, ob sie der Alte nicht etwa vermißte. Der Greis schien jedoch sehr beschäftigt zu sein. Er suchte alle seine Rollen zusammen, legte sie wieder in den Beutel und begab sich wieder, ohne ihn zu beachten, vor die spanische Wand. Tschartkows Herz schlug heftig, als er hörte, wie sich die Schritte im Zimmer immer mehr und mehr von ihm entfernten. Er umschloß die Rolle in seiner Hand mit kräftigem Drucke und erzitterte am ganzen Körper, als er plötzlich vernahm, wie sich die Schritte wieder dem Schirm näherten. Offenbar war der Alte gewahr geworden, daß ihm eine Rolle fehlte, und da spähte er denn auch wieder zu ihm hinter die Wand. Voller Verzweiflung hielt der Künstler die Rolle krampfhaft in seiner Hand fest, machte eine ungeheure Anstrengung, sich zu bewegen, schrie auf und erwachte.

Kalter Schweiß bedeckte ihn am ganzen Körper. Sein Herz schlug so stark, wie es nur schlagen konnte. Die Brust war wie eingeschnürt, wie wenn sie den letzten Atemzug tun wollte. »War es denn wirklich ein Traum?« sagte er, indem er sich mit beiden Händen an den Kopf faßte. Aber die furchtbare Lebhaftigkeit der Erscheinung widersprach dieser Annahme. Hatte er doch, nachdem er bereits erwacht war, gesehen, wie der Alte in den Rahmen hineinschlüpfte; sogar einen Zipfel seines weiten Gewandes flatterte noch vor ihm her, und seine Hand spürte deutlich, daß sie noch vor einer Minute irgendeinen schweren Gegenstand gehalten hatte. Der Mondschein überflutete das Zimmer und ließ bald eine Staffelei, bald eine Gipshand, bald eine auf dem Stuhl vergessene Draperie, bald ein Paar Hosen oder ungeputzte Stiefel in den finsteren Ecken hervortreten. Erst jetzt bemerkte Tschartkow, daß er nicht im Bette lag, sondern dicht vor dem Porträt auf seinen beiden Beinen stand. Wie er hierhin gelangt war, das konnte er sich auf keine Weise erklären. Noch mehr aber setzte ihn der Umstand in Erstaunen, daß das Porträt unverhüllt war – das Laken fehlte tatsächlich! – Regungslos und voller Angst starrte er es an und sah, wie sich zwei lebendige menschliche Augen unverwandt auf ihn richteten. Kalter Schweiß bedeckte sein Antlitz. Er wollte fliehen, fühlte aber, daß seine Füße wie angewurzelt waren. Und nun sieht er – es ist kein Traum! –, wie die Züge des Greises Bewegung gewinnen und seine Lippen sich ihm entegenspitzen, als wollten sie sich an ihn festsaugen. Mit einem Schrei der Verzweiflung sprang er zurück und erwachte.

»War auch das nur ein Traum?« fragte er sich und tastete mit den Händen um sich, während sein Herz zum Zerspringen klopfte. Ja, er lag noch genau in jener Lage, in der er eingeschlafen war, auf dem Bett. Vor ihm stand der Schirm, das Zimmer war von Mondschein erfüllt, und durch den Spalt der spanischen Wand konnte er noch das sorgfältig mit dem Laken verhüllte Porträt sehen, genau so, wie er es selbst verhüllt hatte. Folglich hatte er wieder geträumt; aber die geballte Faust hatte noch immer die Empfindung, daß sie irgend etwas umschlossen hielt. Sein Herz klopfte stark und schrecklich. Das Gefühl, als lastete etwas auf seiner Brust, war unerträglich. Er spähte durch den Spalt und betrachtete unverwandt das Laken. Und nun sieht er klar und deutlich, wie dieses allmählich heruntergleitet, als ob sich zwei Hände unter ihm bewegten und sich bemühten, es abzustreifen. »Herr Gott, was ist denn das?« rief er voller Verzweiflung, bekreuzigte sich und erwachte.

War auch dies ein Traum? Er sprang halb wahnsinnig, besinnungslos aus dem Bett, unfähig, zu begreifen, was denn eigentlich mit ihm geschehen war: Ob ein Alpdrücken oder ein Spuk, ein Fieberwahn oder eine lebendige Erscheinung ihn gequält hatte. In der Absicht, die seelische Erregung und das stürmende Blut, das heftig durch all seine Adern rollte, zu stillen, trat er ans Fenster und öffnete die Luftklappe. Ein kalter Windstoß von außen her wehte ihn an und belebte ihn etwas. Der Mond bestrahlte noch immer die Dächer und die weißen Mauern, wenn auch jetzt und wieder kleine Wölkchen über den Himmel glitten. Alles war still. Nur selten drang das ferne Rasseln einer Mietsdroschke an das Ohr, deren Kutscher, in Erwartung eines verspäteten Fahrgastes, von seiner faulen Mähre eingewiegt, in irgendeiner versteckten Gasse schlummerte. Lange schaute Tschartkow zum Fenster hinaus. Schon zeigten sich am Himmel die Anzeichen der nahenden Morgenröte; endlich fühlte er das Bedürfnis zu schlafen, er schlug das Fenster zu, entfernte sich, legte sich ins Bett und schlief bald fest ein wie ein Toter.

Er erwachte sehr spät und hatte jenes unangenehme Gefühl, das einen Menschen nach einer Kohlendunstvergiftung überfällt. Sein Kopf schmerzte ihn heftig. Im Zimmer war es trübe; eine unangenehme Feuchtigkeit erfüllte die Luft und drang durch die Spalten seiner Fenster, die mit Bildern oder grundierten Keilrahmen verstellt waren. Mürrisch und unzufrieden wie ein begossener Hahn setzte er sich auf seinen verschlissenen Diwan, ohne zu wissen, was er beginnen, was er tun sollte, und überdachte schließlich seinen ganzen Traum. Dabei wirkte dieser in der Erinnerung so qualvoll mächtig auf ihn, daß er sich sogar dem Argwohn hingab, vielleicht hätte ihn doch nicht nur ein einfacher Traum oder eine Wahnidee heimgesucht, sondern irgend etwas anderes, – etwa eine Vision. Er schob das Laken zurück und betrachtete nun dieses schreckliche Porträt beim hellen Tageslicht. Die Augen wirkten in der Tat durch ihr ungewöhnliches Feuer ganz erstaunlich; und doch konnte er nichts besonders Schreckliches an ihnen entdecken, nur blieb in seiner Seele eine unbestimmte, unerklärliche, peinigende Empfindung zurück. Trotzdem aber wollte er nicht recht daran glauben, daß es lediglich ein Traum gewesen war. Es schien ihm, als enthielte seine Vision ein entsetzliches Bruchstück der Wirklichkeit. Er hatte das Gefühl, als ob ein Etwas im Blick und im Gesichtsausdruck des Greises ihm zuflüsterte, daß er diese Nacht bei ihm gewesen sei. Seine Hand empfand noch den Druck, wie wenn eine andere sich erst kurz vorher von ihr losgerissen hätte, und er kam zur Überzeugung, daß die Rolle auch nach dem Erwachen in seiner Hand gewesen wäre, wenn er sie nur fester gehalten hätte.

»Herrgott! wenn mir doch nur ein Teil dieses Geldes gehörte!« sagte er, indem er tief aufseufzte, und er glaubte zu sehen, wie alle Rollen mit der verlockenden Aufschrift »Tausend Dukaten«, die er im Traum erblickt hatte, aus dem Beutel herausfielen. Sie öffneten sich, das Geld glänzte und funkelte vor seinen Augen und wurde dann wieder eingewickelt, er aber verharrte, unbeweglich und wie von Sinnen, in die leere Luft starrend, völlig unfähig, sich von diesem Gegenstande loszureißen, wie ein Kind, das vor einer süßen Speise sitzt und, während ihm das Wasser im Munde zusammenläuft, zusehen muß, wie sie von anderen verzehrt wird.

Da wurde plötzlich heftig an die Tür gepocht, was ihn wieder auf unangenehme Weise in die Wirklichkeit zurückversetzte. Der Wirt trat ein, und mit ihm der Polizeikommissar, dessen Erscheinen auf kleine Leute bekanntlich noch widerwärtiger wirkt als das Gesicht eines Bettlers auf einen Reichen. Der Wirt des kleinen Hauses, in dem Tschartkow lebte, war eins jener Wesen, die irgendwo in der fünfzehnten Linie der Wassilij-Insel, im Petersburger Viertel oder in einer entfernteren Ecke von Kolomna ein Häuschen besitzen – ein Geschöpf, deren es in Rußland noch viele gibt und deren Charakter ebenso schwer zu bestimmen ist, wie die Farbe eines abgetragenen Rockes. In seiner Jugend war er Hauptmann der Infanterie und ein rechter Bramarbas gewesen, war aber auch in Zivilangelegenheiten verwandt worden: ein Meister im Prügeln, behend, geckenhaft und dumm; nun aber, wo er alt geworden war, vereinigte sich alle diese hervorstehenden Eigenheiten zu einer gewissen unklaren Verschwommenheit. Jetzt war er Witwer und hatte schon seine Abschied genommen; daher vernachlässigte er sein Äußeres, er prahlte nicht mehr so unverschämt, war nicht mehr so arrogant und liebte es nur, Tee zu trinken und dabei allerlei Unsinn zusammenzuschwatzen; er ging beständig im Zimmer auf und ab, putzte die Talgkerze, besuchte pünktlich nach Ablauf jedes Monats seine Mieter wegen des Mietzinses, trat öfters mit dem Schlüssel in der Hand auf die Straße hinaus, um einen Blick auf das Dach seines Hauses zu werfen, und vertrieb seinen Portier beständig aus seiner Kammer, in die sich dieser gewöhnlich zurückzog, um zu schlafen: mit einem Wort, es war einfach ein Mann im Ruhestande, der nach einem langen, liederlichen Leben, währenddessen er so oft strapaziöse Reisen in Postkutschen machen mußte, nichts zurückbehalten hatte als ein paar platte Gewohnheiten.

»Sehen Sie doch selbst, Waruch Kusmitsch!« meinte der Wirt, indem er sich an den Polizeikommissar wandte und mit den Armen eine bezeichnende Geste vollführte; »er bezahlt die Wohnung nicht, er zahlt nun einmal nicht!«

»Was soll ich denn machen, wenn ich kein Geld habe? Warten Sie doch nur, ich werde schon bezahlen!«

»Ich kann nicht warten, Väterchen«, erwiderte der Wirt heftig und macht eine Bewegung mit dem Schlüssel, den er in der Hand hielt, auf den Tisch. »Der Oberstleutnant Potogonkin wohnt schon sieben Jahre lang in meinem Hause; Anna Petrowna Buchmisterowa hat mir eine Scheune und einen Stall für zwei Pferde abgemietet: eine Frau, die drei Dienstboten hat! Da sehen Sie, was für Mieter ich habe. Offengestanden, bei mit ist es nicht Sitte, daß man mir den Zins schuldig bleibt. Wollen Sie sofort das Geld bezahlen und dann die Wohnung räumen.«

»Ja, wenn sie sich dazu verpflichtet haben, dann müssen Sie auch zahlen«, meinte der Polizeikommissar, indem er leicht den Kopf schüttelte und den Zeigefinger hinter einen Knopf seines Uniformrockes steckte.

»Aber womit soll ich denn bezahlen? Das ist doch eben die Frage. Ich verfüge jetzt noch nicht über einen Pfennig.«

»In diesem Falle müssen Sie Iwan Iwanowitsch durch die Erzeugnisse Ihrer Kunst sicherstellen«, meinte der Kommissar. »Er wird vielleicht damit einverstanden sein, sich die Miete in Bildern bezahlen zu lassen.«

»Nein, Väterchen, ich danke schön für die Bilder! Wären es noch Gemälde von vornehmem Inhalt, so daß man sie an die Wand hängen könnte, ... etwa ein General mit einem Stern, oder ein Porträt des Fürsten Kutusow! Aber da malt er sich hier einen Bauern im Hemde hin, seinen Diener, der ihm die Farben reibt! Noch ein Bild von dem Schwein zu malen! Ich werde ihm den Buckel vollhauen! Er hat mir alle Nägel aus den Riegeln herausgezogen. Dieser Schuft! Sehen Sie nur, was für Gegenstände er sich wählt. Da malt er sein Zimmer! Hätte er noch wenigstens eine saubere, aufgeräumte Stube gewählt! Aber wie das hier gemalt ist! Mit dem ganzen Schmutz und Dreck, der überall umherliegt! Sehen Sie mal, wie er mir das Zimmer versaut hat! Wollen Sie doch selbst sehen. Bei mir wohnen die Mieter sieben Jahre lang, ein Oberst und Frau Buchmisterowa, Anna Petrowna … Wahrhaftig, ich muß ihnen gestehen, es gibt keinen schlimmeren Mieter als einen Maler … Der lebt wie ein Schwein! … Einfach wie ein … 'Gott soll mich davor bewahren'!«

Und dies alles mußte der arme Maler geduldig anhören. Der Polizeikommissar beschäftigte sich inzwischen mit der Prüfung der Bilder und Skizzen und bekundete hierbei, daß er eine lebendigere Seele hatte als der Wirt und sogar für künstlerische Eindrücke nicht ganz unempfänglich war.

»He«, sagte er, während er mit dem Finger gegen eine Leinwand klopfte, auf der ein nacktes Frauenzimmer dargestellt war, »dieser Gegenstand ist ja recht pikant, … und dieser Kerl hier, weshalb ist denn der so schwarz unter der Nase? Hat er sich etwa mit Tabak beschmutzt? Wie?«

»Das ist ein Schatten!« antwortete Tschartkow herb und ohne ihn anzusehen.

»Nun, den könnte man auch wo anders hinsetzen! Unter der Nase fällt es doch gar zu sehr auf«, sagte der Kommissar. »Und wessen Porträt ist dies hier?« fuhr er fort, indem er sich dem Bilde des Greises näherte. »Der ist ja entsetzlich! War er denn wirklich so schrecklich? Mein Gott, der starrt einen ja geradezu an! Sieh einmal, was für Blitze der schleudert! Wer hat Ihnen denn dazu Modell gesessen?«

»Ach, das ist ein …«, sagte Tschartkow, doch er sprach den Satz nicht zu Ende.

Man vernahm ein Krachen … Der Kommissar hatte offenbar infolge des ungeschlachten Baues seiner polizeilichen Hände den Rahmen des Bildes zu fest angepackt. Die Leisten an der Seite waren eingedrückt, die eine fiel auf den Boden, und mit ihr flog klirrend eine in blaues Papier gehüllte Rolle heraus. Die Aufschrift »Tausend Dukaten« sprang Tschartkow in die Augen. Wie wahnsinnig stürzte er herbei, um sie aufzuheben, ergriff die Rolle und umschloß sie krampfhaft mit einer Hand, die sich unter der schweren Last herabsenkte.

»Es klang doch hier wie Geld!« sagte der Kommissar, der etwas Klirrendes hatte auf den Boden fallen hören und den die Schnelligkeit, mit der Tschartkow herbeistürzte daran hinderte, genau zu erkennen, was es war.

»Und was geht Sie das an? Was brauchen Sie zu wissen, was ich hier habe?«

»Das geht mich deshalb was an, weil Sie dem Wirt sofort die Miete zahlen müssen! Weil Sie Geld haben, aber nichts zahlen wollen! Verstehen Sie!«

»Also gut, ich werde ihn heute bezahlen!«

»Warum wollten Sie dann aber nicht schon früher bezahlen? Wozu mußten Sie den Wirt beunruhigen und die Polizei belästigen?«

»Weil ich dieses Geld nicht angreifen möchte! Ich werde ihm noch heute abend alles bezahlen und morgen sofort die Wohnung räumen, weil ich bei einem solchen Wirte nicht mehr bleiben will.«

»Nun also, Iwan Iwanowitsch, er wird Ihnen alles bezahlen«, sagte der Kommissar, sich an den Wirt wendend. »Wenn es sich jedoch herausstellt, daß Sie heute abend nicht gebührend befriedigt werden, dann sollte es mir sehr leid tun, Herr Maler!«

Sprach's, setzte seinen Dreispitz auf und ging zum Flur hinaus. Der Wirt folgte ihm mit gesenktem Kopf und anscheinend etwas nachdenklich auf dem Fuße.

»Gott sei Dank, der Teufel hat sie geholt!« sagte Tschartkow, als er hörte, daß die Tür des Vorzimmers sich hinter ihnen geschlossen hatte. Er warf noch einen Blick in den Flur, schickte Nikita fort, um ganz allein zu bleiben, schloß die Tür hinter ihm ab und begann, nachdem er wieder in sein Zimmer zurückgekehrt war, unter heftigem Herzklopfen die Rolle zu öffnen. Wahrhaftig! Sie enthielt lauter glänzende Dukaten, die alle ohne Ausnahme neu geprägt waren und wie Feuer funkelten! – Wie wahnsinnig hockte er über dem Goldhaufen, und fragte sich immer und immer wieder: »Ist das alles nicht doch nur ein Traum?« Die Rolle enthielt genau tausend Goldstücke. Äußerlich glichen sie völlig denen, die er im Traum gesehen hatte. Einige Minuten wühlte er prüfend in ihnen herum und konnte sich noch immer nicht beruhigen. In seiner Phantasie lebten plötzlich alle Geschichten von Schätzen und Schatullen mit Geheimfächern auf, die vorsorgliche Ahnen ihren Enkeln in der sicheren Voraussicht ihres zukünftigen Ruins hinterlassen hatten. Er dachte sich: »Vielleicht hatte auch in diesem Falle irgendein Großvater den Einfall, seinem Enkel ein Geschenk zu hinterlassen, indem er es in dem Rahmen eines Familienunternehmens verbarg.« Voll von romantischen Vorstellungen fing er sogar an, darüber nachzudenken, ob nicht etwa zwischen diesem Vorfall und seinem Schicksal irgendeine geheime Verbindung bestände, ob nicht gar dieses Porträt irgendwie mit seinem Leben verknüpft wäre, und ob es nicht von einer geheimnisvollen Macht vorausbestimmt gewesen sei, daß er es erwerben sollte. Neugierig betrachtete er den Rahmen des Porträts. An einer Seite war eine Rinne ausgehöhlt, die so geschickt und unmerklich von einem Brettchen verdeckt wurde, daß die Dukaten hier bis in alle Ewigkeit ungestört verblieben wären, hätte nicht die gründliche Hand des Polizeikommissars dort eine Einbruch verübt. Er betrachtete das Porträt und bewunderte immer wieder die vollkommene Arbeit und die ungewöhnliche Zeichnung der Augen. Jetzt kamen sie ihm gar nicht mehr schrecklich vor, ließen jedoch noch immer unwillkürlich ein unangenehmes Gefühl in seinem Innern zurück. »Nein«, sagte er zu sich selbst, »wessen Großvater du auch sein magst, ich werde dich doch mit Glas bedecken und dir eine goldenen Rahmen anfertigen lassen.« Hierbei ließ er die Hand auf den vor ihm liegenden Goldhaufen fallen, und sein Herz begann infolge dieser Berührung heftig zu pochen. »Was nun tun?« dachte er, während er die Blicke auf das Geld richtete. »Jetzt bin ich mindestens für drei Jahre gesichert, ich kann mich in meiner Mansarde einschließen und arbeiten. Jetzt habe ich Geld genug für Farben, Essen, Trinken, Tee, und für die sonstigen Lebensbedürfnisse, sowie für die Wohnung. Stören und belästigen wird mich jetzt niemand mehr. Ich werde mir eine vorzügliche Gliederpuppe kaufen, werde mir eine Gipstorso besorgen, werde mir Füße modellieren lassen, eine Venus aufstellen, Stiche nach den besten Bildern anschaffen und, wenn ich dann diese drei Jahre für mich allein ohne Übereilung und ohne an den Verkauf zu denken, arbeite, lasse ich bald alle meine Kollegen hinter mir und kann ein tüchtiger Künstler werden.«

So sprach er im Einklang mit der Vernunft, die ihm diesen guten Vorsatz eingab. Aber aus seinem Inneren ertönte eine andere Stimme vernehmlicher und klangvoller, und als er noch einmal auf das Gold blickte, da erwachten ganz andere Gefühle in ihm: die Bedürfnisse seiner zweiundzwanzig Jahre, die Sehnsucht einer stürmenden Jugend! Jetzt war alles in seiner Macht, was er bisher nur mit neiderfüllten Augen angeschaut, was er nur von der Ferne bewundert hatte, während ihm das Wasser im Munde zusammenlief. Hei, wie ihm das stürmische Herz zu pochen begann, als er nur daran dachte, sich einen modernen Frack anzuziehen, nach dem langen Fasten endlich einmal über die Stränge zu schlagen, sich eine schöne Wohnung zu mieten und sich sogleich ins Theater und in eine Konditorei, in ein … usw. zu begeben. Er steckte das Geld in die Tasche und war in wenigen Augenblicken bereits auf der Straße.

Vor allem ging er zum Schneider, ließ sich vom Kopf bis zu den Füßen neu einkleiden, wobei er sich unaufhörlich wie ein Kind anstaunte, kaufte Parfüms und Pomade, mietete sich – ohne lange zu handeln – die erste beste vornehme Wohnung auf dem Newski-Prospekt mit Spiegeln und großen Fensterscheiben, erstand ebenfalls, ohne sich zu besinnen, in einem Laden eine teure Lorgnette und eine Unmenge von Krawatten, – weit mehr als er überhaupt nötig hatte – ließ sich von einem Friseur die Locken kräuseln, fuhr zweimal in einer eleganten Equipage ohne jeden Zweck durch die Stadt, aß sich in einer Konditorei an Konfitüren satt, und ging dann in ein französisches Restaurant, von dem er bis jetzt nicht mehr Ahnung hatte als von dem Reiche der Mitte. Dort speiste er stolz wie ein Spanier, warf hochmütige Blicke auf seine Mitgäste und strich sich vor dem Spiegel unaufhörlich die gebrannten Locken zurecht; er trank sogar eine Flasche Champagner, den er bis dahin ebenfalls nur vom Hörensagen kannte. Der Wein benebelte sein Gehirn ein wenig, und so trat er denn animiert, angeheitert und keck oder wie man in Rußland zu sagen pflegt: »Selbst dem Teufel kein Bruder!« auf die Straße. Wie ein Geck spazierte er den Bürgersteig entlang und warf nachlässige Blicke durch seine Lorgnette auf die Passanten; auf der Brücke gewahrte er seinen früheren Professor und huschte keck an ihm vorbei, als hätte er ihn gar nicht bemerkt, so daß der verdutzte Professor noch lange unbeweglich mit einem fragenden Ausdruck auf seinem Gesicht stehenblieb.

Alle seine Sachen und alles, was er noch besaß, die Staffelei, die Bilder, die Leinwand, hatte er noch am selben Abend in seine prachtvolle Wohnung bringen lassen; das Bessere stellte er an exponierten Stellen auf, das Minderwertige warf er in die Ecke; dann schritt er in den glänzenden Zimmern auf und ab, wobei er sich unaufhörlich im Spiegel betrachtete. In seiner Seele erwachte sofort das unüberwindliche Verlangen, den Ruhm bei den Haaren zu packen und sich der ganzen Welt zu zeigen. Schon war es ihm, als hörte er Rufe, wie die folgenden: »Tschartkow! Tschartkow! Haben Sie das Bild von Tschartkow gesehen? Über was für eine rasche Pinselführung doch der Tschartkow verfügt!« Ganz begeistert ging er wieder durch sein Zimmer und war bald in wer weiß welche Regionen entrückt. Gleich am folgenden Tage begab er sich mit einem Dutzend Dukaten zu dem Herausgeber eines vielgelesenen Blattes, um sich dessen großmütigen Beistand zu erbitten; er wurde von dem Journalisten, der ihn sofort »Geehrter Herr« anredete, ihm beide Hände drückte, und sich eingehend nach seinem Vor- und Vatersnamen und nach seiner Adresse erkundigte, aufs gastfreundlichste empfangen, – und schon am nächsten Tage erschien in der Zeitung gleich hinter einer Ankündigung neu in den Handel gebrachter Talgkerzen ein Artikel mit folgender Überschrift:

Ein ungewöhnliches Talent!
Der Maler Tschartkow

»Wir beehren uns, die gebildeten Einwohner der Hauptstadt mit einer – man kann ruhig sagen – in jeder Beziehung herrlichen und außerordentlichen Entdeckung zu erfreuen. Alle sind darin einig, daß wir viele bezaubernde Physiognomien und Gesichter von wunderbarer Schönheit besitzen, nur gab es bis jetzt kein Mittel, sie auf die wundertätige Leinwand zu übertragen und sie dadurch der Nachkommenschaft zu erhalten. Jetzt ist diesem Mangel abgeholfen. Ein Künstler ist uns erstanden, der alles in sich vereinigt, was uns not tut. Von nun ab darf jede Schönheit fest davon überzeugt sein, daß sie sich mit der ganzen Grazie ihres angenehmen, ätherischen, leichten, faszinierenden und wunderbaren Reizes im Porträt wiederfinden wird, gleich einem Schmetterling, der im Frühling von Blume zu Blume fliegt ... Der ehrwürdige Familienvater wird sich von seiner Familie umgeben erblicken, der Kaufmann, der Krieger, der Bürger, der Staatsmann werden ihre glorreiche Laufbahn mit erneutem Eifer fortsetzen. Eilt, eilt alle von einem Fest, von einem Spaziergange, von einem Besuche bei einem Freunde, bei einer Kusine, oder aus einem eleganten Laden, wo ihr auch sein möget, eilt hin zu ihm, zu diesem großen Künstler. Das herrliche Atelier des Malers Newski-Prospekt Nr. ... steckt voller Porträts, die von seinem Pinsel herrühren und eines van Dyck oder

Tizian würdig sind. Man weiß nicht, worüber man sich mehr wundern soll: über den Realismus, die Ähnlichkeit mit den Originalen, oder über die ungewöhnliche Kraft und Frische der Pinselführung. Preis dir, mein Künstler, du hast das große Los gezogen. Vivat Andrei Petrowitsch! (Der Journalist hatte anscheinend viel für das Familiäre übrig.) Bedecke dich und uns mit ewigem Ruhm, wir wissen es wohl, dich zu würdigen; allgemeines Aufsehen, ein gewaltiger Zuspruch und zugleich damit Reichtum und Wohlstand – obwohl sich einige Journalisten aus unserer Mitte auch dagegen auflehnen mögen – werden dein Lohn sein …«

Mit heimlichem Vergnügen sah der Künstler diese Anzeige; sein Gesicht strahlte. In der Presse wurde über ihn geredet, das war etwas ganz Neues für ihn. Mehrere Male hintereinander überlas er die Zeilen. Der Vergleich mit van Dyck und Tizian schmeichelte ihm sehr. Der Satz »Vivat Andrei Petrowitsch« erweckte ebenfalls sein Wohlgefallen. Er wurde auf bedrucktem Papier mit Vor- und Vaternamen genannt, eine Ehrung, die er bis dahin noch nicht gekannt hatte. Er begann rasch, im Zimmer auf- und abzugehen, und sich mit den Fingern durch die Haare zu fahren; bald setzte er sich in ein Fauteuil, bald sprang er wieder auf und ließ sich auf dem Diwan nieder, indem er sich fortwährend vorstellte, wie er die Besucher und Besucherinnen empfangen würde, dann trat er an eine Leinwand heran und pinselte keck darauf los, immer bestrebt, der Hand recht graziöse Bewegungen abzulocken.

Schon am folgenden Tage schellte es an der Tür, und er beeilte sich, sie zu öffnen. Eine Dame, in Begleitung eines Lakaien in einer pelzgefütterten Livree, und ihrer Tochter, eines jungen achtzehnjährigen Mädchens, betrat das Atelier.

»Sind Sie Monsieur Tschartkow?« fragte die Dame. Der Künstler verneigte sich.

»Es wird soviel über Sie geschrieben; Ihre Porträts sollen der Gipfel der Vollkommenheit sein.« Nach diesen einleitenden Worten bewaffnete die Dame ihr Auge mit einem Lorgnon und ließ die

Blicke schnell über die nackten Wände gleiten. »Und wo sind Ihre Porträts?«

»Man hat sie soeben abgeholt«, sagte der Künstler etwas verlegen. »Ich bin erst vor kurzem in dieses Wohnung gezogen, und so kommt es, daß sie noch unterwegs sind ... sie sind noch nicht angekommen.«

»Waren Sie in Italien?« fragte die Dame, indem sie ihr Lorgnon in Ermangelung eines andern Objektes für ihre Beobachtungen auf ihn selbst richtete.

»Nein, ich war nicht dort, ich hatte aber immer die Absicht ... Übrigens habe ich es jetzt aufgeschoben ... Bitte, hier ist ein Fauteuil ... Sind Sie nicht müde?«

»Danke, ich habe sehr lange in meiner Equipage gesessen. Ah, hier! Endlich sehe ich eine Arbeit von Ihnen«, sagte die Dame, während sie an die gegenüberliegende Wand eilte und ihr Lorgnon auf die dort lehnenden Skizzen, Plakate, Perspektiven und Porträts richtete. »C'est charmant, Lise, venez-ici! Ein Zimmer im Stile von Teniers. Sieh doch diese Unordnung! Ein Tisch ... auf dem eine Büste steht, eine Hand, eine Palette ... Dieser Staub hier, siehst du, wie der Staub gemalt ist? C'est charmant – Und hier eine andere Leinwand. Eine Frau, die sich das Gesicht wäscht ... Quelle jolie Figure! ... Ach, ein Bäuerlein! Liese, Liese ... ein Bäuerlein im russischen Hemd. Schau her, ein Bäuerlein! ... Also Sie malen nicht nur Porträts?«

»Oh, das ist nur eine Bagatelle, ein Scherz! Lauter Skizzen!«

»Sagen Sie bitte, was halten Sie von den heutigen Porträtisten? Nicht wahr, es gibt jetzt keinen solchen mehr wie Tizian? Keine solche Kraft in der Farbengebung ... Keine solche ... wie schade, daß ich es Ihnen nicht russisch sagen kann. (Die Dame war eine Liebhaberin der Malerei und hatte bewaffnet mit ihrem Lorgnon alle Galerien Italiens durchwandert.) Allerdings Monsieur Nohl! Ach, wie der malt! Was für eine ungewöhnliche Pinselführung! ich finde, daß in seinen Gesichtern sogar noch mehr Ausdruck enthalten ist als in denen Tizians. Kennen Sie Monsieur Nohl?«

»Wer ist dieser Nohl?« fragte der Maler.

»Monsieur Nohl? Ah, das ist ein Talent! Er hat meine Tochter porträtiert, als sie erst zwölf Jahre alt war. Sie müssen unbedingt zu uns kommen – Liese, du wirst ihm dein Album zeigen! Wissen Sie, wir sind in der Meinung hergekommen, daß Sie sofort ein Porträt von Liese in angriff nehmen würden.«

»Aber mit Vergnügen, ich stehe Ihnen sogleich zu Diensten.« Sofort schob er die Staffelei mit einem präparierten Keilrahmen heran, nahm die Palette in die Hand und heftete den Blick auf das blasse Gesichtchen der Tochter. Wäre er ein Kenner der menschlichen Natur gewesen, er hätte in diesem Gesicht sogleich die ersten Spuren einer kindlichen Leidenschaft für Bälle, einer peinigenden Unzufriedenheit über die Länge der Zeit vor und nach dem Mittagessen, den Wunsch, sich in einem gewissen Kleide auf einem Gartenfest sehen zu lassen, die drückenden Folgen eines erheuchelten Eifers für die verschiedensten Künste, zu dem sie die Mutter zur Erbauung der Seele und Erhebung des Gefühls zwang, bemerkt. Allein der Künstler entdeckte in diesem zarten Antlitz nichts wie eine lockende Aufgabe für seinen Pinsel: eine fast porzellanartige Durchsichtigkeit des Körpers, ein entzückendes leichtes Vibrieren, ein dünnes, zartes Hälschen und eine aristokratische Zierlichkeit der Figur! Und er bereitete sich schon im voraus auf einen Triumph vor; endlich war die Gelegenheit da, den Schwung und den Glanz seines Pinsels, der sich bis dahin nur an den rohen Zügen ordinärer Modelle, an strengen Antiken und Kopien nach einigen klassischen Meistern versucht hatte, zu offenbaren. Und er stellte sich im Geiste schon vor, wie ihm dieses zarte, duftige Gesicht gelingen werde. »Wissen Sie«, sagte die Dame mit einem fast rührenden Ausdruck, »ich möchte … sie hat jetzt dieses Kleid an … mir wäre es offen gestanden nicht sehr angenehm, daß sie ein Kleid trägt, an das wir schon gewöhnt sind. Es wäre mir lieb, wenn sie ganz einfach gekleidet wäre und im Schatten eines Baumes säße

… mit einer Wiese im Hintergrunde und mit der Aussicht auf eine weidende Herde oder einen Hain, ich möchte nicht, daß es so aussähe, als fahre sie irgendwohin zu einem Ball oder zu einer modischen Soiree … Offen gestanden, unsere Bälle töten die Seele so sehr und morden jeden letzten Rest eines Gefühls; Einfachheit, mehr Einfachheit! Nicht wahr?« Doch ach, leider konnte man es sowohl der Mutter wie der Tochter vom Gesicht ablesen, daß sie sich alle beide auf allerhand Bällen so müde getanzt hatten, daß sie beinahe wie Wachs anzuschauen waren.

Tschartkow machte sich ans Werk, ordnete die Haltung seines Modells an, überlegte sich alles reiflich in seinem Geiste, fuhr mit dem Pinsel durch die Luft und fixierte die Orientierungspunkte, kniff das eine Auge ein wenig zu, trat einen wenig zurück, betrachtete die junge Dame von weitem und begann zunächst eine Skizze zu entwerfen, die er in einer Stunde beendigte. Da er mit seiner Arbeit zufrieden war, machte er sich sofort an die eigentliche Ausführung. Das Schaffen riß ihn vollkommen hin, schon hatte er alles vergessen, selbst sogar die Gegenwart der aristokratischen Damen, ja, er kehrte hin und wieder zu seinen Künstlergewohnheiten zurück, indem er allerhand merkwürdige Laute von sich gab, und summte vor sich hin, wie es so die Art eines Künstlers ist, wenn er sich mit ganzer Seele seinem Werk hingibt. Ohne viel Umstände zu machen, ließ er auf eine Wink des Pinsels hin das Modell, das sich schließlich zu bewegen begann und eine starke Müdigkeit erkennen ließ, den Kopf hochheben.

»Genug, fürs erstemal wird es wohl genug sein!« sagte die Dame.

»Nein, bitte, noch ein wenig«, bat der völlig in sich versunkenen Maler.

»Nein, es ist Zeit! Liese, es ist schon drei Uhr!« versetzte die Dame, zog ihre kleine, an einer goldenen Kette vom Gürtel herabhängende Uhr hervor und rief ganz überrascht aus: »Ach, wie spät!«

»Nur noch ein Augenblickchen«, sagte Tschartkow mit der einfältigen und bittenden Gebärde eines Kindes.

Jedoch die Dame war diesmal offenbar nicht geneigt, seinen künstlerischen Wünschen nachzugeben, versprach ihm aber dafür, ein anderes Mal länger zu bleiben.

»Das ist doch ärgerlich«, dachte Tschartkow, »meine Hand war gerade in Schwung gekommen.« Und er erinnerte sich daran, wie er von niemand gestört und gehindert wurde, als er noch in seinem Atelier auf der Wassilij-Insel arbeitete. Nikita pflegte gewöhnlich ganz regungslos auf einem Fleck zu sitzen, man konnte ihn malen, so lange man wollte, ja, er schlief sogar in der gewünschten Stellung ein. Unzufrieden legte Tschartkow Pinsel und Palette auf den Stuhl und blieb verdrießlich vor der Leinwand stehen.

Ein Kompliment der vornehmen Dame weckte den Nachdenklichen aus seinem Traume, er stürzte schnell zur Tür, um die Damen hinauszugeleiten. Auf der Treppe erhielt er die Einladung, in der nächsten Woche bei ihnen zu dinieren, und kehrte mit fröhlicher Miene in sein Zimmer zurück. Die aristokratische Dame hatte ihn vollkommen bezaubert – bis dahin hatte er solche Geschöpfe als etwas für ihn Unerreichbares angesehen, als Wesen, die nur dazu geboren sind, in prächtigen Equipagen mit Dienern in kostbaren Livreen und eleganten Kutschern an armen Sterblichen, wie er, vorbeizusausen und einen im verschlissenen Mantel zu Fuß einherschreitenden Burschen mit einem gleichgültigen Blick zu streifen. Mit einem Male aber war eines dieser Wesen zu ihm in seine Wohnung gekommen; er malte dessen Porträt und war zu einem Diner in ein aristokratisches Haus eingeladen. Eine ganz ungewöhnliche Zufriedenheit bemächtigte sich seiner, er war vollständig trunken vor Freude und belohnte sich mittags für seine gute Laune mit einem famosen Souper und abends mit einem Theaterbesuch und einer nochmaligen ziellosen Spazierfahrt in einer Equipage durch die Stadt.

Während all dieser Tage kam ihm seine gewohnte Arbeit gar nicht in den Sinn; er war nur mit Vorbereitungen auf den Besuch beschäftigt, und wartete auf den Augenblick, wo die Glocke zu ertönen pflegte. Endlich erschien die Dame mit ihrer blassen Tochter wieder. Er ließ sie Platz nehmen, rückte die Leinwand schon mit einer gewissen Sicherheit und mit den Prätensionen eines Mannes von seinen Manieren zurecht, und begann seine Arbeit. Der sonnige Tag und die gute Beleuchtung leisteten ihm große Dienste. Er entdeckte an seinem duftigen Modell eine Menge von Einzelheiten, deren Beachtung und Fixierung auf der Leinwand dem Porträt einen hohen Wert verleihen konnten. Er sah, daß es wohl möglich war, etwas Besonderes zu leisten, wenn er alles so vollkommen darzustellen vermochte, wie es ihm jetzt in der Natur entgegentrat. Sein Herz fing leicht zu klopfen an, weil er die Kraft in sich fühlte, etwas, was andere noch nicht bemerkt hatten, zum Ausdruck zu bringen. Die Arbeit nahm ihn ganz in Anspruch, er gab sich ihr völlig hin und vergaß bald wieder die aristokratische Herkunft des Originals; mit benommenem Atem stellte er fest, wie die zarten Züge und der fast durchsichtige Körper des siebzehnjährigen Mädchens allmählich auf der Leinwand erschienen. Keine noch so zarte Nuance entging ihm, er traf den leichten, gelben Ton, einen kaum merklichen, bläulichen Schimmer unter den Augen – und war sogar schon im Begriff, einen kleinen Pickel, der sich auf der Stirne befand, zu verzeichnen, als er plötzlich neben sich die Stimme der Mutter vernahm.

»Ach nein, wozu nur? Das ist nicht nötig! Auch hier haben Sie … hier an einigen Stellen scheint es mir etwas zu gelb zu sein, und auch dies sieht ganz aus, wie ein dunkler Fleck.« Der Maler fing an zu erklären, daß sich gerade diese Pünktchen und die gelbe Farbe besonders gut machten, weil sie im Gesicht als angenehme und leichte Töne wirkten. Er erhielt jedoch zur Antwort, daß das überhaupt keine Töne seien, daß sie sich gar nicht gut ausnähmen und daß es ihm nur so vorkäme. »Aber so erlauben Sie mir doch wenigstens, hier an dieser Stelle etwas Gelb aufzutragen!« bat der Künstler mit harmloser Miene. Indessen, gerade das wurde ihm nicht erlaubt. Man erklärte ihm, daß Liese heute bloß nicht in

Stimmung sei, daß sie sonst ganz und gar nicht gelb aussehe, und daß ihr Gesicht im Gegenteil durch die Frische seines Teints überrasche. Traurig machte er sich daran, die beanstandeten Spuren seines Pinsels von der Leinwand zu tilgen. Viele fast unmerkliche Züge mußten schwinden, und mit ihnen schwand zum Teil auch die Ähnlichkeit dahin. Gleichgültig begann er dem Bilde jenes konventionelle Kolorit mitzuteilen, das sich von vornherein ganz mechanisch und wie von selbst einstellt, und auch einem nach der Natur gemalten Gesicht eine gewisse kühle Idealität verleiht, wie wir sie auf Schülerprogrammen antreffen. Die Dame war jedoch sehr zufrieden, daß nunmehr das Verletzende der Farbengebung gänzlich vermieden wurde. Sie drückte nur ihr Erstaunen darüber aus, daß die Arbeit so langsam vor sich ginge, und fügte hinzu, sie hätte gehört, er könnte schon in zwei Sitzungen ein vollständiges Porträt malen. Der Maler fand hierauf keine Antwort. Die Damen erhoben sich und wollten fortgehen. Er legte den Pinsel nieder, geleitete sie bis an die Tür und blieb lange Zeit in trüber Stimmung auf einem Flecke vor seinem Porträt stehen. Er starrte es stumm und gedankenlos an; inzwischen aber schwebten jene zarten weiblichen Züge, jene Schatten und luftigen Töne, die er bemerkt, und die sein Pinsel dann so schonungslos vernichtet hatte, vor seinem Auge. Ganz von ihnen erfüllt, stellte er das Porträt beiseite und suchte aus irgendeiner Ecke den unvollendeten Kopf der »Psyche« hervor, die er vor längerer Zeit einmal flüchtig skizziert hatte. Es war ein graziös hingemaltes, aber rein ideales und kaltes Gesichtchen, das bloß allgemeine und wenig charakteristische Züge aufwies und noch auf keinem lebendigen Körper saß. Er begann diese Züge mit dem Pinsel nachzuziehen, während er sich dabei an alles erinnerte, was sein scharfes Auge an dem Antlitze aristokratischen Besucherin bemerkt hatte. Die von ihm erfaßten Linien, Schatten und Töne nahmen hierbei jene verklärte Form an, wie sie dem Künstler erscheinen, wenn er die Natur genügend in sich aufgenommen hat, sich nunmehr von ihr entfernt und ein ihr ebenbürtiges Werk schafft. Die

Psyche lebte allmählich wieder auf, und der Gedanke, der ihn kaum flüchtig bewegt hatte, nahm Fleisch und Blut an. Der Gesichtstypus der vornehmen jungen Dame teilte sich von selbst der Psyche mit, und dadurch erhielt sie einen eigenartigen Ausdruck, der ihr das Recht auf den Namen eines wahrhaft originellen Werkes verleihen durfte. Er hatte gleichsam in den Einzelheiten und im Ganzen ausgenutzt, was ihm das Original bot, und war von seiner Arbeit vollkommen hingerissen. Einige Tage lang beschäftigte er sich nur mit ihr, da überraschte ihn zufällig das Eintreten der bekannten Damen bei dieser Arbeit. Er hatte keine Zeit, das Bild von der Staffelei zu entfernen; die beiden Damen stießen einen frohen Ruf des Erstaunens aus und schlugen die Hände zusammen.

»*Lise, Lise!* Ach, wie ähnlich! *Superbe, superbe!* Was für ein schöner Einfall, sie in einem griechischen Kostüm zu malen Welche Überraschung!«

Der Künstler wußte nicht, wie er die Damen über ihren angenehmen Irrtum aufklären sollte. Verlegen und mit gesenktem Kopf bemerkte er leise; »Das ist Psyche!«

»Als Psyche? C'est charmant!« sagte die Mutter lächelnd zu ihrer gleichfalls lächelnden Tochter. »Nicht wahr, Liese, so machst du dich am besten, so als Psyche, nicht? Quelle idée délicieuse! Aber was für eine Arbeit! Das ist ja ein Correggio! Offen gestanden, ich habe zwar von Ihnen gelesen und gehört, ich wußte aber doch nicht, daß Sie ein solches Talent sind. Nein, Sie müssen unbedingt auch noch *mein* Porträt malen!« Die Dame wollte sich offenbar gleichfalls als Psyche präsentieren …

»Was soll ich mit ihnen anfangen?« dachte der Künstler. »Wenn sie es selbst durchaus wollen, gebe ich einfach die »Psyche« für das aus, was ihnen am meisten behagt!« Und er sagte laut: »Belieben Sie noch für eine Weile Platz zu nehmen. Ich möchte hier noch einen Tupfen auftragen!«

»Ach, ich fürchte, daß Sie hier irgend etwas… Sie ist jetzt so ähnlich.«

Aber der Künstler merkte wohl, daß sich ihre Befürchtungen nur auf den gelben Ton bezogen, und beruhigte sie, indem er sagte, daß er den Augen nur noch etwas mehr Glanz und Ausdruck geben wolle. In Wirklichkeit aber war ihm peinlich zumute, er wollte zum mindesten die Ähnlichkeit mit dem Original noch etwas verstärken, damit ihm wenigstens niemand seine Schamlosigkeit zum Vorwurf machen könne. Und in der Tat, das Antlitz ließ bald immer deutlicher die Züge des blassen Mädchens erkennen.

»Genug«, sagte die Mutter, die zu fürchten begann, daß die Ähnlichkeit allzu groß werden könnte. Dem Künstler wurde durch ein Lächeln, durch Geld, Komplimente, herzliche Händedrücke und eine Einladung zum Diner eine reichliche Belohnung zuteil: Mit einem Worte, er wurde nur so überschüttet mit tausend Schmeicheleien und höchsten Zeichen der Anerkennung.

Das Porträt erregte in der Stadt Aufsehen. Die Damen zeigten es ihren Freundinnen; alle bewunderten die Kunst, mit der der Maler es verstanden hatte, die Ähnlichkeit zu wahren und dem Original dennoch Schönheit und Liebreiz zu verleihen. Dieser Punkt wurde natürlich nicht ohne einen leichten Anflug von Neid festgestellt, und mit einem Male war der Künstaler mit Arbeiten überhäuft. Fast schien es, als wollte die ganze Stadt sich bei ihm porträtieren lassen. Im Flur ertönte jeden Augenblick die Glocke. – Dieser äußere Erfolg konnte zwar sein Glück ausmachen, da er ihm durch die Mannigfaltigkeit und die Zahl der Gesichter, die er malen mußte, eine große Praxis verschaffte, leider kamen jedoch lauter solche Leute, die nicht leicht zu behandeln waren, eilige, beschäftigte Menschen oder Personen, die der großen Gesellschaft angehörten und infolgedessen noch mehr als alle anderen abgehetzt und aufs äußerste ungeduldig waren.

Die einzige Forderung, die von allen Seiten an ihn gestellt wurde, war diese, daß er was Gutes leisten und möglichst schnell arbeiten solle.

Bald sah der Maler die Unmöglichkeit ein, seine Porträts sorgfältig auszuführen, er gelangte vielmehr zur Überzeugung, daß man die genauere Charakteristik durch einen leichten und flotten Pinselstrich ersetzen, nur das große Ganze, den allgemeinen Ausdruck festhalten müsse und sich nicht mit besonderen subtilen Einzelheiten abgeben dürfe: Mit einem Worte, er begriff, daß er es sich nicht erlauben konnte, die Natur in ihrer ganzen Vollkommenheit wiederzugeben. Außerdem muß hinzugefügt werden, daß fast alle seine Modelle auch noch andere Wünsche geltend machten. Die Damen verlangten, daß hauptsächlich die Seele und das Wesen auf den Porträts betont, andere Züge dagegen unter Umständen durchaus hintangesetzt würden, daß alle Ecken abgerundet, alle Mängel verwischt oder wenn möglich ganz und gar ausgemerzt werden sollten, mit einem Worte, daß das Gesicht zur Bewunderung, wenn nicht gar zur Anbetung reizen sollte. Daher nahmen, wenn sie zur Sitzung kamen, ihre Mienen einen solchen Ausdruck an, daß der Künstler aufs höchste erstaunt war. Die eine bemühte sich, eine gewisse Melancholie auf ihrem Gesichte wiederzuspiegeln, die andere nahm eine verträumte Pose an, die dritte wollte um jeden Preis den Mund kleiner erscheinen lassen und spitzte ihn so zu, bis er sich endlich in einen Punkt verwandelte, der nicht größer als ein Stecknadelknopf war. Trotz alledem aber verlangte man Ähnlichkeit und ungezwungene Natürlichkeit von ihm. Und die Herren waren nicht besser als die Damen. Der eine wollte mit einer kraftvollen, energischen Kopfhaltung dargestellt werden, der andere mit durchgeistigten und nach oben gerichteten Augen. Ein Gardeleutnant wünschte, daß Mars aus seinen Blicken hervorleuchte, ein Zivilbeamter hatte das Bestreben, möglichst viel Gradheit und Edelmut in seinen Gesichtsausdruck zu legen, stützte die Hand auf ein Buch, das die deutliche Aufschrift trug: »Ich bin stets für die Wahrheit eingetreten!«, und wollte in dieser Pose porträtiert sein. Anfangs trat dem Künstler infolge dieser Forderungen der Schweiß auf die Stirn, all dies mußte genau durchdacht werden, und doch räumte man ihm nur eine geringe Frist dafür ein. Schließlich jedoch begriff er den Kern der Sache und wurde nicht im geringsten mehr verlegen. Schon zwei, drei Worte reichten hin, ihn darüber zu belehren, wie sich ein jeder dargestellt wissen wollte. Wer nach einem Mars Verlangen trug, dem verlieh er ein martialisches Gesicht, wer es auf einen Byron abgesehen hatte, dem gab er eine byronische Haltung! Ob die Damen als Corinna, als Undine oder gar als Aspasia erschienen wollten, war für ihn ohne jeden Belang: Er willigte mit größtem Vergnügen in alles ein und legte schon aus eigener Machtvollkommenheit einem jeden eine beträchtliche Dosis Wohlgeratenheit bei, bekanntlich eine Willkür, die nirgends Schaden stiften kann und für die man sogar mitunter eine gewisse Unähnlichkeit mit in den Kauf nimmt. Allmählich fing er selbst an, sich über die erstaunliche Schnelligkeit und Flottheit seines Pinsels zu wundern. Die Porträtierten aber waren natürlich ganz entzückt und erklärten ihn für ein Genie.

Tschartkow wurde in jeder Beziehung ein Modemaler. Er begann, Diners zu besuchen und Damen in die Galerien und sogar auf Bälle und Feste zu begleiten, sich geckenhaft zu kleiden und laut zu behaupten, daß ein Künstler gesellschaftsfähig sein müsse, daß er seinen Stand hochhalten müsse, daß sich die Maler im allgemeinen wie die Schuster kleiden, sich nicht anständig zu benehmen, den besseren Ton nicht zu wahren verstünden und jeder Bildung entbehrten. Bei sich zu Hause im Atelier beobachtete er die peinlichste Reinlichkeit und Akkuratesse; er hielt sich zwei elegante Lakaien, nahm stutzerhafte Schüler an, kleidete sich mehrere Male am Tage um, zog allerhand Morgenanzüge an, ließ sich das Haar brennen, beschäftigte sich damit, verschieden Gesten einzustudieren und sich in dem Zeremoniell zu vervollkommnen, mit dem er seine Besucher zu empfangen gedachte, und legte den größten Wert auf die Pflege seines Äußeren, um einen möglichst günstigen Eindruck auf die Damen zu machen, mit einem Wort, man konnte in ihm bald kaum noch jenen bescheidenen Künstler wiedererkennen, der einst unbemerkt und im stillen in seinem Kämmerlein auf der Wassilij-Insel gearbeitet hatte. Über Künstler und Kunst fällte er nur noch die anmaßendsten Urteile, er behauptete, man maße den früheren Meistern zu viel Wert bei, denn sie alle bis auf Raffael hätten keine lebendigen Menschen, sondern bloß Heringe geschaffen, und er erklärte, die Ansicht, daß ihnen etwas Heiliges innewohne, existiere nur in der Einbildung der Beschauer; ja, selbst Raffael habe nicht nur vollendete Werke geschaffen, und viele seiner Bilder genössen überhaupt nur auf Grund der Tradition einen so hohen Ruhm; er erklärte laut, daß Michelangelo ein Prahler sei, der nur durch Kenntnis der Anatomie imponieren wollte, daß er gar keine Grazie besäße und daß man einen wirklichen Glanz und die wahre Kraft der Pinselführung und des Kolorits nur in dem gegenwärtigen Zeitalter finden könne. Dann kam er naturgemäß ganz unabsichtlich auch auf sich selbst zu sprechen. »Ich verstehe nicht, wozu sich die Menschen so anstrengen«, pflegte er zu sagen, »da hocken und brüten sie über ihrer Arbeit: Ein Mensch, der mehrere Monate hintereinander an einem Bilde herumtiftelt, ist meines Erachtens nichts als ein gewöhnlicher Tagelöhner und kein Künstler; ich kann nicht glauben, daß er Talent besitzt. Ein Genie schafft kühn und schnell. Sehen Sie«, pflegte er zu sagen, indem er sich an seine Besucher wandte, »dieses Porträt hier habe ich in zwei Tagen gemalt, dieses Köpfchen in einem Tage, dies hier nur in wenigen Stunden, und das dort in etwas mehr als einer Stunde. Nein, offengestanden, ich kann doch ein Werk nicht als Kunst gelten lassen, in dem Strich neben Strich gesetzt ist, nein, das ist Handwerkerarbeit und keine Kunst mehr.« So sprach er zu seinen Gästen, und diese bewunderten die Kraft und Leichtigkeit seiner Pinselführung, stießen Rufe des Erstaunens aus, wenn sie hörten, in wie kurzer Zeit die Werke entstanden waren, und teilten es nachher auch anderen mit. »Das ist ein Talent, oh, ein wahres, großes Talent! Sehen Sie nur, wie seine Augen glänzen, wenn er spricht. *Il y a quelque chose d'extraordinaire dans toute sa figure!*«

Dem Künstler schmeichelte es, solche Reden über sich zu hören.

Wenn er in den Journalen öffentlich gelobt und gepriesen wurde, dann freute er sich wie ein Kind, obgleich diese Lobeserhebungen von ihm für bares Geld gekauft worden waren. Er trug ein solches Zeitungsblatt immer mit sich herum und zeigte es gleichsam unabsichtlich all seinen Bekannten und Freunden. Und dies ergötzte ihn aufs höchste, in aller Einfalt und Naivität. Sein Ruhm wuchs, die Aufträge und Bestellungen mehrten sich; schon fing er an, der immer gleichen Porträts und Gesichter, deren Ausdruck und Haltung bei ihm bereits Schablone geworden waren, überdrüssig zu werden. Schon malte er ohne große Begeisterung, indem er sich nur noch bemühte, den Kopf auf die Leinwand zu werfen; die Ausführung überließ er seinen Schülern. Früher suchte er wenigstens noch seinen Porträts eine neues Moment abzugewinnen, durch eine neue Stellung, durch die Kraft der Pinselführung oder durch gewisse Effekte zu überraschen. Jetzt langweilte ihn auch dies allmählich. Das dauernde Grübeln und Suchen nach Neuem ermüdete seinen Geist. Er *konnte* es bald auch gar nicht mehr, er hatte dazu auch keine Zeit. Die unregelmäßige Lebensweise und die Gesellschaft, in der er die Rolle eines Lebemanns zu spielen suchte, entfremdeten ihn vollständig der Arbeit und dem Nachdenken. Seine Pinselführung wurde kalt und stumpf und erstarrte unmerklich in eintönigen, konventionellen, längst verbrauchten Formen. Die langweiligen, kalten, ewig gepflegten, ledernen oder sozusagen verschlossenen Gesichter der Beamten, der militärischen wie der zivilen, boten dem Pinsel in der Tat keinen großen Spielraum. Die prächtigen Drapierungen, die starken Bewegungen und Leidenschaften hatte er völlig vergessen. Von künstlerischer Komposition der Gruppen, von dramatischem Leben, von hohen, gewaltigen Konflikten war überhaupt nicht mehr die Rede. Vor seinen Augen schwirrten nichts wie Uniformen, Korsetts und Fräcke, alles Dinge, die einen Künstler kalt lassen und die jede Phantasie ertöten. Selbst die am leichtesten zu ereichenden Vorzüge gingen seinen Arbeiten jetzt ab, trotzdem aber fanden sie immer noch Käufer und Anerkennung, wenn auch wirkliche Kenner und Künstler angesichts seiner letzten Bilder nur noch mit den Achseln zuckten. Einige von ihnen, die Tschartkow von früher her kannten, vermochten nicht zu verstehen, wie ein Talent, dessen Stärke sich schon in dem jungen Schüler gezeigt hatte, so zugrunde gehen konnte, und sie bemühten sich vergebens, zu erraten, wie in einem Menschen plötzlich die Begabung erlöschen könne, in dem selben Augenblick, wo seine Kräfte erst eben zu voller Entfaltung gekommen waren.

Aber der von seinen Erfolgen trunkene Künstler hörte alle diese Äußerungen nicht. Schon kam er in die Jahre, wo man gesetzt und schwerfällig wird, er wurde allmählich immer dicker und ging sichtlich in die Breite. Schon las er in den Zeitungen und Journalen Epitheta wie die folgenden: »Unser verehrter Andrej Petrowitsch!« »Unser hochverdienter ...!« Schon bot man ihm Ehrenämter an, lud ihn zu Prüfungen ein und wählte ihn in verschiedene Komitees, schon trat er, wie es im gesetzteren Alter immer zu geschehen pflegt, entschieden für Raffael und die alten Meister ein, nicht, weil er durchaus von ihrem hohen Werte durchdrungen war, sondern nur deshalb, um sie als Angriffswaffe gegen seine jüngeren Kollegen zu benutzen. Schon vergnügte er sich damit, nach Art älterer Herren der ganzen Jugend ohne Ausnahme Sittenlosigkeit oder eine tadelnswerte Geistesrichtung zum Vorwurf zu machen. Schon neigte er sich der Auffassung zu, daß alles in der Welt ganz einfach und wie von selbst vonstatten gehe, daß es keine Inspiration gebe und daß alles einem strengen Regiment, der Ordnung und einer monotonen Regelmäßigkeit unterworfen sein müsse, – mit einem Wort, er war bereits in jene Jahre gekommen, wo aller Sturm und Drang, der überhaupt jemals in einem Menschen pulsiert hat, zu verschwinden beginnt, wo die Töne des zauberhaften Bogens nur gedämpft an die Seele rühren und das Herz nicht mehr mit erschütternden Klängen umkreisen, wo der Kuß der Schönheit keine jungfräulichen Kräfte mehr in Feuer und Flammen wandelt – wo sich dafür aber alle verglühten Gefühle dem Klirren des Goldes um so zugänglicher erweisen, immer aufmerksamer auf seine verlockende Musik lauschen, ihr allmählich und unmerklich immer mehr Macht über sich einräumen und sich sanft von ihr einlullen lassen. Der Ruhm kann dem, der ihn gestohlen und nicht verdient hat, keinen Genuß gewähren. Nur den, der seiner würdig ist, erfüllt er ständig mit einem wonnigen Schauder. Und so wandten sich alle seine Empfindungen und Wünsche dem Golde zu. Das Gold wurde ihm Leidenschaft, Ideal, Schreckbild, Genuß und Lebenszweck. In seinen Tischen häuften sich Päckchen von Banknoten an, und wie jeder, dem dieses schreckliche Geschenk zuteil wird, verwandelte er sich nach und nach immer mehr in einen langweiligen, gegen alles gleichgültigen, nur noch dem Golde zugänglichen törichten Geizhals, einen sinnlosen Sammler, und er war schon auf dem besten Wege, zu einem jener Sonderlinge zu werden, deren es in unserer seelenlosen Welt gar viele gibt. Ein warmblütiger und gütiger Mensch betrachtet sie voll Entsetzen, ihm erscheinen sie als steinerne Särge, die sich vor ihm bewegen und einen leblosen Klumpen an Stelle eines Herzens in sich bergen. Aber eine merkwürdige Begebenheit sollte bald sein ganzes Wesen durchrütteln und erschüttern.

Eines Tages erblickte er auf seinem Tische ein Schreiben, in dem die Akademie der Künste ihn als ihr hochverehrtes Mitglied um sein Erscheinen und um sein Urteil über ein neues Werk bat, das aus Italien angekommen war und einen dort zur Vervollkommnung weilenden russischen Künstler zum Urheber hatte. Dieser Künstler war ein ehemaliger Freund von ihm, der seit langem die Leidenschaft für die Kunst in sich barg und sich mit der feurigen Seele eines Fanatikers in seine Arbeit vergraben hatte; er hatte sich von all seinen Freunden und Verwandten, von allen lieben Gewohnheiten losgerissen und war in ein Land geeilt, wo ein herrlicher Himmel eine majestätische Kunst reifen läßt: in das überwältigende Rom, bei dessen Erwähnung eines Küntlers feuriges Herz stets voll und stürmisch zu schlagen pflegt. Dort versenkte er sich wie ein Einsiedler in sein Werk und in ein durch nichts abgelenktes

Studium. Ihn kümmerte es wenig, daß sich die Menschen über sein seltsames Wesen aufhielten, daß man seine Unfähigkeit, sich in der guten Gesellschaft zu bewegen, seine Verachtung der konventionellen Formen tadelte und von dem Schaden sprach, den er dem Künstlerstande durch seinen ärmlichen, altmodischen Anzug zufügte. Es war ihm völlig gleichgültig, ob ihm seine Kollegen zürnten oder nicht, er hatte auf alles zugunsten der Kunst verzichtet und hatte ihr alles geopfert. Unermüdlich besuchte er die Galerien und Museen, er konnte stundenlang vor den Werken der großen Meister stehen und deren wundervolle Pinselführung studieren. Er vollendete kein Werk, bevor er sich angesichts dieser großen Vorbilder geprüft und sich aus ihren Werken einen stummen und doch so beredten Rat geholt hatte. An lärmenden Unterhaltungen und Streitigkeiten beteiligte er sich nie, er nahm weder für, noch gegen die Puristen Partei, sondern ließ allen die schuldige Anerkennung zuteil werden, indem er in allem nur das Schöne zu entdecken wußte, bis er sich endlich einzig und allein dem göttlichen Raffael als seinem Lehrmeister überließ, – wie auch wohl ein großer Dichter, der schon so viele verschiedene Werke voll Anmut und majestätischer Schönheit kennen gelernt hat, zuletzt nur noch Homers Ilias als die überragende Dichtung gelten läßt, nachdem er entdeckt hat, daß in diesem Epos alles enthalten ist, was man von einem Kunstwerk verlangen kann, und daß sich hier alles in höchster Vollkommenheit widerspiegelt. Und so hatte er sich denn bei dieser Schulung und Arbeit an sich selbst eine hervorragende Schaffenskraft, eine machtvolle Schönheit der Gedanken und die hohe Anmut einer schier überirdischen Pinselführung erworben.

Als Tschartkow in den Saal trat, fand er bereits eine Menge von Besuchern vor, die vor dem Bilde standen. Eine tiefe Stille, wie sie nur selten unter so zahlreichen Kritikern herrscht, empfing ihn diesmal. Er beeilte sich, seinem Gesicht einen bedeutenden Ausdruck und eine tiefsinnige Kennermiene zu geben und trat vor das Bild. Aber, o Gott, was war das, was er da erblickte?

Rein, makellos und herrlich wie eine Braut stand das Werk des Künstlers vor ihm. Bescheiden, göttlich, unschuldig, und einfach wie das Genie selbst, schien es hoch über allem zu schweben. Es war, als senkten die himmlischen Gestalten, verwundert über so viele auf sie gerichtete Blicke, schamhaft ihre herrlichen Wimpern. Mit einem Gfühl unwillkürlichen Staunens starrten die Eingeweihten die neue, nie gesehene Pinselführung an. Hier schien alles vereinigt zu sein: die Schulung an Raffael, die sich in der hohen Vornehmheit der Haltung, und die an Correggio, die sich in der vollkommenen Technik verriet. Aber den gewaltigsten Eindruck machte die in der Seele des Künstlers wirkende Schöpferkraft. Jedes kleinste Detail des Gemäldes war von ihr druchdrungen; alles atmete eine strenge Gesetzmäßigkeit und innere Kraft; jedes Ding ließ jene wundervoll schwebende und fließende Rundung der Linien erkennen, die nur der Natur eigen ist und die nur das Auge des schaffenden Künstlers sieht, bei dem Nachahmer und Kopisten aber stets eckig und hart erscheint. Man fühlte ganz deutlich, wie der Künstler alles, was er der äußeren Welt entnommen, in sich, in seiner Seele verschlossen hatte, um es erst später aus dieser geistigen Quelle gleich einem harmonischen, feierlichen Liede hervorsprudeln zu lassen. Und sogar den Uneingeweihten wurde klar, was für ein unermeßlicher Abgrund zwischen einem Kunstwerk und einer einfachen Kopie der Natur gähnt. Es ist unmöglich, jene ungewöhnliche Stille zu schildern, die alle Anwesenden beobachteten, während sie ihre Augen auf das Bild gerichtet hatten. Kein Knistern, kein Laut störte die andächtige Stimmung. Die erhabenen Wirkung des Bildes aber schien sich von Augenblick zu Augenblick noch zu verstärken. Strahlend und wie ein unbegreifliches Wunder löste es sich von allem Irdischen los, um sich schließlich ganz in einen Augenblick – die Frucht eines dem Künstler vom Himmerl eingegebenen Gedankens – zu verwandeln, in einen Moment, dem das ganze menschliche Leben nur als Vorbereitung dient. Unwillkürlich wandelte die das Bild umringenden Beschauer das Bedürfnis zu weinen an; es schien, als hätten sich alle Kunstanschauungen, alle dreisten, regellosen und willkürlichen Abweichungen des Geschmacks hier zu einem wortlosen Hymnus auf das göttliche Werk vereinigt.

Unbeweglich, mit offenem Munde stand Tschartkow vor dem Bilde, und erst als schließlich doch eine kleine Bewegung durch die Reihen der Besucher und Autoritäten ging, als man sich laut über den Wert der Werkes zu unterhalten begann, als man sich schließlich auch an Tschartkow mit der Bitte wandte, sein Urteil abzugeben, kam er wieder zu sich, versuchte seine gewöhnliche, gleichmütige Miene aufzusetzen und war eben im Begriff, ein paar Plattheiten zu äußern, wie man sie wohl von verknöcherten Routiniers zu hören bekommt. Er wollte schon sagen: »Hm, gewiß, man kann dem Maler ja nicht alles Talent absprechen; Talent hat er, das ist unleugbar. Man sieht, daß er etwas ausdrücken will. Was aber die Hauptsache betrifft«, – und hierauf sollten natürlich einige lobende Worte folgen, die keinem Künstler gut bekommen wären. Aber er führte seine Absicht nicht aus, die Rede erstarb auf seinen Lippen, statt dessen drangen Tränen und Seufzer leidenschaftlich aus seiner Brust hervor, und wie ein Wahnsinniger lief er aus dem Saal.

Eine Minute lang stand er regungslos und wie versteinert mitten in seinem prächtigen Atelier, sein ganzes Sein, seine ganze Vergangenheit lebten einen Augenblick wieder in ihm auf, als wären die erloschenen Funken der Flamme, die vielleicht jetzt groß und herrlich entfaltet und vielleicht ebenfalls Tränen des Staunens und der Dankbarkeit entlockt hätte, so plump ersticken und vernichten können. Wie hatte er sie in sich ertöten, erbarmungslos vernichten können! Es schien, als wären in diesem Augenblick plötzlich alles Streben und alle Leidenschaften in seiner Seele erwacht, alle Gefühle, die auch sie einmal gekannt hatte … Er ergriff den Pinsel und trat vor die Leinwand.

Ein kalter Schweiß bedeckte seine Stirn, er verwandelte sich völlig in *einen* einzigen Wunsch und war ganz von *einem* Gedanken beseelt. Er wollte den gefallenen Engel darstellen. Diese Vorstellung stimmte am besten mit seinem Seelenzustand überein, aber ach, alles was er begann: all seine Figuren, seine Posen, Gruppen und Ideen hatten etwas Gezwungenes und Wirres. Sein Pinsel und seine Phantasie waren bereits zu sehr von der Schablone gehemmt, und der ohnmächtige Drang, die Schranken und Fesseln, die er sich selber auferlegt hatte, zu zerbrechen, verleitete ihn gleich zu Anfang zu Unrichtigkeiten und Fehlern. Er hatte die ermüdend lange Stufenleiter der nur allmählich zu erwerbenden Kenntnisse und der ersten Grundgesetze der großen zukünftigen Wissenschaft übersprungen. Ein heftiger Verdruß bemächtigte sich seiner, er ließ all seine letzten Schöpfungen: die seelenlosen Modebilder, die Porträts von Husarenoffizieren, vornehmen Damen und Staatsräten aus seinem Atelier entfernen, sperrte sich allein in seinem Zimmer ein, befahl, niemand hereinzulassen und versenkte sich ganz in die Arbeit. Wie ein geduldiger Knabe, wie ein Schüler saß er an seinem Werk; aber ach, wie unbefriedigend und schwächlich war alles, was sein Pinsel schuf. Bei jedem neuen Schritt strauchelte er über die Unkenntnis der elementarsten Regeln; jede kleinste, unbedeutendste Mechanismus wirkte erkältend auf seinen Eifer und stellte sich seiner Phantasie als unüberbrückbares Hindernis entgegen. Der Pinsel wandte sich unwillkürlich wieder den alten versteinerten Formen zu, die Arme nahmen immer dieselbe schablonenhafte Haltung an, der Kopf wagte es nicht, sich eine ungewöhnliche Wendung zu gestatten; selbst der Faltenwurf des Kleides hatte etwas Schablonenhaftes, wollte sich ihm durchaus nicht fügen und sich nicht an die neue Körperstellung anpassen. Und Tschartkow fühlte es, fühlte es selbst und sah es mit eigenen Augen.

»Hatte ich denn wirklich einmal Talent?« rief er aus.« Habe ich mich nicht selbst betrogen?« Mit diesen Worten suchte er seine früheren Werke hervor, die er einst in so reiner Stimmung, so völlig frei von Habsucht und Geldgier in seiner ärmlichen Mansarde auf der abgelegenen Wassilij-Insel, fern von den Menschen geschaffen hatte; damals, als er noch nichts von Überfluß und all den raffinierten Genüssen wußte. Jetzt stand er wieder vor den alten Bildern, betrachtete sie aufmerksam, und sein ganzes früheres Leben voll Not und Entbehrung erstand wieder vor ihm. »Ja ...« sagte er verzweifelt, »ich *hatte* Talent! Wohin ich auch blicke, überall entdecke ich deutliche Spuren und Zeugnisse davon!«

Er blieb stehen und erzitterte plötzlich am ganzen Leibe. Sein Blick begegnete einem Augenpaar, das starr auf ihn gerichtet war. Es war jenes ungewöhnliche Porträt, das er einst in der Schtschukin-Passage gekauft hatte. Die ganze Zeit hindurch hatte es hinten gestanden, von anderen Bildern verdeckt, und so war es ihm völlig aus dem Gedächtnis entschwunden. Jetzt aber, wo wie absichtlich alle modernen Porträts und Gemälde, die sein Atelier anfüllten, entfernt waren, blickte es plötzlich zusammen mit den früheren Werken seiner Jugend hervor. Als er sich nun an die sonderbare Geschichte dieses Porträts erinnerte, als er daran dachte, daß dieses merkwürdige Bildnis gewissermaßen die Ursache seiner Wandlung geworden war, daß die große Geldsumme, die ihm auf so wunderbare Weise zuteil geworden, alle die falschen und eitlen Regungen, die sein Talent zugrunde richten sollten, in ihm erweckt hatte, da wurde seine Seele von einem fast sinnlosen Grimm erfaßt, und er ließ das verhaßte Bildnis sofort hinaustragen. Aber die seelische Erregung wollte ihn trotzdem nicht verlassen. All seine Gefühle, ja, sein ganzes Wesen waren bis aufs tiefste aufgerührt, jetzt lernte auch er jene entsetzliche Qual kennen, die nur ganz selten und wie ausnahmsweise in der Natur vorkommt, wenn ein schwaches Talent sich mehr abzuringen versucht, als es zu leisten vermag, und doch den rechten Ausdruck nicht finden kann; jene Qual, die zwar einen Jüngling zu großen Taten spornt, aber den, der schon zu alt ist, um zu träumen, vergebens und fruchtlos mit einem heißen Schaffensdurste peinigt – jene entsetzliche Qual, die einen Menschen zu grauenhaften Untaten anstiften kann! Ein entsetzlicher, rasender Neid bemächtigte sich seiner. Er wurde gelb vor Ärger, wenn er einem Werke gegenüberstand, das den Stempel des Talentes trug. Er knirschte mit den Zähnen und durchbohrte es mit seinem Blick gleich einem Basilisk. In seiner Seele regten sich höllische Vorsätze, wie sie so leicht kein Mensch ersinnt, und mit einer schier rasenden Energie war er bemüht, sie zur Ausführung zu bringen. Er fing an, alles Beste anzukaufen, was in seiner Kunst produziert wurde. Nachdem er um teures Geld ein Bild erstanden hatte, trug er es behutsam in sein Zimmer, stürzte sich mit der Wut eines Tigers darauf, riß es entzwei, schnitt es in Stücke und zerstampfte es mit frohlockendem Lachen. Das bedeutende Vermögen, das er angehäuft hatte, ermöglichte es ihm, dieses teuflische Bedürfnis zu befriedigen: er riß all seine mit Gold gefüllten Säcke auf und öffnete all seine Truhen. Nie hat es ein so verständnisloses Scheusal gegeben, das so viele herrliche Kunstwerke vernichtet hätte, wie dieser rasende Racheteufel. Auf allen Auktionen, wo er sich zeigte, verzweifelte jeder im voraus daran, sich ein Kunstwerk erwerben zu können, es schien, als hätte der erzürnte Himmel diese entsetzliche Geißel absichtlich in die Welt gesandt, um sie aller Harmonie zu berauben. Diese grauenhafte Leidenschaft ließ ihn in einem schrecklichen Lichte erscheinen. Von ewiger Bosheit sprach sein Angesicht. Ein wütender Welt- und Menschenhaß und eine furchtbare Lebensfeindschaft spiegelten sich in seinen Zügen wieder. Es schien, als habe sich jener leibhaftige furchtbare Dämon in ihm verkörpert, den uns Puschkin so wunderbar geschildert hat. Nichts als giftgeschwollenen Reden und heftige Worte des Tadels entquollen seinem Munde. Er glich einer Harpye, wenn er auf der Straße dahergestürmt kam; alle, selbst seine guten Bekannten, bemühten sich, ihm auszuweichen, wenn sie seiner von ferne ansichtig wurden, und suchten eine solche Begegnung zu vermeiden, ja, sie erklärten, ein solches Zusammentreffen genüge schon, um ihnen den ganzen Tag zu vergiften.

Zum Glück für die Welt und die Kunst konnte ein solch aufgeregtes und gewalttätiges Leben nicht lange dauern. Die Dimensionen, zu denen seine Leidenschaft anwuchs, waren zu kolossal und übertrieben, als daß ein schwacher Mensch sie auf die Dauer aushalten konnte. Die Wut- und Wahnsinnsanfälle wiederholten sich immer häufiger und gingen schließlich in eine entsetzliche Krankheit über, – ein furchtbares, von einem heftigen, schnell um sich greifenden Schwindsuchtsanfall begleitetes Fieber ergriff ihn, und binnen drei Tagen war nur noch ein Schatten von ihm zurückgeblieben. Dazu kamen noch alle Merkmale eines unheilbaren Irrsinns. Er wütete so um sich, daß ihn oft mehrere Menschen nicht bändigen konnten. Immer wieder tauchten die längst vergessenen lebendigen Augen des seltsamen Porträts vor ihm auf; und dann verfiel er in ein fürchterliches Toben. Alle Menschen, die sein Bett umstanden, schienen ihm grauenhaften Porträts zu gleichen, und diese Porträts verdoppelten, vervierfachten sich vor seinen Augen; es kam ihm vor, als wenn alle Wände mit Bildern bedeckt wären, die ihre lebendigen Augen starr und unbeweglich auf ihn gerichtet hielten; schreckliche Porträts blickten von der Decke, vom Boden nach ihm hin, das Zimmer weitete sich aus und dehnte sich bis ins Unendliche, um immer noch mehr von diesen starren und unbeweglichen Augen fassen zu können. Der Arzt, der sich verpflichtet hatte, ihn zu behandeln, und der schon manches über seine seltsame Geschichte gehört hatte, bemühte sich aus aller Kraft, die geheimnisvolle Beziehung zwischen den Wahnvorstellungen, die der Irrsinn erzeugte, und den realen Erlebnissen zu ermitteln, er hatte jedoch keinen Erfolg damit. Der Kranke begriff und fühlte nichts als seine Qual, stieß nur entsetzliche Schreie aus und führte ganz unzusammenhängende Reden. Endlich gab er in einem letzen stummen Ausbruch des Schmerzes sein Leben auf. Seine Leiche war schrecklich anzusehen. Von seinen ungeheuren Reichtümern war nichts mehr zu entdecken; als man jedoch die zerstreuten Fetzen und Stücke der großen Kunstwerke fand, deren Wert viele Millionen betrug, da erst verstand man, welch entsetzlichen Gebrauch er von ihnen gemacht hatte.

Zweiter Teil

Eine Menge von Equipagen, Droschken und Kaleschen stand vor dem Portal eines Hauses, in dem der Nachlaß eines jener reichen Kunstliebhaber versteigert wurde, die, einstmals in den Anblick von Zephiren und Kupidos versenkt, ihr ganzes Leben sanft verträumten, ohne eigenes Zutun sich den Ruf von Mäzenen erwarben und treuherzig ihre Millionen verschwendeten, die sie von ihren soliden Vätern geerbt oder sogar früher einmal durch ihre eigene Arbeit erworben hatten. Solche Mäzene gibt es bekanntlich heute nicht mehr, unser neunzehntes Jahrhundert hat schon längst die langweilige Physiognomie eines Bankiers angenommen, der seine Millionen nur in Gestalt von nüchternen, auf dem Papier verzeichneten Zahlenreihen genießt. Eine bunte Menge von Besuchern und Käufern, die von allen Seiten wie die Raubvögel auf eine unbeerdigt daliegende Leiche gestürzt waren, erfüllte den großen Saal. Da sah man ganze Scharen von russischen Händlern aus der Gostinnyj-Dwor-Passage und sogar vom Trödelmarkt in blauen deutschen Röcken; ihr Aussehen und ihr Gesichtsausdruck war hier sicherer, freier und fiel nicht durch jene unangenehme Unterwürfigkeit und Dienstbereitschaft auf, die dem russischen Händler so eigentümlich ist, wenn er die Kunden in seinem Laden bedient. Hier ließen sie sich ruhig gehen, trotzdem sich in demselben Saale viele Aristokraten befanden, vor denen sie an einem andern Orte durch tiefe Bücklinge und Kratzfüße den an den eigenen Stiefeln herbeigetragenen Staub weggefegt hätten. Hier benahmen sie sich ganz ungezwungen, betasteten, ohne viel Umstände zu machen, die Bilder und Bücher, um die Güte der Waren festzustellen, und schraubten dreist die Preise, die die gräflichen Kunstkenner für ein Werk boten, in die Höhe. Hier traf man so manchen Repräsentanten jener Menschenklasse, die man auf allen Auktionen findet, und die täglich zu einer Versteigerung gehen, so wie man wohl morgens in ein Wirtshaus geht; hier begegnete man all den vornehmen und aristokratischen Kunstfreunden, die es für ihre Pflicht hielten, keine Gelegenheit zu versäumen, bei der sie ihre Sammlungen vergrößern könnten, und die zwischen 12 und 1 Uhr nichts Besseres zu tun hatten, und endlich fehlte es auch nicht an jenen ehrenwerten Herren, deren Anzüge und Börsen einen recht dürftigen Eindruck machen und die hier täglich ohne jedes eigennützige Ziel erscheinen, einzig und allein zu dem Zwecke, um zu beobachten, wie ein Kauf zustande kommt, – wer mehr, und wer weniger geben, wer den andern überbieten, und wem endlich der Gegenstand zugesprochen werden wird. Viele Bilder standen ganz regellos durcheinander, dazwischen sah man Möbel und Bücher mit den Initialen des früheren Besitzers, der vielleicht niemals das löbliche Bedürfnis gespürt hatte, in sie hineinzublicken. Da gab es chinesische Vasen, marmorne Tischplatten, neue und alte Möbel mit verschnörkelten Linien, Streifen, Sphinxen und Löwentatzen, Lampen, Kronleuchter und Stehlampen *mit* und *ohne* Vergoldung: alles war aufeinandergestapelt, und er herrschte hier nicht einmal soviel Ordnung, wie man sie selbst in einem Kunstladen vorzufinden pflegt. Das Ganze stellte sozusagen ein großes Chaos von Kunstwerken dar. Überhaupt ist ja das Gefühl, das wir angesichts einer Versteigerung empfinden, grauenhaft. Alles mutet einen an wie ein Begräbnis. Der Saal, in dem sie stattfindet, ist stets düster, die mit Möbeln und Bildern verstellten Fenster lassen das Licht nur spärlich hineindringen, das auf den Gesichtern liegende Schweigen und die Grabesstimme des Ausrufers, der mit dem Hammer aufschlägt und zu Ehren der armen, hier auf so sonderbare Weise zusammengeratenen Künste eine Messe liest: alle diese Momente verstärken, wie es scheint, noch das eigentümlich Peinliche des Eindrucks.

Die Auktion war offenbar in vollem Gange. Ein großer Haufe anständig gekleideter, dicht zusammenstehender Menschen ließ deutliche Zeichen äußerster Hast und Erregung erkennen. Die Worte: »... Rubel! ... Rubel!«, die von allen Seiten ertönten, ließen dem Ausrufer keine Zeit, den immer noch wachsenden Preis, der bereits das Vierfache des zu Anfang genannten betrug, zu wiederholen; die umherstehende Menge bemühte sich um ein Porträt, das jeden, der auch nur ein wenig von Malerei verstand, aufs lebhafteste fesseln mußte. Es trug den sichtbaren Stempel des Genies. Anscheinend war es schon des öfteren restauriert und erneuert worden, es stellte die dunklen Züge eines mit einem weiten Gewande bekleideten Asiaten dar, dessen Gesicht einen ganz ungewöhnlichen und eigenartigen Ausdruck hatte. Was jedoch die Umstehenden am meisten in Staunen setzte, das war das intensive Leben, das aus seinen Augen strahlte; je länger man sie betrachtete, um so tiefer schienen sie einem bis ins innerste Innere zu blicken. Diese Eigentümlichkeit, die auffallende Kunstfertigkeit des Malers nahmen die Aufmerksamkeit fast aller in Anspruch. Viele der Bewerber waren bereits zurückgetreten, weil der Preis ganz enorm in die Höhe geschraubt wurde. Lediglich zwei als Kunstliebhaber bekannte Aristokraten waren noch übriggeblieben und wollten durchaus nicht auf die Erwerbung des Gemäldes verzichten. Sie erhitzten sich und hätten wahrscheinlich den Preis bis zum Absurden emporgetrieben, wenn nicht plötzlich einer der Anwesenden sich mit der folgenden Bemerkung an sie gewandt hätte: »Darf ich Sie bitten, Ihren Streit einen Augenblick ruhen zu lassen? Ich habe vielleicht mehr Anrecht auf dieses Porträt als jeder andere!«

Diese Worte lenkten sofort die Aufmerksamkeit aller Anwesenden auf den Sprecher; er war ein schlanker Mann von etwa fünfunddreißig Jahren, mit langen schwarzen Locken. Sein sympathisches Gesicht, das eine gewisse freundliche Sorglosigkeit widerspiegelte, ließ eine Seele erkennen, die sich von allen aufreibenden Erregungen, die der gesellschaftliche Verkehr mit sich bringt, fernhielt. Seine Kleidung entbehrte aller modischen Übertriebenheiten, jeder seiner Züge deutete auf seinen Künstlerberuf hin. Und in der

Tat, es war ein Maler namens B., den viele der Anwesenden persönlich kannten.

»Wie seltsam Ihnen auch meine Worte erscheinen mögen«, fuhr er fort, als er die allgemeine Aufmerksamkeit auf sich gerichtet sah, »Sie würden doch vielleicht selbst einsehen, daß ich berechtigt war, sie zu äußern, wenn Sie sich dazu entschließen könnten, eine kleine Geschichte mitanzuhören. Alles bestärkt mich in der Überzeugung, daß gerade dies das Porträt ist, das ich suche.«

Eine nur allzu natürliche Neugierde sprach aus allen Gesichtern, und selbst der Ausrufer hielt mit offenem Munde und mit erhobenem Hammer, neugierig und gespannt, in seinem Geschäft inne. Zu Beginn der Erzählung wandten sich die Blicke vieler unwillkürlich dem Porträt zu, um sich nach und nach immer mehr auf den Erzähler zu heften, dessen Bericht immer interessanter und spannender wurde.

»Jedem von Ihnen ist doch wohl jener Stadtteil bekannt, den man Kolomna nennt«, begann er. »Hier ist alles anders als in den anderen Teilen Petersburgs. Dies Quartal erinnert weder an die Hauptstadt, noch an die Provinz. Wenn man in das Kolomnaviertel gerät, ist einem fast zumute, als ob einen nach und nach alle jugendlichen Gefühle und Leidenschaften verlassen. Hier fällt kein Zukunftsblick hinein, hier ist alles ruhig und starr und unbeweglich. Hierher flüchtet sich alles, was sich als Niederschlag des Hauptstadtbetriebes absetzt. Hier schlagen inaktive Beamte, Witwen und Personen in bescheidenen Verhältnissen ihr Ruheplätzchen auf, die auf eine Entscheidung des Senats harren und sich daher selbst zu einem fast lebenslänglichen Aufenthalt in diesem Quartal verurteilt haben; hier wohnen verabschiedete Köchinnen, die sich den ganzen Tag hindurch auf den Märkten umhertreiben, stundenlang in den Kramladen stehen, mit dem Verkäufer schwatzen und sich jeden Tag für fünf Kopeken Kaffee und für vier Kopeken Zucker kaufen, und endlich findet sich hier noch jene Sorte von Leuten, die man am besten mit dem einen Worte »die Aschgrauen« bezeichnen könnte, Menschen, deren Anzug und deren Gesicht, Haare und Augen eine trübe, aschgraue Farbe haben, wie ein Tag, an dem es weder das eine noch das andere stattfindet: ein grauer Nebel hüllt alles ein und nimmt allen Gegenständen ihre scharfen Konturen. Zu ihnen kann man alle abgedankten Logenschließer, verabschiedete Titularräte und Marsjünger mit einem ausgestochenen Auge und dicken, aufgedunsenen Lippen rechnen. Lauter Menschen ohne Temperament und ohne jede Leidenschaft; sie gehen stumpfsinnig einher, ohne dem, was um sie her passiert, die geringste Aufmerksamkeit zu schenken, und schweigen, ohne an etwas zu denken. In ihren Zimmern sieht es öde und leer aus; oft besteht ihr Mobiliar einzig und allein aus einem Krug mit echter russischer Wodka, an der sie den ganzen Tag unaufhörlich nippen, ohne daß sie ihnen ernstlich zu Kopfe steigt, was einem gewöhnlich nur nach einem kräftigen Schluck zustößt, wie ihn sich wohl Sonntags ein junger deutscher Handwerksbursche – dieser Student der Meschtschanskajastraße* und alleinige Beherrscher des Bürgersteigs – zu gestatten pflegt, allerdings erst, wenn Mitternacht vorüber ist.

In Kolomna geht es äußerst still zu; Nur selten zeigt sich ein Wagen, in dem Schauspieler sitzen, und der dann durch sein donnerndes Gerassel und Klappern allein die allgemeine Ruhe stört. Hier gibt es nur Fußgänger, so mancher Droschkenkutscher kommt hier oft langsam und ohne Fahrgast dahergefahren oder schleppt etwas Heu für seine struppige Mähre herbei. Eine Wohnung kann man hier schon für fünf Rubel monatlich haben, den Morgenkaffee miteingeschlossen. Witwen, die eine kleine Pension beziehen, gehören hier schon zu den vornehmsten Leuten; das sind Damen von gutem Benehmen, die ihre Zimmer oft fegen und sich mit ihren Nachbarinnen über die teuren Preise des Fleisches und des Kohls unterhalten. Sie haben gewöhnlich eine junge Tochter, ein wortkarges, mitunter recht niedliches Geschöpf, dazu ein

* Kleinbürgerstraße

garstiges Hündchen und eine Wanduhr mit einem traurig tickenden Pendel. Weiter gibt es hier Schauspieler, denen es ihre Gage nicht gestattet, aus Kolomna wegzuziehen, ein freies Völkchen, das wie alle Künstler nur dem Genusse lebt. Sie sitzen in ihren Schlafröcken da, und reparieren wohl eine Pistole, kleben aus Pappe allerlei Gegenstände, die man im Hause braucht, spielen mit einem Freunde oder Gast eine Partie Dame oder Karten, und verbringen so den ganzen Tag, wobei man jedoch nicht etwa denken darf, daß sie am Abend etwas anderes tun, höchstens daß sie zuweilen noch einen Grog zu sich nehmen. Auf diese Magnaten und Aristokraten von Kolomna folgt schließlich nur noch das gemeinste und verkommenste Pack; es genauer zu bezeichnen, wäre ebenso schwierig, wie die Aufzählung jener zahlreichen Insekten, die in altem Essig keimen. Da gibt es alte Weiber, die beten, alte Weiber, die trinken, und solche, die zugleich beten und trinken, ferner solche, die sich auf völlig unbekannte Weise durchschlagen und wie emsige Ameisen ganze Haufen alter Lumpen und Wäschestücke von der Kalinkin-Brücke nach dem Trödelmarkte schleppen, um sie dort für fünfzehn Kopeken zu verkaufen; mit einem Worte, der elendeste Bodensatz der Menschheit, dessen Lage selbst der menschenfreundlichste Sozialpolitiker kaum zu verbessern vermöchte.

All diese Leute habe ich nur zu dem Zwecke angeführt, um Ihnen zu zeigen, wie oft dieses Volk in die Notlage kommt, eine plötzliche, vorübergehende Hilfe in Anspruch und zu einer Anleihe seine Zuflucht zu nehmen. Und in der Tat findet man unter ihnen auch eine besondere Art von Wucherern, die ihnen gegen ein Pfand und hohe Zinsen kleinere Summen leihen. Diese kleinen Wucherer sind noch sehr viel herzloser und gefühlloser als die großen, denn sie entspringen aus der Armut und aus einem seine Lumpen offen zur Schau stellenden Elend, das der reiche und vornehme Wucherer gar nicht kennt, weil er nur mit solchen Kunden zu tun hat, die in einer eleganten Equipage vorfahren – und daher erstirbt in ihnen schon früh jedes menschliche Gefühl. Unter diesen Wucherern gab es einen – aber hier darf ich wohl erwähnen, daß das Geschehnis, das ich Ihnen erzählen will, in das verflossene Jahrhundert, nämlich in die Regierungszeit der verstorbenen Zarin Katharina II., fällt. Sie können sich vorstellen, daß auch das Äußere Kolomnas und das innere Leben dieses Stadtteils sich seitdem bedeutend verändert haben. Also unter den Wucherern gab es einen, der ein in jeder Beziehung ungewöhnlicher Mensch war. Er hatte sich schon vor langer Zeit in diesem Viertel niedergelassen und trug stets ein weites asiatisches Gewand. Seine dunkle Gesichtsfarbe deutete auf seine südliche Herkunft hin, welcher Nation er jedoch eigentlich angehörte, ob er ein Inder, Grieche oder Perser war, darüber konnte niemand etwas Bestimmtes aussagen. Der hohe fast ungewöhnliche Wuchs, das dunkle magere, verbrannte Antlitz, die seltsame, grauenerregende Gesichtsfarbe und die großen, feurigen Augen mit den finsteren, buschigen Augenbrauen ließen ihn unter allen aschgrauen Bewohnern der Hauptstadt als eine markante Erscheinung hervortreten. Selbst seine Behausung hatte keine Ähnlichkeit mit den einförmigen Holzbaracken Kolomnas. Er wohnte in einem steinernen Hause, wie sie vormals genuesische Kaufleute zu errichten pflegten. Die Fenster hatten eine unregelmäßige Form, waren alle verschieden groß und mit Riegeln und eisernen Läden versehen. Dieser Wucherer unterschied sich schon dadurch von seinen Kollegen, daß er jeden seiner Klienten, ob es nun eine alte Bettlerin oder ein verschwenderischer höherer Beamter des Hofes war, mit einer beliebigen Summe zu versehen vermochte. Vor seinem Hause hielten oft elegante Equipagen, aus deren Schlag bisweilen der Kopf einer feinen Weltdame hervorlugte. Man erzählte sich, wie das gewöhnlich so geschieht, daß seine eisernen Truhen mit unermeßlich viel Geld, Schätzen, Diamanten und verschiedenen kostbaren Pfandgegenständen angefüllt seien, daß er aber trotzdem frei von der Habgier gewöhnlicher Wucherer wäre. Er verlieh sein Geld sehr gerne und setzte annehmbare, äußerst bequeme Zahlungstermine für seine Kunden an, nur ließ er die Zinsen durch allerhand eigentümliche arithmetische Operationen zu ganz maßlosen Summen anwachsen. So wenigstens urteilte Fama über ihn; was aber am auffälligsten war und auf jeden Fall alle verblüffen mußte, das war das seltsame Schicksal aller derer, die bei ihm Geld borgten. Sie gingen alle auf klägliche Weise zugrunde. Ob es nun aber nur leeres Gerede der Menschen, nur ein sinnloses, abergläubisches Geschwätz oder ein mit Absicht verbreiteter Klatsch war, das blieb unbekannt. Indessen gab es doch einige Fälle, die sich binnen ganz kurzer Zeit vor allen Augen abspielten, und die einen tiefen und überwältigenden Eindruck auf die Leute machten.

Damals lenkte gerade ein Jüngling aus einer vornehmen aristokratischen Familie, die sich bereits in jenen Jahren im Staatsdienst ausgezeichnet hatte, die Aufmerksamkeit auf sich: ein glühender Verehrer alles Echten und Erhabenen, ein eifriger Förderer menschlicher Geistesarbeit und hoher Kunst, mit einem Worte ein Mensch, der ein wahrhafter Mäzen zu werden versprach. So kam es denn, daß er sehr bald nach seinen Verdiensten von der Zarin selbst ausgezeichnet wurde, die ihm ein mit seinen eigenen Wünschen und Ansprüchen übereinstimmendes bedeutendes Amt und eine Posten anvertraute, auf dem er viel für die Wissenschaften und für alles Gute wirken konnte. Der junge Beamte umgab sich mit Künstlern, Dichtern und Gelehrten. Er wollte allen Arbeit verschaffen und alle nach Kräften fördern. Er gab auf eigen Kosten eine Reihe von nützlichen Werken heraus, verteilte eine Menge von Aufträgen und setzte viele Preise aus; auf diese Weise verausgabte er ungeheuer viel Geld und geriet schließlich in pekuniäre Verlegenheiten. Aber da er ein vornehmer und hochherziger Charakter war, wollte er nicht von seinem Vorhaben abstehen, er suchte überall Anleihen aufzunehmen und wandte sich endlich an den uns schon bekannten Wucherer. Er erhielt auch eine bedeutende Summe von ihm, aber bald darauf ging ein vollkommene Veränderung mit ihm vor: Er wurde mit eine Male ein Verfolger und Unterdrücker aller aufstrebenden Geister und Talente. An allen Werken, die ihm vor Augen kamen, entdeckte er sofort die schlechten Seiten und deutete jedes harmlose Wort falsch. Um diese Zeit brach gerade die französische Revolution aus, und dieses Ereignis gab ihm plötzlich den Anlaß zu allen möglichen Verdächtigungen und häßlichen Taten, überall fing er an, revolutionäre Umtriebe wittern; alles schien ihm eine schlimme Andeutung zu enthalten. Er wurde so argwöhnisch, daß er sich schließlich sogar selbst zu mißtrauen begann; er gab sich zu einer ganzen Reihe abscheulicher und höchst ungerechter Denunziationen her und machte dadurch unzählige Menschen unglücklich. Die Folge einer solchen Handlungsweise war natürlich die, daß das Gerücht davon bis an den Thron gelangte. Die großmütige Kaiserin war ganz entsetzt und sprach sich in hochherziger Weise, die der schönste Schmuck gekrönter Häupter ist, darüber aus. Ihre Worte sind uns zwar nicht genau überliefert, aber ihr tiefer Sinn prägte sich dem Herzen vieler ein. Die Kaiserin bemerkte, es seien gar nicht die monarchischen Regierungen, die die hohen und vornehmen Seelenregungen unterdrückten; in einer solchen Staatsform seien die Werke des Geistes, der Dichtung und der Künste keineswegs verachtet und Verfolgungen ausgesetzt, vielmehr seien die Monarchen ihre natürlichen Protektoren, erst unter *ihrem* hochherzigen Schutze erstände ein Shakespeare, ein Molière usw., während andererseits ein Dante in seinem republikanischen Vaterlande keine Ruhestätte finden konnte. Wahre Genies entfalteten sich nur in den glänzenden Zeitaltern mächtiger Könige und Königreiche und nicht unter dem Einflusse häßlicher politischer Vorgänge und terroristischer Republiken, die der Welt bis jetzt noch keinen einzigen Dichter geschenkt hätten. Sie erklärte, man müsse die Dichter und Künstler reichlich belohnen und auszeichnen, denn sie schenkten der Seele Ruhe und herrlichen Frieden und bewahrten sie vor häßlichen Leidenschaften und Empörung; die Gelehrten, die Dichter und alle schaffenden Künstler seien die Perlen und Diamanten in den Kaiserkronen: sie seien der höchste Schmuck, der das Zeitalter eines großen Herrschers kröne und ihm einen noch höheren Glanz verleihe. Während die Kaiserin diese Worte sprach, war sie unendlich schön und göttlich. Ich erinnere mich, daß die alten Leute nicht anders als mit Tränen in den Augen davon sprechen konnten. Alle zeigten die lebhafteste Teilnahme für den Fall. Zur Ehre unserer Nation muß hier bemerkt werden, daß sich in dem Herzen eines Russen stets der hochherzige Wunsch regt, die Partei der Bedrückten zu ergreifen. Der hohe Beamte, der das ihm geschenkte Vertrauen zu sehr mißbraucht hatte, wurde gebührend bestraft und seines Amtes enthoben, aber noch eine weit peinigendere Strafe war es für ihn, daß er eine unverhüllte und allgemeine Mißachtung aus den Gesichtern seiner Mitbürger lesen konnte. Es läßt sich kaum beschreiben, wie sehr seine eitle Seele darunter litt. Gekränkter Stolz, betrogener Ehrgeiz, vernichtete Hoffnungen: All diese Empfindungen vereinigten sich zu einer drückenden Qual, und in entsetzlichen Wahnsinnsanfällen riß sein Lebensfaden ab.

Noch ein anderer frappanter Fall trug sich gleichfalls vor aller Augen zu. Von den vielen schönen Frauen, an denen unsere nordische Hauptstadt damals nicht arm war, lief besonders *eine* allen anderen den Rang ab. Sie vereinigte in sich in wunderbarer Weise die Reize unserer nordischen Schönheit mit denen des Südens; das war ein kostbarer Edelstein, wie man ihn nur selten auf der Welt findet. Mein Vater gestand, niemals in seinem Leben etwas Ähnliches gesehen zu haben. Alle Vorzüge schienen sich in diesem Wesen vereinigt zu haben: Reichtum, Geld und seelische Anmut. An Bewerbern fehlte es natürlich nicht; der interessanteste und hervorragendste unter ihnen aber war ein Fürst R…, der edelste und beste unter allen jungen Leuten seines Alters, wohlgestaltet und von ritterlichem, hochherzigem Wesen, das höchste Ideal aller Frauen, ein richtiger Romanheld und in allem ein echter Grandisson. Fürst R. war leidenschaftlich, ja geradezu wahnsinnig in sie verliebt, und seine Liebe wurde ebenso feurig erwidert. Leider erschien bloß den Verwandten diese Partie als Mesallianz. Die Erbgüter seiner Familie gehörten nämlich schon lange nicht mehr ihm, die ganze Familie war in Ungnade gefallen und der schlechte Zustand seiner Verhältnisse war allgemein bekannt. Plötzlich verläßt der Fürst für eine Zeitlang die Hauptstadt, allem Anscheine nach, um seine Verhältnisse zu regeln, taucht aber bald darauf wieder auf, wobei er einen unglaublichen Prunk und Luxus entfaltete. Seine glänzenden Feste und Bälle machen ihn bald bei Hofe bekannt. Der Vater der Schönen ist ihm wohlgeneigt, und bald darauf findet in der Stadt eine Hochzeitsfeier statt, die überall Aufsehen erregt. Woher diese Veränderung und der ungeheure Reichtum des Bräutigams stammte, darüber konnte freilich niemand genauere Auskunft geben; man tuschelte bloß im geheimen davon, er wäre irgendwelche Abmachungen mit dem rätselhaften Wucherer eingegangen und hätte bei ihm eine größere Anleihe gemacht. Wie dem aber auch war, die Hochzeit beschäftigte die ganze Stadt, und Bräutigam wie Braut erregten den Neid aller Leute. Jedermann wußte, wie heiß und standhaft sie sich geliebt – und was für lange Qualen beide zu erdulden gehabt hatten; überall schätzte man sie wegen ihres edlen Charakters und ihrer hohen Vorzüge. Die leidenschaftlichsten unter den Frauen malten sich schon im voraus die paradiesischen Wonnen aus, die den jungen Ehegatten bevorständen. Und doch kam alles anders. Im Laufe eines einzigen Jahres ging mit dem Gatten eine furchtbare Veränderung vor. Das Gift einer argwöhnischen Eifersucht und Unduldsamkeit schien plötzlich seinen bis dahin vornehmen und makellosen Charakter angefressen zu haben; unerklärliche Launen entstellten sein ganzes Wesen: er wurde ein Tyrann, der seine Frau beständig quälte, und scheute schließlich – was niemand voraussehen konnte – nicht einmal vor den unmenschlichsten Taten zurück: Er peinigte und schlug seine eigene Gattin. Schon nach einem Jahre war die Frau nicht wiederzuerkennnen, sie, die noch unlängst eine so glänzende Erscheinung gewesen war und Scharen von treuen Anbetern und glühenden Verehrern angezogen hatte. Endlich ließ sie – unfähig, ihr schweres Los noch weiter zu ertragen – zuerst ein Wort über Scheidung fallen, aber der Gatte geriet schon bei dem leisesten Gedanken daran in Wut. In der ersten Erregung drang er rasend, mit einem Messer bewaffnet, in ihr Zimmer ein, und er hätte sie zweifellos sofort niedergestochen, wenn er nicht überwältigt und festgehalten worden wäre. Ganz außer sich und voller Verzweiflung zückte er sein Messer gegen sich selbst und beschloß sein Leben in schrecklichen Qualen.

Außer diesen beiden Fällen, die sich vor den Augen der ganzen Welt abgespielt hatten, wurde noch eine Reihe anderer erzählt, die sich unter den niederen Klassen zutrugen, und die fast alle einen ebenso entsetzlichen Ausgang nahmen. Ehrliche, nüchterne Männer wurden plötzlich zu Trunkenbolden, Gehilfen bestahlen ihre Chefs, ein Droschkenkutscher, der viele Jahre hindurch ehrlich und fleißig gedient hatte, erstach auf einmal einen Fahrgast wegen einiger Groschen. Natürlich mußten solche Erzählungen, die noch dazu meist sehr ausgeschmückt und übertrieben waren, den einfältigen Bewohnern Kolomnas eine Art unwillkürlichen Grauens einflößen. Niemand zweifelte mehr daran, daß dieser Mann mit der Hölle im Bunde stehe. Man erzählte sich, daß er seinen Kunden Bedingungen stelle, die einem die Haare zu Berge steigen ließen, und die der unglückliche Schuldner später nie einem anderen mitzuteilen wagte; daß sein Geld eine besondere Anziehungskraft ausübe, von selbst zu glühen anfange und seltsame Merkzeichen an sich trage …, mit einem Worte, es waren viele unsinnige Gerüchte über ihn im Umlauf. Das ging so weit, daß die ganze Einwohnerschaft Kolonmas, diese ganze Welt armer, alter Frauen, kleiner Beamter und untergeordneter Schauspieler, kurz, all dieses elenden Volkes, das wir soeben beschrieben haben, lieber alle Leiden und die höchste Not auf sich nehmen, als den schrecklichen Wucherer um ein Darlehen angehen wollte, es gab sogar arme, alte Frauen, die vor Hunger starben, und es vorzogen, ihren Leib zu töten, als ihre Seele zugrunde zu richten. Wenn man dem Wucherer auf der Straße begegnete, wurde man unwillkürlich von einer seltsamen Angst ergriffen. Die Passanten wichen ihm furchtsam aus, drehten sich immer wider nach ihm um und verfolgten die in der Ferne verschwindende riesenhafte Gestalt noch lange mit ihren Blicken. Schon in seinem Äußern lag so viel Ungewöhnliches, daß jedermann unwillkürlich den Eindruck hatte, es mit einem übernatürlichen Wesen zu tun zu haben. Diese harten, scharf gemeißelten Züge, wie man sie selten bei einem Menschen antrifft, diese glühende bronzene Gesichtsfarbe, diese ungewöhnlich dichten, buschigen Augenbrauen, die unerträglich schrecklichen Augen, selbst seine weite, bauschige asiatische Kleidung – alles schien darauf hinzudeuten, daß alle Leidenschaften anderer Menschen vor denen, die dieser Körper in sich barg, verbleichen mußten. Jedesmal, wenn mein Vater ihm begegnete, blieb er unbeweglich stehen und konnte sich bei solch einer Gelegenheit nicht enthalten, laut auszurufen: »Ein Teufel! Ein wahrhaftiger Teufel!« Doch nun muß ich Sie schnell noch mit meinem Vater bekannt machen, der übrigens der eigentliche Gehalt dieser Geschichte ist.

Mein Vater war in vielen Beziehungen ein merkwürdiger Mensch. Er war ein seltener Künstler, einer von denen, wie sie nur Rußland aus seinem jungfräulichen Schoße erzeugt, ein Autodidakt, der alle künstlerischen Gesetze und Regeln ohne Lehrer und ohne die Anleitung der Schule ganz aus sich selbst heraus entdeckt hatte, und in dem mächtigen Drange nach ständiger Vervollkommnung, aus Gründen, die ihm vielleicht selbst unbekannt blieben, immer den Weg ging, den ihm sein Geist wies: Er war eines jener ursprünglichen Wunder, die von den Zeitgenossen nicht selten mit dem verletzenden Beiwort »ungebildeter Mensch« bezeichnet, und die durch Angriffe, Verdächtigungen und eigenes Mißgeschick nicht ernüchtert und abgekühlt werden, sondern nur noch neuen Eifer und neuen Drang aus ihnen schöpfen, und dann jene Werke innerlich weit hinter sich lassen, die ihnen den oben erwähnten

Titel eingebracht haben. Durch einen feinen inneren Instinkt für das Hohe und Reine erkannte er in jedem Gegenstand intuitiv die Gegenwart einer Idee; ganz von selbst ging ihm die wahre Bedeutung des Wortes »historische Malerei« auf, er begriff, warum ein einfacher Kopf, ein schlichtes Porträt von Raffael, Lionardo da Vinci, Tizian und Correggio einen Anspruch auf diese Bezeichnung hatten, während ein riesiges Gemälde geschichtlichen Inhalts dennoch nur ein Genrebild bleiben konnte, trotz aller Prätensionen des Malers, damit ein großes historisches Gemälde geschaffen zu haben. Sowohl eigene Neigung als innere Überzeugung führten ihn den religiösen Stoffen des Christentums, der höchsten und letzten Stufe des Erhabenen, zu. Er besaß weder Ehrgeiz noch Empfindlichkeit, Eigenschaften, die bei so vielen Künstlern einen wesentlichen Bestandteil ihres Charakters bilden. Dies war eine starre Persönlichkeit, ein ehrlicher, gerader, beinahe grober Mensch, der sich nach außen durch eine harte Rinde gegen die Umwelt abschloß und innerlich nicht ohne Stolz war, der sich jedoch über seine Mitmenschen zwar stets in schroffer Weise, doch zugleich milde und versöhnlich äußerte. »Wozu soll ich mich nach ihnen richten?« pflegte er gewöhnlich zu sagen; »ich arbeite ja nicht für sie! Ich will meine Bilder ja nicht in einem Salon bewundern lassen! Wer mich versteht, wird mir sicher dankbar sein. Versteht er mich nicht, – wird er doch nicht aufhören, Gott anzubeten. Einem Mann aus der vornehmen Gesellschaft kann man es nicht weiter verargen, wenn er nichts von Malerei versteht; dafür versteht er was von Karten, von guten Weinen oder Pferden ... Wozu braucht denn ein großer Herr auch mehr zu wissen? Wenn so ein Mensch erst von allem gekostet hat und sich auf das Geistreicheln verlegt, dann ist er erst recht nicht zu ertragen. Jedem das Seine! Schuster, bleib bei deinem Leisten! Meiner Meinung nach ist ein Mensch, der es offen eingesteht, wo er nicht Bescheid weiß, einem Heuchler vorzuziehen, der so tut, als ob er etwas von Dingen versteht, von denen er gar keine Ahnung hat, und der nur herumpfuscht und

Schaden stiftet.« Er arbeitete schon für den bescheidensten Preis, der ihm nur die Mittel zum Unterhalt seiner Familie und die Möglichkeit zu weiterem Schaffen bot. Auch weigerte er sich niemals, einem anderen zu helfen und einem armen Kollegen hilfreich die Hand zu reichen. Er hatte sich den einfachen, frommen Glauben unserer Ahnen erhalten, und das war vielleicht der Grund, daß es ihm so gut gelang, den von ihm gemalten Gesichtern mühelos jenen hohen Ausdruck zu verleihen, nach dem so manches große Talent vergebens strebt. Endlich glückte es ihm, durch unausgesetzte Arbeit und rastlose Verfolgung des einmal vorgesteckten Zieles auch die Achtung derer zu erringen, die ihn früher einen urwüchsigen Autodidakten genannt hatten. Er bekam ständig Aufträge, Wandgemälde für Kirchen zu malen, und es fehlte ihm nie an Arbeit. Einmal war er gerade durch solch ein Werk sehr in Anspruch genommen. Ich erinnere mich nicht mehr genau an das Sujet, und weiß nur noch, daß auf dem Gemälde der Geist der Finsternis dargestellt werden sollte. Dieses Problem beschäftige ihn lange Zeit: Wie würde er ihn malen? In der Person dieses Engels mußte der furchtbare Druck und die Pein, die auf dem Menschen lastet, zum Ausdruck kommen. Hierbei schwebte ihm im Geiste wohl oft das Bild des rätselhaften Wucherers vor, und er dachte sich unwillkürlich: »Das wäre das rechte Vorbild für meinen Teufel!« Und nun stellen Sie sich selbst vor, wie erstaunt und erschrocken er war, als eines Tages, während er arbeitete, an die Tür seines Ateliers gepocht wurde, und unmittelbar danach der schreckliche Wucherer bei ihm eintrat. Kein Wunder, daß sein Inneres erbebte und ein heftiges Zittern seinen ganzen Körper überlief.

»Du bist Maler?« fragte er, ohne viel Umstände zu machen, meinen Vater.

»Ja, ich bin Maler!« versetzte mein Vater verwirrt und gespannt, was nun folgen würde.

»Gut! Dann porträtiere mich! Ich werde vielleicht bald sterben!

Kinder habe ich nicht. Aber ich will nicht ganz untergehen, ich will weiter leben. Kannst du mir ein solches Porträt malen, das den vollen Eindruck des Lebens macht?«

Mein Vater dachte: »Was kann ich mir Besseres wünschen? Er bietet sich mir selbst als Modell für den Teufel an!« So willigte er denn ein, sie einigten sich über Zeit und Preis, und gleich am nächsten Tage erschien mein Vater mit Pinsel und Palette bei ihm. Der Hof mit den hohen Mauern, die Hunde, die eisernen Tore und Riegel, die bogenförmigen Fenster, die mit merkwürdigen Teppichen bedeckten Truhen und endlich der seltsame Hausherr selbst, der ihm unbeweglich gegenübersaß: All das machte einen eigentümlichen Eindruck auf ihn. Die Fenster waren wie mit Absicht unten so verstellt und verhängt, daß das Licht nur von oben hereindringen konnte. »Hol's der Teufel! Wie sein Gesicht jetzt beleuchtet ist!« sagte er vor sich hin und fing eifrig an zu arbeiten, wie wenn er befürchtete, daß die günstige Beleuchtung bald verschwinden könne. »Was für eine Kraft in ihm liegt«, wiederholte er leise; »wenn es mir nur zur Hälfte gelingt, ihn so darzustellen, wie er jetzt dasitzt, dann wird er alle meine früheren Arbeiten, meine Heiligen und Engel, in den Schatten stellen. Sie werden vor ihm verbleichen. Welche teuflische Kraft! Er wird mir wahrhaftig aus der Leinwand herausspringen, wenn ich der Natur auch nur im mindesten treu bleibe. Was für auffallende Züge!« wiederholte er unaufhörlich, indem er noch eifriger arbeitete, und nun sah er selbst, wie schon einige Partien auf der Leinwand erschienen. Aber je mehr er sich ihnen näherte, ein desto stärkeres, ihm selbst unbegreifliches, quälendes Gefühl, ein Gefühl der Unruhe und der Furcht überfiel ihn. Trotzdem aber nahm er sich vor, jede kaum merkliche Linie, jeden kleinsten Ausdruck mit peinlicher Genauigkeit zu registrieren. Vor allem beschäftigte er sich mit der Darstellung der Augen; in ihnen lag soviel Kraft, daß man offenbar gar nicht hoffen durfte, sie so wiederzugeben, wie sie sich in der Wirklichkeit darstellten. Dennoch hatte er sich fest vorgenommen, um jeden Preis alle, auch die unwesentlichsten Töne und Schattierungen, aus ihnen herauszuholen und ihr Geheimnis zu ergründen … Aber kaum hatte er begonnen, sich in sie zu versenken und zu vertiefen, als ein solch unbegreiflicher Druck, ein solch eigentümlicher Widerwille seine Seele erfaßte, daß er für einige Zeit den Pinsel niederlegen mußte, um erst nach dieser Ruhepause die Arbeit wieder aufzunehmen. Endlich konnte er es nicht länger ertragen; er fühlte, wie sich diese Augen in seine Seele bohrten und eine sonderbare Unruhe in ihr hervorriefen. An den folgenden Tagen wurde dieses Gefühl noch intensiver. Ihm wurde ganz ängstlich zumute. Er warf den Pinsel in die Ecke und erklärte dem Wucherer mit Nachdruck, er könne ihn unmöglich weitermalen. Da hätte man sehen müssen, welche Veränderung diese Worte in dem schrecklichen Manne hervorriefen. Er warf sich plötzlich vor dem Maler auf die Knie, umklammerte seine Füße und flehte ihn an, das Porträt zu vollenden, er erklärte, daß sein ganzes Schicksal und seine ganze irdische Existenz von diesem Porträt abhingen, schon jetzt habe ja des Künstlers Pinsel wenigstens teilweise seine lebendigen Züge auf der Leinwand festgehalten – wenn diese Züge genau im Bilde fixiert würden, werde sein Leben durch eine übernatürliche Macht im Porträt weiter fortbestehen; dann brauche er nicht ganz zu sterben und er müsse in dieser Welt weiterleben. Diese Bitten entsetzten meinen Vater; sie erschienen ihm so ungewöhnlich und frevelhaft, daß er Pinsel und Palette wegwarf und jählings aus dem Zimmer stürzte.

Der Gedanke an dieses Ereignis beunruhigte ihn die ganze Nacht und den ganzen Tag hindurch; am andern Morgen ließ ihm der Wucherer durch eine Frau, das einzige Wesen, das bei ihm diente, das Porträt zustellen. Sie erklärte ihm ohne alle Umschweife, daß ihr Herr das Bild nicht haben wolle, nichts dafür bezahlen werde und es ihm daher zurücksende. Am Abend desselben Tags erhielt er die Kunde von dem Tode des Wucherers, und die Nachricht, daß er demnächst nach dem Brauche seiner Religion beigesetzt werden solle. Dies alles erschien ihm höchst unerklärlich und seltsam, zu alledem aber machte sich von diesem Moment an in seinem Charakter eine bedeutende Veränderung bemerkbar. Er litt unter einer merkwürdigen Erregtheit und Ruhelosigkeit, deren Ursache er selbst nicht begreifen konnte, ja, er tat bald darauf etwas, was wohl niemand von ihm erwartet hätte. Seit einer gewissen Zeit lenkten die Arbeiten eines seiner Schüler die Aufmerksamkeit eines kleinen Kreises von Kennern und Liebhabern auf sich; mein Vater hatte sein Talent immer anerkannt und ihm deshalb seine tiefe Zuneigung zu erkennen gegeben. Jetzt aber wurde er plötzlich von einem häßlichen Neid gegen ihn ergriffen. Die allgemeine Sympathie, das starke Interesse, das sich in den Unterhaltungen über ihn äußerte, wurde meinem Vater ganz unerträglich. Endlich erfuhr er zu seinem höchsten Verdruß, daß sein Schüler den Auftrag erhalten hätte, ein Bild für eine erst vor kurzem vollendete Kirche zu malen. Das versetzte ihn in eine furchtbare Wut. »Ich werde diesem Grünschnabel doch nicht den Triumph gönnen!« rief er aus. »Nein, mein Lieber, du hoffst zu früh, die Alten in den Staub zu ziehen! Gott sei Dank, noch fühle ich genug Kraft in mir! Wir wollen doch abwarten, wer den andern zuerst in den Staub zieht!« Und der biedere, in seinem Kerne grundehrliche Mann wandte sich allen möglichen Ränken und Schleichwegen zu, die er bisher stets verabscheut hatte, und brachte es endlich auch so weit, daß um den Auftrag für das Kirchenbild ein allgemeiner Wettbewerb ausgeschrieben wurde, an dem sich auch andere Künstler beteiligen durften. Hierauf schloß er sich in seinem Atelier ein und machte sich eifrig an die Arbeit. Es schien, als ob sich seine ganzen Kräfte und seine ganze Persönlichkeit auf dieses Gemälde konzentriert hätten, und in der Tat kam so eins seiner besten Werke zustande. Niemand zweifelte daran, daß ihm die Palme zufallen würde. Die Bilder wurden der Jury eingereicht, aber alle anderen Werke verhielten sich zu diesem wie die Nacht zum Tage. Plötzlich jedoch machte einer der anwesenden Kunstrichter – wenn ich nicht irre, ein Geistlicher – eine Bemerkung, die alle überraschte. »In dem Bilde dieses Künstlers offenbart sich wirklich ein starkes Talent«, meinte er, »aber den Gesichtern geht der fromme, heilige Ausdruck ab. Es liegt vielmehr etwas Dämonisches in diesen Augen, als hätte eine böse Macht die Hand des Künstlers geführt.« Alle blickten hin, und in der Tat, die Wahrheit dieser Worte ließ sich nicht bestreiten. Mein Vater stürzte auf sein Bild los, wie um diese verletzende Bemerkung selbst auf ihre Berechtigung hin zu prüfen, aber er gewahrte mit Entsetzen, daß er allen seinen Gestalten die Augen des Wucherers verliehen hatte. Sie blickten ihn so teuflisch und vernichtend an, daß er selbst unwillkürlich schauderte. Das Bild wurde abgelehnt, und er mußte zu seinem unbeschreiblichen Ärger erfahren, daß die Palme seinem Schüler zufiel. Es läßt sich unmöglich beschreiben, in welcher Wut und Raserei er nach Hause zurückkehrte. Er hätte beinahe meine Mutter geschlagen, er warf die Kinder hinaus, zerbrach Pinsel und Staffeleien, riß das Porträt des Wucherers von der Wand, ließ sich ein Messer geben und wollte Feuer im Kamin entzünden, um das Bild – nachdem er es in Stücke geschnitten hätte – zu verbrennen. Aber bei diesem Vorhaben wurde er durch die Ankunft eines Freundes überrascht, der soeben in das Zimmer getreten war. Dieser Freund war gleich ihm ein Maler, ein lustiger Bursche, der stets mit sich zufrieden war, sich nicht mit weitliegenden Plänen abgab, alle Arbeiten, die ihm unter die Hand kamen, fröhlich in Angriff nahm und sich noch fröhlicher ans Schlemmen und Zechen machte.

»Was hast du da? Was willst du verbrennen?« fragte er ihn indem er an das Porträt herantrat. »Aber ich bitte dich, das ist ja eines deiner besten Werke! Das ist ja der Wucherer, der erst kürzlich gestorben ist! Ja, das ist ein vollkommenes Kunstwerk! Den hast du nicht bloß vorzüglich getroffen, du bist ihm sozusagen in die Augen hineingekrochen! So lebhaft haben sie ja nicht einmal geblickt, als er noch am Leben war, wie hier bei dir!«

»Ich möchte gern sehen, wie sie mich aus dem Feuer anblicken werden!« sagte mein Vater, während er eine Bewegung machte, um das Porträt in den Kamin zu schleudern.

»Halt, um Gottes willen«, fiel der Freund ein und hielt ihn am Arme fest. »Gib es doch lieber mir, wenn du seinen Anblick durchaus nicht ertragen kannst!« Mein Vater sträubte sich anfangs, gab aber schließlich nach, und der lustige Kerl schleppte – höchst erfreut über diese Erwerbung – das Porträt mit sich fort.

Nachdem er fortgegangen war, fühlte sich mein Vater mit einem Male ruhiger, als wäre ihm mit der Entfernung des Porträts eine Last vom Herzen gefallen. Er wunderte sich selbst über seinen Zorn, seinen Neid und die offenkundige Wandlung in seinem Charakter. Er dachte lange über seine Tat nach, war in tiefster Seele betrübt und sagte mit innerem Gram zu sich selbst: »Nein! Diese Strafe hat mir Gott auferlegt! Es war wohlverdient, daß mein Bild zurückgewiesen wurde; es war ja nur zu dem Zwecke geschaffen, um meinen Genossen zu vernichten. Ein teuflisches Gefühl des Neides hat meinen Pinsel geführt, daher mußte sich auch ein teuflisches Gefühl in dem Bilde widerspiegeln.« Sofort suchte er seinen ehemaligen Schüler auf, umarmte ihn stürmisch, bat ihn um Verzeihung und bemühte sich – soweit es ihm möglich war – seine Schuld wieder gutzumachen. Von nun ab war er wieder friedlich bei der Arbeit wie ehedem, aber jetzt konnte man immer häufiger ein tiefes Sinnen in seinen Zügen bemerken.

Er betet häufiger, er war viel schweigsamer als früher und drückte sich nicht mehr so schroff über die Menschen aus. Selbst das herbe Äußere seines Wesens schien sich verloren zu haben. Bald darauf ereignete sich etwas, was ihn noch tiefer erschütterte. Er hatte seinen Freund, der sich das Porträt von ihm ausgebeten hatte, schon seit längerer Zeit nicht gesehen und sich schon vorgenommen, ihn zu besuchen, da erschien dieser selbst eines Tages plötzlich in seinem Atelier. Nachdem beide ein paar gleichgültige Worte und Fragen gewechselt hatten, fragte ihn der Freund: »Du hattest nicht so ganz unrecht, Bruder, als du das Porträt verbrennen wolltest! Mag es der Teufel holen; es hat etwas Schreckliches an sich! Ich glaube an keine Hexerei, aber man mag sagen was man will! Ich glaube, der Böse sitzt darin.«

»Wieso?« fragte mein Vater.

»Seitdem ich es bei mir aufgehängt habe, liegt es auf mir wie ein furchtbarer Druck ... als ob ich jemand ermorden wollte. Zeit meines Lebens wußte ich nicht, was Schlaflosigkeit heißt, jetzt aber habe ich nicht nur diesen Zustand kennen gelernt, ich habe auch solche Träume ... das heißt, ich weiß selbst nicht recht, ob es nur Träume sind oder noch irgend etwas anderes: Wie wenn mich ein böser Geist erwürgen will ... und immer spukt der verfluchte Alte im Zimmer umher. Mit einem Worte, ich kann dir meinen Zustand gar nicht schildern. Niemals ist mir so etwas passiert. Ich bin all diese Tage wie ein Wahnsinniger herumgelaufen ... Eine entsetzliche Angst verfolgte mich, immer wartete ich auf etwas Furchtbares, ich fühlte, wie ich zu niemand ein fröhliches und aufrichtiges Wort sagen konnte, stets schien es mir, als säße ein Spiegel neben mir, der mich beobachtet. Erst nachdem ich das Porträt meinem Neffen geschenkt habe, der es sich selbst von mir erbeten hat, ist mir's, als wenn mir ein Stein vom Herzen gefallen wäre. Mit einem Schlage wurde mir wieder froh zumute, so wie du mich hier vor dir siehst! Wahrhaftig, Freund, da hast du eine schönen Teufel geschaffen!«

Mein Vater lauschte mit gespannter Aufmerksamkeit dieser Erzählung und fragte schließlich: »Und jetzt ist das Porträt bei deinem Neffen?«

»Ach was! Bei meinem Neffen ... Der hielt es ja auch nicht aus!« versetzte der Spaßvogel. »Des Wucherers eigene Seele scheint in dieses Porträt hinübergewandert zu sein. Er springt aus dem Rahmen, spaziert in dem Zimmer umher – und was mein Neffe sonst noch darüber erzählt, ist völlig unwahrscheinlich. Ich würde ihn tatsächlich für verrückt halten, hätte ich nicht fast ganz das gleiche erlebt. Er hat das Porträt an irgendeinen Kunstfreund verkauft, aber auch dieser konnte es nicht aushalten und hat es seinerseits wieder eine andern aufgehalst.«

Diese Worte machten einen tiefen Eindruck auf meinen Vater. Er versank in tiefes Grübeln, wurde melancholisch und gelangte endlich zur Überzeugung, daß sein Pinsel dem Teufel als Werkzeug gedient hatte, daß das Leben des Wucherers tatsächlich zum Teil auf das Porträt übergegangen war, und daß es jetzt die Menschen beunruhigte, ihnen dämonische Empfindungen einflöße, Künstler vom rechten Wege abbringe, häßliche Anwandlungen von Neid erzeuge usw. Drei Unglücksfälle, die sich unmittelbar darauf ereigneten, der plötzliche Tod seiner Frau, seiner Tochter und seines kleinen Sohnes, erschütterten ihn aufs tiefste, er hielt sie für eine Strafe des Himmels und entschloß sich, aus dem weltlichen Leben zu scheiden. Gleich nach Vollendung meines neunten Jahres ließ er mich in die Kunstakademie eintreten und zog sich selbst nach Auseinandersetzung mit seinen Gläubigern und Schuldnern in ein einsames Kloster zurück, wo er bald die Mönchskutte anlegte. Dort setzte er alle Brüder durch seine asketische Lebensführung und durch die strenge Beobachtung aller Klostersatzungen in Erstaunen. Als der Prior erfahren hatte, daß er ein großer Künstler sei, trug er ihm auf, das Bild für den Hauptaltar der Klosterkirche zu malen. Aber der fromme und demütige Bruder erklärte entschieden, daß er unwürdig sei, den Pinsel zu führen, weil er ihn entweiht habe, und daß er seine Seele zuerst durch harte Arbeit und schwere Opfer reinigen müsse, um wieder würdig zu sein, eine solche Arbeit zu übernehmen. Zwingen wollte man ihn nicht. Er versuchte es für seine Person – soweit dies möglich war – die strengen Satzungen des Klosterlebens noch zu verschärfen; schließlich genügte ihm jedoch auch dieses nicht mehr, es erschien ihm nicht hart genug. Er erbat sich den Segen des Priors, verließ das Kloster und zog sich in eine völlige Einsamkeit zurück. Er baute sich aus Baumzweigen eine Hütte, nährte sich nur von rohen Wurzeln, trug Steine von einer Stelle zu andern, stand von Sonnenaufgang bis Sonnenuntergang mit gen Himmel erhobenen Armen da, murmelte beständig Gebete – mit einem Worte, er erlegte sich alle nur möglichen Geduldsproben und Opfer der Selbstentsagung auf, für die man nur in den Lebensbeschreibungen der Heiligen Beispiele finden kann. So peinigte er einige Jahre hindurch seinen Körper und stärkte ihn gleichzeitig mit Hilfe der belebenden Kraft des Gebetes. Endlich erschien er eines Tages wieder in dem Kloster und sprach entschlossen zum Prior: »Jetzt bin ich bereit! Wenn es Gott gefällt, werde ich meine Arbeit vollenden.«

Der Gegenstand, den er darstellen wollte, war die Geburt Jesu. Ein ganzes Jahr verbrachte er bei seiner Arbeit, ohne seine Zelle zu verlassen, wobei er sich nur notdürftig durch kärgliche Nahrung am Leben erhielt und ununterbrochen betete. Als diese Zeit vorüber war, war das Bild fertig. Es war tatsächlich ein Wunderwerk der Malerei geworden. Hier muß ich bemerken, daß weder die Brüder, noch der Prior viel von der Malerei verstanden, aber alle waren über die ungewöhnliche Reinheit und Heiligkeit der Gestalten aufs höchste erfreut. Eine göttliche Demut und Milde in den Zügen der heiligen Gottesmutter, die sich über ihr Kind beugt, eine tiefe Erkenntnis in den Augen des göttlichen Kindes, das schon etwas von der Zukunft zu begreifen scheint, ein feierliches Schweigen der von dem göttlichen Wunder überwältigten Könige, die vor dem Kinde knien, und endlich eine heilige, unbeschreibliche Stille, die über dem ganzen Bilde lag: dies alles verband sich zu einer so harmonischen Kraft und Macht der Schönheit, daß der Eindruck ein geradezu zauberischer, magischer war. Alle Brüder stürzten vor dem neuen Bilde auf die Knie, und der gerührte Prior sprach: »Wahrlich! Es ist nicht möglich, daß ein Mensch nur mit Hilfe menschlicher Kunst ein solches Bild zu schaffen vermochte; eine höhere, heilige Kraft hat deinen Pinsel geführt; des Himmels Segen ruhte auf deinem Werke!«

Um diese Zeit schloß ich mein Studium in der Akademie ab, ich erhielt die goldene Medaille, und mit ihr eröffnete sich mir die frohe Aussicht auf eine Kunstreise nach Italien, den schönsten Traum eines zwanzigjährigen Künstlers. Ich hatte nur noch die Pflicht, mich von meinem Vater, von dem ich seit zwölf Jahren getrennt lebte, zu verabschieden. Ich muß gestehen, daß sein Bild längst aus meiner Erinnerung geschwunden war. Ich hatte einiges über die Strenge und Heiligkeit seines Lebens gehört und bereitete mich schon im voraus darauf vor, das herbe Äußere eines durch das ewige Fasten und Wachen abgemagerten und vertrockneten Anachoreten zu erblicken, für den nichts auf der Welt existiert als seine Zelle und seine Gebete. Aber wie war ich erstaunt, als ich mich plötzlich einem herrlichen, göttlichen Greise gegenüber befand! In seinem Gesichte spiegelte sich auch nicht die geringste Ermattung oder Müdigkeit, es strahlte vielmehr von der Klarheit und Helligkeit einer himmlischen Freude. Ein schneeweißer Bart und ganz dünne, fast ätherische Haare von der gleichen silbrigen Farbe bedeckten malerisch seine Brust und die Falten seiner schwarzen Kutte, und reichten bis zu dem Stricke herab, der sein ärmliches Mönchsgewand umgürtete. Am meisten jedoch wunderte ich mich darüber, aus seinem Munde Gedanken und Worte über die Kunst zu vernehmen, die ich sicherlich noch lange in meiner Seele bewahren werde. Und ich wünschte aufrichtig, daß ein jeder meiner Kollegen ein gleiches tue.

»Ich habe auf dich gewartet, mein Sohn«, sagte er, während ich mich ihm näherte, um seinen Segen zu empfangen. »Dir steht ein Weg bevor, den du von nun an dein ganzes Leben hindurch beschreiten wirst. Dein Weg ist rein, irre nicht von ihm ab. Du hast Talent, Talent aber ist die kostbarste Gabe Gottes. Richte es also nicht zugrunde. Erforsche, studiere alles, was du siehst! Mache alles deinem Pinsel dienstbar! Doch strebe stets danach, in jedem Ding die innere Idee zu entdecken, und vor allem das tiefe Geheimnis der Schöpfung zu ergründen. Selig ist der Auserwählte, der es enthüllt hat. Für ihn gibt's in der Natur kein gemeines Motiv. Im geringen und kleinen bleibt der wahrhaft schöpferische

Künstler ebenso erhaben wie im großen. Das Verächtliche wirkt nicht mehr verächtlich, weil es von der herrlichen Seele des Schöpfers durchleuchtet wird und einen hohen Ausdruck erhält, indem es durch das reinigende Feuer seines Geistes hindurchgeht. Die Kunst läßt den Menschen das zukünftige himmlische Paradies ahnen; schon aus diesem Grunde steht sie höher als alles andere. Und wie die feierliche Ruhe jede weltliche Erregung, wie das Schaffen die Zerstörung, wie der Engel – bloß durch die reine Unschuld seiner lichten Seele – all die unzählbaren Kräfte und stolzen Leidenschaften des Satans übertrifft, so schwebt erhaben über allem, was es auf der Welt gibt, das hohe Werk der Kunst! Ihr sollst du alles zum Opfer bringen, sie mußt du lieben mit dem ganzen Feuer deiner Seele, nicht mit der Inbrunst, die die irdische Wollust entfacht, sondern mit einer stillen himmlischen Begeisterung; ohne sie ist der Mensch nicht imstande, sich über die Erde zu erheben, und die hohe wunderbare Harmonie zu erzeugen, die den Frieden in unser Herz gießt. Denn um die ganze Welt zu dieser Besänftigung und Versöhnung zu bringen, steigt ja ein edles Kunstwerk zu uns vom Himmel herab. Daher erregt es nie Unfrieden und Empörung in der Seele, sondern strebt ewig, gleich einem wundersam klingenden Gebet, zu Gott empor. Freilich gibt es Augenblicke, finstere Augenblicke ...« Er hielt inne, und ich sah, wie sich plötzlich sein klares Antlitz verdüsterte, als hätte eine Wolke es für einen Augenblick beschattet. »Ich hatte ein Erlebnis ...« fuhr er fort, »bis auf den heutigen Tag ist mir nicht klar, was jene rätselhafte Gestalt bedeutete, deren Porträt ich damals gemalt habe. Es war wie eine teuflische Erscheinung. Ich weiß, die Welt leugnet die Existenz des Teufels, und daher will auch ich nicht über ihn sprechen. Ich will nur sagen, daß ich jenen Mann nur mit einem heftigen Widerwillen gemalt habe. Ich arbeitete ohne jede Freude und Liebe an meinem Werk. Ich mußte mich mit Gewalt zu Arbeit zwingen. Ich suchte mein inneres Gefühl zu betäuben und der Natur treu zu bleiben. Das war kein Kunstwerk, was ich schuf, und daher sind auch die

Empfindungen, die sich beim Anblick dieses Bildes aller Menschen bemächtigten, wild und rebellisch; es sind Gefühle der Unruhe, die es erzeugt, und keine Offenbarungen hoher Kunst, weil der Künstler auch in der Wiedergabe der Leidenschaft die edle Ruhe bewahrt. Ich habe gehört, daß dieses Porträt von Hand zu Hand geht und überall quälende, peinigende Eindrücke erregt, daß es im Künstler Gefühle des Neides, des dumpfen Hasses gegen seine Genossen und den bösen Trieb zur Verfolgung und Unterdrückung entfache. Möge der Allerhöchste dich vor solchen Leidenschaften bewahren! Es gibt nichts Entsetzlicheres als sie. Es ist besser, alle Bitternisse eines Gehetzten und Verfolgten auf sich zu nehmen, als einem andern auch nur das geringste Unrecht zuzufügen. Rette die Reinheit deiner Seele! Wem ein Talent geschenkt ward, dessen Seele muß reiner und edler sein, denn die der andern. Jenen wird vieles verziehen werden, ihm aber nichts. Den, der sein Haus in einem festlichen Gewande verläßt, braucht nur ein vorüberfahrender Wagen ein wenig mit Kot zu bespritzen, und schon umringen ihn Hunderte von Leuten, zeigen mit den Fingern auf ihn und spotten über seine Nachlässigkeit, während ein andrer von unten bis oben beschmutzt sein kann, ohne daß es die Menge bemerkt; er trägt einen gewöhnlichen Alltagsrock, und da fällt es nicht weiter auf.«

Nach diesen Worten segnete und umarmte er mich. Niemals in meinem Leben fühlte ich mich so erhoben wie an diesem Tage. Mit tiefer Ehrfurcht und einem Gefühl seltener Bewunderung, das mehr war als einfache Kindesliebe, schmiegte ich mich an seinen Busen und küßte seine herabhängenden silberweißen Haare.

Eine Träne glänzte in seinen Augen. »Erfülle mir noch eine Bitte, lieber Sohn«, sagte er beim Abschied zu mir. »Vielleicht gelingt es dir noch einmal, das Porträt zu entdecken, von dem ich dir erzählt habe. Du wirst es sofort an den ungewöhnliche Augen und an ihrem unnatürlichen Ausdruck erkennen. Solltest du es finden, so gelobe mir, es zu vernichten.«

Sie können selbst beurteilen, ob es mir nach alledem noch möglich war, ihm dieses heilige Versprechen zu verweigern. Ich schwur ihm hoch und heilig, seine Bitte zu erfüllen. Fünfzehn Jahre lang vermochte ich nicht, irgend etwas zu entdecken, was der Beschreibung meines Vaters auch nur im geringsten entsprach, als mir plötzlich bei dieser Auktion …«

Der Künstler vollendete den Satz nicht; er richtete sein Auge auf die Wand, um das Porträt noch einmal zu prüfen, und alle, die ihm mit Spannung zugehört hatten, taten instinktiv dasselbe, wie er; aller Augen suchten das geheimnisvolle Porträt. Aber zum allgemeinen Erstaunen war es von der Wand verschwunden. Ein leises Gemurmel und Geflüster durchlief die Menge, doch plötzlich eilte wie ein Lauffeuer das Wort: Gestohlen! Durch den Saal. Offenbar war es jemand gelungen, während die Zuhörer gespannt auf den Erzähler lauschten, das Bild zu entwenden, und noch lange nachher blieben die Anwesenden im Zweifel, ob sie diese merkwürdigen Augen wirklich gesehen hatten, oder ob es nur ein Traum gewesen war: ein Traum, der ihre von der Betrachtung der alten Gemälde ermüdeten Augen getäuscht hatte, um gleich darauf für immer zu verschwinden.

Die Equipage

Das Städtchen B. sah viel fröhlicher aus, seitdem das ***er Kavallerieregiment in ihm Quartier genommen hatte, bis dahin war es dort entsetzlich langweilig gewesen. Wenn man einmal durch die Stadt fuhr und einen Blick auf die niedrigen getünchten Häuschen warf, die mit einem ganz unglaublich sauren Gesicht dreinschauen, so … nein, es ist unmöglich auszudrücken, wie es einem da ums Herz wurde, – so trübselig, als ob man sein ganzes Geld verspielt, oder bei einer unpassenden Gelegenheit eine große Dummheit gemacht hätte, – mit einem Worte: Es war einem gar nicht gut zumute. Der Lehm hat sich infolge des Regens von den Häusern gelöst, und die Wände haben ihre ursprüngliche Weiße verloren und sind ganz scheckig geworden; die Dächer sind meistens mit Rohr gedeckt, wie es in unseren südlichen Städten Brauch ist. Die kleinen Gärtchen, die die Häuser umgaben, sind längst verschwunden, da der Stadthauptmann die Bäume des besseren Aussehens wegen hat fällen lassen. Auf den Straßen begegnet man keiner Seele, es sei denn, daß ein Hahn quer über den Fahrdamm spaziert, der infolge des hohen Staubes so weich wie ein Kissen ist. Dieser Staub verwandelte sich beim geringsten Regen in Dreck, und dann finden sich in den Straßen des Städtchens B. jene fetten Tiere ein, die von dem zuständigen Stadthauptmann »Franzosen« genannt werden, strecken die ernsten Schnauzen aus ihren Trögen und stimmen ein solches Grunzen an, daß dem Vorüberfahrenden nichts übrig bleibt, als die Pferde zu schnellerem Lauf anzutreiben. Allerdings ist es schwer, im Städtchen B. einem solchen zu begegnen. Nur selten, ganz selten rasselt ein mit einem Nankingrock bekleideter Gutsbesitzer, der elf Bauernseelen sein eigen nennt, auf einem kleinen Wagen oder Wägelchen hindurch, indem er hinter den aufgestapelten Mehlsäcken hervorlugt und mit der Peitsche auf die braune Stute einhaut, der stets ein Füllen folgt. Der Marktplatz selbst hat ein etwas trauriges Aussehen: das Haus des Schneiders geht törichterweise nicht mit der ganzen Fassade, sondern mit einer Ecke auf den Platz hinaus; ihm gegenüber wird bald an die fünfzehn Jahre lang an einem steinernen Gebäude mit zwei Fenstern gebaut, und ferner sieht man dort einen ganz für sich stehenden modernen Bretterzaun, der grau angestrichen ist, damit er nicht so von dem Schmutze abstechen soll. Diesen hatte der Stadthauptmann einmal in seiner Jugend, als er noch nicht die Gewohnheit hatte, gleich nach dem Mittagessen zu schlafen und zur Nacht ein gewisses, aus getrockneten Stachelbeeren bereitetes Gebräu zu trinken, zum Muster für die anderen Bauten errichten lassen. Sonst begegnet man überall nur geflochtenen Zäunen. Mitten auf dem Platze stehen mehrere winzige Buden, in denen man immer ein Bund Brezeln, ein Weib in einem roten Kopftuch, ein Pud Seife, ein paar Pfund bittere Mandeln, Schrot zum Schießen, starkes baumwollenes Zeug und zwei Ladenburschen finden kann, die zu jeder Tageszeit vor den Türen stehen und Swaika* spielen. Sowie jedoch das Kavallerieregiment im Kreisstädtchen B. Quartier genommen hatte, änderte sich alles ganz plötzlich. Das Straßenbild wurde bunter, belebte sich – und nahm, mit einem Wort, ein ganz anderes Aussehen an; die niedrigen Häuschen sahen des öfteren einen gewandten, schlanken Offizier mit einem Federbusch auf dem Kopfe vorübergehen, der zu einem Kameraden ging, um sich mit ihm über die Avancementverhältnisse und den vorzüglichen Tabak zu unterhalten, oder ein Spielchen zu machen, bei dem zuweilen auch eine Droschke den Einsatz bildete; ein Gefährt, das man wohl mit Recht die Regimentsdroschke nennen konnte, da sie ohne das Regiment zu verlassen, bei allen die Runde machte: Heute fuhr der Major in ihr, morgen erschien sie in der Remise eines Leutnants und eine Woche darauf war sie wieder beim Major, dessen Bursche sie gründlich mit Talg schmierte. Die geflochtenen Zäune zwischen

* Das Spiel besteht darin, daß ein langer Nagel mit schwerem Kopfe so geworfen wird, daß er sich innerhalb eines eisernen Ringes in die Erde einbohrt.

den Häusern waren überall mit Soldatenmützen geziert, die in der Sonne hingen; stets flatterte ein grauer Mantel vom Tore herab, und in den Gäßchen stieß man auf Soldaten, deren Schnurrbärte so borstig waren wie eine Stiefelbürste. Diese Schnurrbärte fehlten nirgends: wenn sich die Kleinbürgerinnen einmal mit ihren Krügen auf dem Marktplatze versammelten – so guckten hinter ihren Schultern ganz sicher ein paar solche Schnurrbärte hervor. Die Offiziere brachten etwas Leben in die Gesellschaft, die bis dahin nur aus dem Richter, der zusammen mit einer Diakonuswitwe ein Haus bewohnte, und dem Stadthauptmann bestand: einem ruhigen und bedächtigen Menschen, der aber den ganzen Tag über – vom Mittagessen bis zum Abend, und vom Abend bis zum nächsten Mittagessen – zu schlafen geruhte. Die Gesellschaft wurde noch zahlreicher und interessanter, nachdem das Quartier des Brigadegenerals hierher verlegt wurde. Die Gutsbesitzer aus der Umgebung, von deren Existenz bis dahin niemand etwas geahnt hatte, fingen jetzt an, des öfteren in dem Kreisstädtchen zu erscheinen, um mit den Herren Offizieren zusammenzutreffen, oder manchmal eine Partie Bank mit ihnen zu spielen, ein Spiel, von dem ihr durch die vielen Gedanken an die Aussaaten, die Aufträge der Ehefrau und an die Hasenjagden abgeplagtes Gehirn nur noch eine ganz dunkle Ahnung hatte.

Es tut mir sehr leid, daß ich mich nicht daran erinnern kann, was die Veranlassung war, daß der Brigadegeneral einmal ein großes Diner gab; die Vorbereitungen, die zu diesem Feste getroffen wurden, waren ganz außerordentlich, schon am Stadttor konnte man hören, wie in der Küche des Generals mit den Messern geklappert wurde. Ja, für dieses Diner waren die ganzen Marktvorräte aufgekauft worden, so daß der Richter mit seiner Diakonuswitwe nichts als Kuchen aus Buchweizenmehl und Kartoffelbrei zu essen bekam. Der kleine Hof, der zu der Wohnung des Generals gehörte, war ganz mit Droschken und Kaleschen gefüllt. Die Gesellschaft bestand ausschließlich aus Herren: aus den Offizieren des Regiments und einigen Gutsbesitzern des Kreises. Von den letzteren war Pythagor Pythagorowitsch Tschertokutzky sicher der Bemerkenswerteste. Dies war einer der vornehmsten Aristokraten des B.er Kreises, der bei den Wahlen mehr Lärm machte als alle andern zusammen und stets in einer prächtigen Equipage zu erscheinen pflegte. Er hatte früher bei einem Kavallerieregiment gedient und zu den schneidigsten und angesehensten Offizieren gehört; wenigstens war er auf vielen Bällen und Gesellschaften und überall dort zu sehen gewesen, wo sein Regiment sich gerade aufhielt; darüber kann man sich übrigens am besten bei den Jungfrauen des Tambower und Ssimbirsker Gouvernements erkundigen, doch ist es nicht unmöglich, daß er auch in den übrigen Gouvernements zu einer gewissen schmeichelhaften Berühmtheit gelangt wäre, hätte er nicht infolge einer sog. »unliebsamen« Affäre seinen Abschied genommen. Hatte er ehemals jemandem eine Ohrfeige verabfolgt, oder hatte er selbst eine solche erhalten, dessen kann ich mich nicht mehr genau entsinnen; die Hauptsache war, daß er ersucht wurde, seinen Abschied zu nehmen. Darum hatte er aber doch nicht das geringste an seiner Würde eingebüßt; er trug einen Frack mit einer hochsitzenden Taille, der die Form eines Waffenrockes hatte, Sporen an den Stiefeln und einen Schnurrbart unter der Nase, weil sonst wohl gar noch ein Edelmann annehmen konnte, daß er bei den Fußtruppen gedient hätte, die er verächtlich »Fußschleicher« oder manchmal gar »Trampeltiere« nannte. Er besuchte sämtliche Jahrmärkte, auf denen es immer sehr lebhaft zuging, und wo sich das ganze Innere Rußlands, das aus Müttern, Kindern, Töchtern und dicken Gutsbesitzern besteht, auf Wagen, Kaleschen, Dormeusen und solchen Karossen, wie sie noch niemand, auch nur im Traume, gesehen hatte, zu seiner Kurzweil versammelte. Er erriet stets mit dem ihm angeborenen Spürsinn, wo ein Kavallerieregiment stand, und kam sofort angefahren, um den Herren Offizieren einen Besuch abzustatten; dann sprang er vor ihren Augen höchst gewandt aus seiner leichten Equipage oder Droschke und war sofort mit ihnen bekannt. Bei den letzen Wahlen gab er dem Adel ein prachtvolles Diner bei welcher Gelegenheit er öffentlich erklärte: Falls er zum Adelsmarschall gewählt würde, wollte er aufs beste für die Herren Edelleute sorgen. Überhaupt benahm er sich stets als Grandseigneur, wie man sich in der Provinz auszudrücken pflegte; – er heiratete ein recht hübsches Mädchen, das ihm zweihundert Bauernseelen und einige tausend Rubel als Mitgift in die Ehe brachte. Das Geld wurde sofort in einem Gespann von sechs äußerst prächtigen Pferden, vergoldeten Türschlössern, einem zahmen Hausaffen und einem französischen Hofmeister angelegt. Auf die zweihundert Seelen, die zusammen mit den eigenen zweihundert vierhundert ausmachten, wurde zur Förderung gewisser kommerzieller Unternehmungen eine Hypothek aufgenommen. Mit einem Wort, er war ein Gutsbesitzer *comme il faut,* d.h. ein höchst beachtenswerter Gutsbesitzer. Außer ihm nahmen noch einige andere Gutsbesitzer, über die aber nichts zu sagen ist, an dem Diner des Generals teil. Alle übrigen Gäste waren Militärs, die demselben Regiment angehörten; zwei von ihnen, ein Oberst und ein ziemlich dicker Major, waren Stabsoffiziere. Der General selbst war sehr kräftig und korpulent, im übrigen aber nach der Ansicht der Offiziere ein vortrefflicher Vorgesetzter, und hatte eine recht volle, gewichtige Baßstimme. Das Diner war ganz ungewöhnlich großartig. Der Stör, der Hausen, der Sterlet, die Trappgänse, der Spargel, die Wachteln, die Schneehühner und die Pilze – legten Zeugnis davon ab, daß der Koch seit einem ganzen Tage nichts Alkoholisches zu sich genommen hatte; außerdem hatten ihm die ganze Nacht hindurch vier Soldaten mit Messern in den Händen bei der Zubereitung von Frikassees und Gelees helfen müssen. Eine Unmenge von langhalsigen Flaschen voll Haute Lafitte, und von kurzhalsigen voll Madeira, der wunderbare Sommertag, die sperrangelweit geöffneten Fenster, die auf dem Tische stehenden Teller mit Eis, die zerknitterten Hemdbrüste unter den weiten Fräcken, ein wahres Kreuzfeuer von Gesprächen, das von dem tiefen Baß des

Generals übertönt und mit Champagner gelöscht wurde; dies alles paßte ganz vortrefflich zueinander. Nach dem Diner erhoben sich die Gäste mit der angenehmen Empfindung einer gewissen Magenfülle, zündeten sich Pfeifen mit langen und kurzen Rohren an und traten, mit einer Tasse Kaffee in der Hand, auf die Terrasse hinaus.

»Ja, jetzt könnte man sie besichtigen«, sagte der General. »Ach bitte, mein Lieber –«, sprach er zu seinem Adjutanten, einem jungen Herrn von recht sicherem Auftreten und angenehmem Äußeren, »lassen Sie doch die braune Stute herführen! Sie sollen gleich selbst sehen.« Dabei tat der General einen Zug aus der Pfeife und blies den Rauch weit aus. »Sie hat hier noch nicht die richtige Pflege, dieses verdammte Nest hat keinen einzigen anständigen Stall. Dabei ist es« – er tat wieder zwei Züge aus der Pfeife –, paff, paff – »ein wirklich ganz famoser Gaul!«

»Besitzen Exzellenz ihn schon lange?« Paff, paff, meinte Tschertokutzky, der gleichfalls ein paar Züge tat.

Paff paff paff pa ... paff ... »Oh, nicht gar so lange; es sind erst zwei Jahre her, daß ich ihn vom Gestüt bezogen habe.«

»Und haben Exzellenz ihn schon zugeritten erhalten« – »oder ihn erst hier zureiten lassen?«

Paff, paff, pa, pa, pa ... a ... ff ... »Erst hier«, und der General verschwand bei diesen Worten völlig in einer Rauchwolke.

Inzwischen kam ein Soldat aus dem Stall herbeigesprungen, es ertönten Hufschläge, und kurze Zeit darauf erschien ein zweiter in einem weißen Kittel mit einem ungeheuren schwarzen Schnurrbart, er führte ein scheues, zitterndes Pferd am Zaume, das plötzlich den Kopf erhob und den auf dem Boden kauernden Soldaten mitsamt seinem Schnurrbart beinahe in die Luft riß.

»Na, na, Agraphena Iwanowna!« sagte dieser, indem er das Tier unter die Terrasse führte.

Die Stute hieß nämlich Agraphena Iwanowna; kräftig und wild wie eine südländische Schöne, schlug sie mit den Hufen dröhnend gegen die hölzerne Terrasse und blieb plötzlich stehen.

Der General nahm die Pfeife aus dem Munde und besichtigte Agraphena Iwanowna mit zufriedener Miene. Selbst der Oberst kam die Stufen heruntergegangen und faßte Agraphena Iwanowna bei der Schnauze, und auch der Major strich Agraphena Iwanowna über die Beine; die übrigen aber schnalzten nur mit der Zunge.

Tschertokutzky schritt die Treppe hinab und trat gleichfalls von hinten an sie heran. Der Soldat stand stramm, hielt den Zaum in der Hand, und sah den Besuchern mit einem solchen Ausdruck in die Augen, als ob er sogleich in sie hineinspringen wollte.

»Sehr, *sehr* gut!« meinte Tschertokutzky. »Ein stattliches Rassepferd! Erlauben Exzellenz mir die Frage, welche Gangart es hat?«

»Oh, es hat eine recht gute Gangart, nur ... weiß der Teufel ... dieser Schafskopf von einem Feldscher hat ihm solche verteufelte Pillen eingegeben, und nun muß es schon seit zwei Tagen immerwährend niesen.«

»Ein prächtiges Tier, in der Tat! Haben Exzellenz auch die dazu gehörige Equipage?«

»Eine Equipage? Das ist doch aber ein Reitpferd!«

»Das weiß ich; ich habe Sie nur deshalb danach gefragt, Exzellenz, um zu erfahren, ob Sie auch einen Wagen für Ihre andern Pferde besitzen?«

»Hm, allzuviel Wagen habe ich ja nun gerade nicht. Offen gestanden möchte ich eigentlich schon lange eine moderne Equipage haben. Ich habe meinem Bruder, der jetzt in Petersburg lebt, schon darüber geschrieben, weiß aber nicht, ob er mir eine schicken wird oder nicht!«

»Meiner Meinung nach«, bemerkte der Oberst, »werden die besten Equipagen entschieden in Wien hergestellt, Exzellenz.«

Paff, paff, paff ... »Sie haben vollkommen recht.«

»Ich besitze eine ganz außerordentlich schöne Equipage, Exzellenz, ein echtes Wiener Fabrikat.«

»Welche? Die, in der Sie hierhergefahren kamen?«

»O, nein, das ist nur so ein Reisewagen, den ich bei meinen Reisen benutze, jene dagegen … ist ganz entzückend leicht; wie eine Flaumfeder, sage ich Ihnen; wenn Sie hineinsteigen, überkommt Sie ein Gefühl, gerade als ob – mit Euer Exzellenz Erlaubnis – als ob Sie in der Wiege liegen und von der Amme hin und her geschaukelt werden!«

»Also ist sie wohl sehr bequem?«

»Oh, sehr, sehr bequem; die Kissen und die Sprungfedern, alles sieht aus wie gemalt.«

»Das ist schön.«

»Und wie geräumig sie ist! Das heißt, Exzellenz, ich habe noch nie eine zweite gesehen, die ihr gleich käme. Als ich noch im Dienste stand, da habe ich einmal zehn Flaschen Rum und zwanzig Pfund Tabak im Kutschkasten untergebracht, und dazu hatte ich noch extra sechs Uniformen, sehr viel Wäsche und zwei Pfeifenrohre von beträchtlicher Länge bei mir, Exzellenz; außerdem könnte man in ihren Taschen noch einen ganzen Ochsen verstecken.«

»Das ist schön.«

»Ich habe viertausend Rubel für sie bezahlt, Exzellenz.«

»Nach dem Preise zu urteilen, muß sie sehr schön sein. Und Sie haben sie selbst gekauft?«

»Nein, Exzellenz, ich habe sie ganz zufällig erworben. Ein Kamerad von mir hatte die Equipage gekauft; ein ganz seltener Mensch, ein alter Jungfreund, mit dem Sie sicher auch innige Freundschaft schließen würden. Zwischen uns gab es kein Mein und Dein. Ich habe sie ihm im Kartenspiel abgewonnen. Würden Exzellenz nicht so freundlich sein und mir die Ehre erweisen, morgen bei mir zu Mittag zu speisen? Sie könnten dann auch gleich die Equipage besichtigen.«

»Ich weiß nicht, was ich Ihnen darauf antworten soll … Ich allein, das wäre ein wenig … Es sei denn, Sie gestatten, daß ich zusammen mit den Herren Offizieren …?«

»Natürlich sind mir die Herren Offiziere gleichfalls willkommen.

Meine Herren! Ich würde es mir als große Ehre anrechnen, wenn ich das Vergnügen haben dürfte, Sie in meinem Hause zu sehen.«

Der Oberst, der Major und die übrigen Offiziere dankten mit einer höflichen Verbeugung.

»Ich bin selbst der Meinung, Exzellenz, daß, wenn man sich einmal irgendein Ding anschafft, es auch unbedingt gut sein muß; wenn es nicht gut ist, so sollte man es lieber gar nicht erst kaufen. Bei mir z. B. ... Wenn Sie mir die Ehre erweisen wollen, mich morgen zu besuchen, werde ich Ihnen einige Gegenstände zeigen, die ich zu wirtschaftlichen Zwecken bei mir eingeführt habe ...«

Der General sah vor sich hin und blies eine Rauchwolke aus.

Tschertokutzky war sehr zufrieden, daß er die Herren Offiziere zu sich eingeladen hatte; er bestellte schon im Geiste allerhand Pasteten und Saucen und sah die Herren Offiziere mit fröhlicher Miene an, die ihn gleichfalls mit verdoppelter Sympathie betrachteten, was man in ihren Augen und gewissen leichten Körperbewegungen in der Art von kaum merklichen Verbeugungen erkennen konnte. Tschertokutzky trat vor, seine Haltung wurde sicherer, und seine Stimme nahm etwas Weiches, Vibrierendes an, wie eine Stimme, in der eine freudige Erregung zittert.

»Es wird mir eine Ehre sein, Exzellenz, Sie mit der Frau des Hauses bekannt zu machen.«

»Sehr angenehm«, sagte der General und strich sich den Schnurrbart.

Tschertokutzky wollte sich danach sofort nach Hause begeben, um rechtzeitig alle Vorbereitungen für den kommenden Tag zum Empfang der Gäste und das Diner zu treffen; er hielt schon seinen Hut in der Hand, aber seltsamerweise sah er sich veranlaßt, noch eine Weile zu bleiben. Unterdessen hatte man im Zimmer bereits Kartentische aufgestellt, bald hatte sich die ganze Gesellschaft in Gruppen von je vier Partnern geteilt und in den verschiedenen Zimmerecken der Generalswohnung zu einer Partie Whist Platz genommen.

Man brachte Lichte herein. Tschertokutzky wußte lange nicht, ob er sich zum Whist niedersetzen sollte oder nicht. Aber als die Herren Offiziere ihn mehrere Male dazu aufforderten, schien ihm eine Weigerung unvereinbar mit den Gesetzen des Anstandes zu sein – und so nahm er denn gleich ihnen an einem Tische Platz. Er merkte gar nicht, wie sich ein Glas Punsch neben ihm einfand, das er in seiner Zerstreuung sofort leerte. Nach zwei Runden fand Tschertokutzky wieder ein Glas Punsch vor, und er leerte es abermals in seiner Zerstreuung, nachdem er zuvor erklärt hatte: »Es ist Zeit, meine Herren, daß ich nach Hause komme, es ist wirklich Zeit.« Übrigens setzte er sich gleich wieder, um noch eine weitere Partie zu spielen. Unterdessen hatten die Gespräche in den verschiedenen Zimmerecken ganz private Bahnen eingeschlagen. Die Whistspieler waren ziemlich schweigsam; die dagegen, die nicht mitspielten, sondern abseits auf dem Sofa saßen, unterhielten sich auf das eifrigste. In seiner Ecke erzählte der Stabsrittmeister, auf ein Kissen gelehnt und mit der Pfeife im Munde, ziemlich frei und zwanglos von seinen Liebesabenteuern und hielt die Aufmerksamkeit des Kreises, der sich im ihn gebildet hatte, vollständig gefesselt. Ein außergewöhnlich dicker Gutsbesitzer mit kurzen Armen, die eine gewisse Ähnlichkeit mit zwei ausgewachsenen Kartoffeln hatten, hörte ihm mit zuckersüßer Miene zu und bemühte sich nur ihm mit seiner kurzen Hand von Zeit zu Zeit hinter den breiten Rücken zu langen, um ihm die Tabaksdose aus der Rocktasche zu ziehen. In einer anderen Ecke entspann sich ein ziemlich heißer Streit über das Exerzieren der Schwadronen, und Tschertokutzky, der schon zweimal einen Buben statt der Dame ausgespielt hatte, mischte sich plötzlich in das fremde Gespräch und schrie von seinem Tisch aus herüber: »In welchen Jahr war das?« Oder: »In welchem Regiment?«, ohne selbst zu bemerken, daß seine Frage sehr oft gar nichts mit dem Gegenstand der Unterhaltung zu tun hatte. Einige Minuten vor dem Souper, hörte der Whist endlich auf; er wurde aber noch im Gespräche fortgesetzt, und es schien, als ob alle Köpfe von ihm eingenommen seien. Tschertokutzky erinnerte sich recht gut, daß er sehr viel gewonnen, aber mit den Händen nichts einkassiert hatte, und, als er sich vom Tisch erhob, stand er sehr lange in der Haltung eines Menschen da, der kein Taschentuch bei sich hat. Inzwischen war das Souper serviert worden. Es versteht sich von selbst, daß kein Mangel an Weinen war, und daß Tschertokutzky sich manchmal fast gegen seinen eigenen Willen einschenken mußte, weil immer rechts und links von ihm ein paar Weinflaschen standen.

Das Tischgespräch zog sich in die Länge, nahm aber eine etwas eigentümliche Wendung: ein Oberst, der die Kampagne von 1812 mitgemacht hatte, erzählte von einer Schlacht, die niemals stattgefunden hatte, und entfernte darauf, aus einem ganz unbegreiflichen Grunde, den Pfropfen von einer Karaffe und steckte ihn in den Kuchen. Kurz, als alle aufbrachen, war es schon drei Uhr, und die Kutscher mußten einige Personen wie einen Warenballen in die Arme nehmen und forttragen; Tschertokutzky aber verbeugte sich, als er schon im Wagen saß, trotz seiner aristokratischen Formen noch einmal so tief und mit einem solchen Schwunge, daß er, als er daheim anlangte, in seinem Schnurrbart zwei Kletten mit nach Hause brachte.

Hier lag schon alles in tiefem Schlafe. Nur mit Mühe gelang es dem Kutscher, den Kammerdiener aufzufinden, der seinen Herrn durch den Salon geleitete, und ihn dem Stubenmädchen überantwortete, dem Tschertokutzky, so gut es ging, bis zum Schlafzimmer folgte, wo er sich neben seinem jungen, hübschen Frauchen, das in seinem schneeweißen Nachthemd höchst anmutig dalag, ins Bett fallen ließ. Die Erschütterung, die dieser Fall ihres Ehegatten verursachte, weckte sie aus dem Schlaf. Sie reckte sich, schlug ihre Augen auf, kniff sie ganz rasch dreimal hintereinander zusammen, und öffnete sie wieder mit einem schmollenden Lächeln; da sie aber sah, daß er ihr diesmal durchaus keine Liebkosung erweisen wollte, drehte sie sich verdrossen auf die andere Seite um und schlief, die frische Wange auf die Hand gestützt, bald nach ihm wieder ein.

Es war eine Tageszeit, die auf dem Lande keineswegs für besonders *früh* angesehen wird, als die junge Herrin neben dem schnarchenden Gemahl erwachte. Sie erinnerte sich, daß er gestern erst gegen 4 Uhr nachts nach Hause gekommen war, und es tat ihr leid, ihn zu wecken. So schlüpfte sie denn in ihre Morgenschuhe, die sich ihr Gatte aus Petersburg verschrieben hatte, trat mit einem weißen Negligee bekleidet, das an ihr herabfloß wie ein rieselndes Gewässer, in ihr Ankleidezimmer, wusch sich mit Wasser, das so frisch war wie sie selbst, und ließ sich vor dem Toilettenspiegel nieder. Nachdem sie einige prüfende Blicke hineingeworfen hatte, stellte sie fest, daß sie heute äußerst vorteilhaft aussah. Dieser anscheinend unbedeutende Umstand veranlaßte sie, genau zwei Stunden länger als gewöhnlich vor dem Spiegel zu verbringen; endlich zog sie sich sehr niedlich an und begab sich in den Garten, um sich etwas zu erfrischen. An diesem Morgen war das Wetter so herrlich, wie es nur ein südlicher Sommertag hervorzubringen vermag. Die Sonne, die bereits den Höhepunkt überschritten hatte, sengte einen mit der ganzen Glut ihrer Mittagsstrahlen. Aber unter dem dichten schattigen Laub der Alleen war es kühl und angenehm zu lustwandeln. Die von der Sonne erwärmten Blumen verdreifachten ihren Duft. Die hübsche Hausfrau hatte ganz vergessen, daß es bereits zwölf Uhr geschlagen hatte, und daß ihr Gatte immer noch schlief. Schon drang das nachmittägliche Schnarchen zweier Kutscher und eines Vorreiters, die im Stall hinter dem Garten schliefen, an ihr Ohr, sie aber weilte noch immer in der lauschigen Allee, von der sie einen freien Blick nach der Landstraße hin hatte, und blickte zerstreut in die menschenleere Einsamkeit, als plötzlich eine Staubwolke, die sich in der Ferne erhob, ihre Aufmerksamkeit fesselte. Sie spähte scharf hin und unterschied bald einige Wagen. Voran fuhr eine offene, zweisitzige Equipage, in der der General saß, dessen schwere Epauletten in der Sonne glänzten, und neben ihm saß der Oberst. Dieser folgte eine zweite, viersitzige; sie barg den Major mit dem Adjutanten des Generals und noch zwei Offiziere, die ihnen gegenüber saßen. Dann kam die allgemein bekannte Regimentsdroschke, die diesmal im Besitze des dicken Majors war. Hinter der Droschke fuhr ein viersitziger Bon-Voyage her, in dem vier Offiziere Platz genommen hatten, während ein fünfter in ihren Armen ruhte. Und endlich, hinter diesem, gewahrte man drei weitere Offiziere auf herrlichen dunklen Apfelschimmeln.

»Kommen sie wirklich zu uns?« fragte sich die Hausfrau. »Ach, Herrgott! Sie wenden und fahren tatsächlich auf die Brücke zu.« Sie schrie auf, schlug die Hände zusammen und lief über Beete und Blumen hinweg direkt in das Schlafzimmer ihres Mannes. Dieser lag noch immer da und schlief wie ein Toter.

»Steh auf! Steh' schnell auf!« rief sie und packte ihn am Arm.

»Wie?« gähnte Tschertokutzky, der sich mächtig reckte, ohne die Augen zu öffnen.

»Steh auf, Männe! Hörst du, die Gäste kommen!«

»Gäste? Was für Gäste?« Nach diesen Worten grunze er leise vor sich hin wie ein Kalb, das mit der Schnauze das Euter der Mutter sucht. »Hm, hm!« brummte er, »reich mir doch den Hälschen her, mein Herzblatt, ich will dir einen Kuß geben.« »Beeile dich doch um Gotteswillen mit dem Aufstehen, Schatz! Der General kommt mit seinen Offizieren. Ach, Herrgott, du hast ja eine Klette im Schnurrbart!«

»Der General? Was, er kommt schon? Aber weshalb hat mich denn, hol's der Teufel, niemand geweckt? Und das Diner? Was ist mit dem Diner? Ist auch alles fertig, wie es sich gehört?«

»Was für ein Diner?«

»Hab' ich denn keins bestellt?«

»Du? Du bist ja erst um 4 Uhr nachts nach Hause gekommen! So sehr ich mich auch bemühte, dich auszufragen, du wolltest mir nicht antworten. Ich habe dich nicht geweckt, Männe, weil du mir leid tatest. Du hast ja gar nicht geschlafen ...« Die letzten Worte sagte sie mit einer äußerst schmachtenden und bittenden Stimme.

Eine Minute lang lag Tschertokutzky mit weit aufgerissenen Augen wie vom Blitz getroffen auf seinem Lager. Endlich sprang er im bloßen Hemde aus dem Bette, wobei er gar nicht daran dachte, daß das eigentlich unanständig sei.

»Ach ich dummes Pferd!« sagte er und schlug sich an die Stirn. »Ich habe sie ja zum Mittagessen eingeladen. Was tun? Sind sie noch weit von hier?«

»Ich weiß nicht. Sie müssen jeden Augenblick eintreffen.«

»Verstecke dich, Schatz. He! Wer da! Du Mädel, komm' mal her! Was fürchtest du dich, dumme Gans? Die Offiziere können jeden Augenblick hier sein! Sag ihnen, der Herr sei nicht zu Hause. Sage, daß er heute gar nicht mehr zurückkommt, er sei schon ganz früh am Morgen abgereist. Hörst du, und sage es auch allen Knechten und Mägden! Geh' schnell!«

Mit diesen Worten packte er eiligst den Schlafrock zusammen und lief spornstreichs in die Remise, um sich dort zu verstecken, da er hier am sichersten zu sein glaubte. Als er es sich aber in einem Winkel bequem machen wollte, sah er, daß er auch hier noch bemerkt werden könne. »Das da wird besser sein«, schwirrte es ihm durch den Kopf; sofort ließ er das Trittbrett der gerade dastehenden Equipage herunter, sprang in sie hinein, schlug die Türe hinter sich zu, bedeckte sich vorsichtshalber mit dem Vorhang und dem Lederschurz und saß mäuschenstill da, indem er sich in seinen Schlafrock hüllte und niederkauerte.

Unterdessen waren die Wagen bei der Terrasse vorgefahren.

Der General stieg heraus und schüttelte sich tüchtig. Nach ihm erschien der Oberst, der den Federbusch auf seiner Mütze zurechtrückte. Dann sprang der dicke Major mit dem Säbel unter dem Arm heraus, sodann entstiegen die schlanken Leutnants mitsamt dem Fähnrich, der auf ihren Armen gesessen hatte, dem Bon-Voyage, und endlich saßen die drei Offiziere von ihren Pferden ab.

»Der Herr ist nicht zu Hause!« sagte der Lakai, der sich auf die Terrasse hinausbegeben hatte.

»Wieso nicht zu Hause? Er kommt aber doch zum Mittagessen?«

»Nein, der Herr ist für den ganzen Tag verreist. Er wird frühestens morgen um diese Zeit zurückerwartet!«

»Da haben wir's!« sagte der General. »Wie kommt denn das?«

»Das muß ich sagen, das ist aber ein schöner Streich«, sagte der Oberst lachend.

»Nein, wie kann man nur so etwas tun?« fuhr der General ziemlich ärgerlich fort. »Ja ... zum Teufel! ... Wenn du einen nicht empfangen kannst, weshalb lädst du uns denn dann ein?«

»Ich verstehe nicht, wie man so etwas tun kann, Exzellenz!« sagte ein junger Offizier.

»Was?« fragte der General, der dieses Fragewort stets anzuwenden pflegte, wenn er mit einem Offizier sprach.

»Ich meine nur, wie kann man bloß so handeln, Exzellenz?«

»Natürlich! Ja, wenn es absolut nicht anders geht usw., so teilt man es einem doch wenigstens vorher mit, oder man ladet einen lieber überhaupt nicht erst ein.«

»Ja, Exzellenz, da bleibt uns nichts anderes übrig, als nach Hause zu fahren«, sagte der Oberst.

»Selbstverständlich! Was könnten wir sonst tun? Aber wir können uns schließlich die Equipage auch ohne ihn ansehen. Er wird sie wohl kaum mitgenommen haben. He, holla, wer ist da? Komm' mal her, Brüderchen!«

»Zu Befehl!«

»Bist du der Stallknecht?«

»Jawohl, Eure Exzellenz!«

»Zeig uns doch mal die neue Equipage, die dein Herr sich unlängst angeschafft hat!«

»Bitte, kommen Sie mit mir in die Remise!«

Und der General begab sich mitsamt den Offizieren dorthin.

»Gestatten Sie, ich werde sie ein wenig herausziehen. Hier ist es zu dunkel!«

»Genug, genug, es ist schon gut!«

Der General und die Offiziere gingen um die Equipage herum und sahen sich die Räder und Sprungfedern sorgfältig an.

»Hm, das ist doch nichts Besonderes«, meinte der General. »Eine ganz gewöhnliche Equipage!«

»Ein höchst unansehnliches Ding«, bestätigte der Oberst. »An der ist wahrhaftig nicht viel Gutes zu entdecken.«

»Mir scheint, Exzellenz, sie ist gar keine 4000 Rubel wert«, meinte einer der jungen Offiziere.

»Was?«

»Ich sage, daß sie meiner Meinung nach gar keine 4000 Rubel wert ist, Exzellenz!«

»Ach was! 4000! Sie ist keine 2000 wert! An dem Ding ist doch gar nichts dran! Es müßte denn sein, daß es drinnen etwas Besonderes zu sehen gibt. Bitte, mein Lieber, schnalle doch mal den Lederschutz ab.«

Und Tschertokutzky bot sich den Blicken der Offiziere dar; er saß, in seinen Schlafrock gehüllt, in einer seltsamen Stellung zusammengekauert am Boden der Kutsche.

»Ach, Sie sind *hier?*« sagte ganz verdutzt der General.

Er schlug die Tür zu, bedeckte Tschertokutzky mit dem Schurz und fuhr mit seinen Herren Offizieren von dannen.

Rom

Ein Fragment

Deutsch von Otto Buek

Sieh dir den Blitz an, wenn er durch kohlschwarze Wolken bricht und schier unerträglich aufleuchtet in einer wahren Flut von Licht: so sind die Augen der Albanerin Anunziata. An ihr erinnert alles an jene alten Zeiten, als der Marmor aufzuleben begann und der Meißel in der Hand des Bildhauers blitzte. Ein schwerer Zopf dichter, pechschwarzer Haare schlang sich in zwei Ringen hoch um das Haupt, um in vier langen Locken auf den Hals herabzufallen. Wem sie den leuchtenden Schnee ihres Antlitzes zuwenden mochte – ihr Bild prägte sich jedem tief ins Herz hinein. Wandte sie jemand ihr Profil zu, – so strömte ein wunderbarer Adel von ihm aus, und der schöne Schwung der Linien übertraf alles, was je eines Malers Pinsel geschaffen hat. Oder drehte sie einem den Rücken und ließ sie ihn ihren Hinterkopf mit dem herrlichen aufwärts gekämmten Haar, den leuchtenden Hals und die überirdische, unvergleichliche Schönheit ihrer Schultern sehen – so wirkte sie auch da wie ein Wunder. Aber am herrlichsten war sie, wenn sie ihre Augen auf jemand richtete, ihn ansah und kalte Schauer in sein Herz goß. Hell wie Erz tönte ihre volle Stimme. Kein geschmeidiger Panther hätte es an Kraft, Stolz und Schnelligkeit der Bewegungen mit ihr aufnehmen können. In jedem Teile ihres herrlichen Körpers erschien sie wie die Krone der Schöpfung, von den Schultern bis hinab zu dem lebenatmenden Fuß von antiker Bildung – ja, bis zur letzten Zehe dieses Fußes. Wohin sie gehen mochte – stets ließ sie ein Bild vor dem Auge erstehen: Wenn sie abends mit der getriebenen Bronzevase auf dem Haupte zum Brunnen eilte, so schien sich die ganze Umwelt mit einer wunderbaren Harmonie zu erfüllen: Die herrlichen Linien des Albanergebirges verloren sich sanfter in der Ferne, blauer als sonst erschien die Tiefe des römischen Himmels, schlanker strebte die Zypresse zur Höhe, und der schönste unter den Bäumen des Südens, die römische Pinie, hob sich mit ihrer schirmartigen, wie in der Luft schwebenden Spitze zarter und reiner vom Himmel ab. Und alles, der Brunnen, wo auf den Marmorstufen die Albanermädchen, eine größer und schlanker als die andere, in Haufen beieinander standen und mit ihren kräftigen, silberhellen Stimmen durcheinander schwatzten, während in klingendem, diamantenem Strahl das Wasser emporsprang und nacheinander die untergehaltenen kupfernen Krüge füllte, – der Brunnen, die Mädchengruppen, – alles schien allein um ihretwillen da zu sein, um ihre sieghafte Schönheit noch heller erstrahlen, um erkennen zu lassen, daß sie über alles herrscht und gebietet, wie eine Königin über ihr Hofgesinde. Oder wenn an einem Feiertage die dunkle Baumgalerie, die von Albano nach Castel Gandolfo führt, voll festlich gekleideter Menschen ist, wenn unter ihrer dunklen Wölbung die Minenti stutzerhaft in Samtkleidern mit leuchtenden Gürteln und einer goldfarbenen Blume an ihrem Kastorhut einherspazieren, wenn zahlreiche Esel mit halbgeschlossenen Augen schlanke, kräftige Albanerinnen und Frascatinerinnen in malerischer Haltung mit weithin schimmerndem weißem Kopfputz im Schritt oder im Galopp vorübertragen, oder mühsam, fortwährend stolpernd und so gar nicht malerisch mit einem langen, unbeweglichen, in einen erbsgrauen, undurchdringlichen Mantel gehüllten Engländer vorüberziehen, der eine Holzkasten an einem Riemen trägt und aus Furcht, seine Füße könnten die Erde berühren, mit spitzwinklig emporgezogenen Beinen auf dem Rücken des Tieres sitzt, oder endlich, einen Künstler mit einem kecken Van-Dyck-Bärtchen und in einer schlichten Bluse auf dem Rücken, vorbeitraben, während Schatten und Sonnenlicht abwechselnd über die ganze Gruppe huschen – selbst dann, das heißt selbst an solch einem Feiertage ist es einem weit wohler zumute, wenn sie da ist, als wenn sie fehlt. Die Passage läßt sie strahlend und ganz in Licht gehüllt aus ihrer finstern, dunklen Tiefe heraustreten. Der Purpurstoff ihres albanischen Kleides flammt wie Gold, das ein Sonnenstrahl berührt hat. Eine wundersame Feiertagsstimmung leuchtet einem jeden aus ihrem Antlitz entgegen, und wer ihr begegnet, bleibt wie angewurzelt stehen: Der stutzerhafte Minenti mit der Blume am Hut stößt eine Schrei der Überraschung aus, das Gesicht des Engländers im erbsgrauen Mantel verwandelt sich in ein Fragezeichen und der Künstler mit dem Van-Dyck-Bärtchen …; doch dieser bleibt viel länger auf einem Flecke stehen als alle andern, wie wenn er sich dächte: Ja, das wäre ein herrliches Modell für eine Diana, eine stolze Juno, eine verführerische Grazie, wie überhaupt für jede Frau, die jemals auf einer Leinwand dargestellt ward! Und er fügt wohl in Gedanken kühn hinzu: Ja, das wäre das Paradies, wenn ein solches Wunder mein bescheidenes Atelier für immer schmücken könnte.

Wer aber ist *er*, dessen Blick sich so viel leidenschaftlicher und wie gebannt an ihre Spuren heftet? Wer ist er, der jedes ihrer Worte, jede ihrer Bewegungen und Gedankenregungen so aufmerksam auf ihrem Gesichte verfolgt? Ein fünfundzwanzigjähriger Jüngling, ein römischer Fürst, der Nachkomme einer Familie, die einst die Ehre, den Stolz und die Schmach des Mittelalters bildete und die nun in einem wunderbaren alten Schloß auf ihr nahes Ende wartet. Dieses mit Fresken von Guercin und Caracci gezierte Schloß beherbergte eine Bildergalerie voll nachgedunkelter Gemälde, verblichener Stoffe, lazurblauer Tische und wurde von einem *Maestro di casa* verwaltet, der selbst grau wie ein Falke war.

Vor kurzem erst hatten ihn die römischen Straßen erblickt: Diese schwarzen Augen, die hinter dem über die Schulter geworfenen Mantel Blitze hervorschleuderten, diese Nase von antiker Kontur, das Elfenbein seiner Stirn und die auf sie herabfallende wehende Locke seidenen Haares. Nach fünfzehnjähriger Abwesenheit war er wieder in Rom aufgetaucht; nun ein stolzer Jüngling, er, der noch vor kurzem ein Kind gewesen war.

Aber der Leser muß unbedingt erfahren, wie das alles geschah, und daher wollen wir schnell die Geschichte dieses jungen, aber an starken Eindrücken schon so reichen Lebens an uns vorüberziehen lassen. Seine frühste Jugend hatte der Fürst in Rom verlebt; er erhielt eine Erziehung, wie sie bei den hohen römischen Würdenträgern, deren Leben sich seinem Ende entgegenneigt, üblich ist. Ein Abbé vertrat bei ihm die Stelle des Lehrers, Aufsehers, Gouverneurs usw; dieser war ein strenger Klassiker, ein Verehrer der Briefe Pietro Bembos, der Werke des Giovanni della Casa und einiger fünf oder sechs Gesänge Dantes, die er beim Lesen stets mit lebhaften Ausrufen wie: *»Dio che cosa divina!«* begleitete, um nach ein paar Zeilen gleich wieder hinzuzufügen: *»Diavolo che divina cosa!«* Darin bestand das ganze künstlerische Werturteil und die ganze Kritik der von ihm so bewunderten Werke – im übrigen aber sprach er nur über Broccoli und Artischocken, – dies war sein Lieblingsthema, und er wußte ganz genau, zu welcher Jahreszeit das Kalbfleisch am besten sei und in welchem Monat man damit beginnen könne, junges Ziegenfleisch zu essen; über all diese Gegenstände unterhielt er sich am liebsten auf der Straße, wo er gewöhnlich einen andern Abbé zu treffen pflegte; er trug schwarze seidene Strümpfe, in die er zuvor ein Paar wollene hineinstopfte, wodurch er seine dicken Waden geschickt zur Geltung zu bringen wußte, nahm regelmäßig einmal im Monat eine Portion *Olio di ricino* in einer Tasse Kaffee als Abführungsmittel ein und wurde, wie alle Abbés, mit jedem Tag und jeder Stunde wohlbeleibter. Es ist begreiflich, daß sich der junge Fürst bei einer solchen Erziehung kein großes Wissen aneignete. Er erfuhr nur, daß die lateinische Sprache die Mutter der italienischen sei, daß es drei Arten von Monsignori gibt: solche in schwarzen Stümpfen, solche in violetten Strümpfen und endlich solche, die beinahe so viel bedeuten, wie ein Kardinal; er lernte einige Briefe Pietro Bembos – meist Glückwunschschreiben an die zu jener Zeit lebenden Kardinäle – kennen, machte nähere Bekanntschaft mit dem Corso, wo er häufig mit dem Abbé spazierenging, sowie ferner mit der Villa Borghese und mit zwei bis drei Läden, vor denen der Abbé haltzumachen pflegte, um sich Papier, Federn und Schnupftabak zu kaufen, und endlich noch mit der Apotheke, wo jener sein *Olio di ricino* bezog. Das war der ganze Horizont, der das Wissen des Zöglings umschloß. Von den anderen Ländern und Staaten hatte der Abbé nur in ganz unklaren und unsicheren Andeutungen gesprochen: Er hatte erwähnt, daß es ein sehr reiches Land, Frankreich, gäbe, daß die Engländer gute Kaufleute seien und eine große Vorliebe für das Reisen hätten, daß die Deutschen – sehr viel tränken, und daß im Norden ein barbarisches Land, Moscovien, liege, in dem eine furchtbare Kälte herrsche, bei der ein menschliches Gehirn leicht in die Brüche gehen könne. Wahrscheinlich hätte der Zögling bis zu seinem fünfundzwanzigsten Jahre kaum noch etwas über diese Tatsachen hinaus erfahren, wenn es dem alten Fürsten nicht plötzlich eingefallen wäre, die alte Erziehungsmethode fallen und dem Sohne eine europäische Bildung geben zu lassen, was wohl zum Teil dem Einfluß einer französischen Dame zuzuschreiben war, auf die der Fürst seit einiger Zeit überall – im Theater wie auf Spaziergängen – beständig seine Lorgnette richtete, wobei er jeden Augenblick sein Kinn in sein ungeheures weißes Jabot versenkte und sich eine schwarze Locke auf seiner Perücke zurechtstrich. So wurde denn der junge Fürst nach Lucca geschickt, um hier die Universität zu beziehen. Dort entfaltete sich während eines sechsjährigen Aufenthaltes seine lebhafte italienische Natur, die unter der langweiligen Aufsicht des Abbés nur geschlummert hatte: Es zeigte sich, daß der Jüngling eine nach erlesenen Genüssen dürstende Seele und eine starke Beobachtungsgabe besaß. Die italienische Universität, wo die Wissenschaft unter der harten Schale trockener scholastischer Formen dahinvegitierte, befriedigte die jüngere Generation nicht mehr, an deren Ohr schon die Kunde von dem lebendigen Geiste gedrungen war, die hie und da über die Alpen kam. Der Einfluß Frankreichs machte sich bereits in Oberitalien bemerkbar: Er wurde zugleich mit allerhand neuen Moden, Vignetten, Vaudevilles und gekünstelten Produkten der zügellosen, ungeheuerlichen und leidenschaftlichen französischen Muse, die aber dennoch Spuren eines starken Talentes erkennen läßt, hierher getragen. Die starke politische Bewegung, die sich seit der Julirevolution in den Zeitschriften bemerkbar machte, fand auch hier ihr Echo. Man träumte von der Wiederherstellung der entschwundenen ruhmvollen italienischen Vergangenheit und blickte voller Empörung auf die verhaßte weiße Uniform der österreichischen Soldaten. Aber die zu ruhigen Genüssen reizende italienische Natur machte sich nicht Luft in einem Aufstand, zu dem sich der Franzose ohne lange Bedenken entschlossen hätte: All diese Gefühle strömten nur in dem einen unbestimmten Wunsch zusammen, das wahre Europa jenseits der Alpen kennenzulernen. Die ewige Bewegung, die es durchflutete, und sein heller Glanz erschienen in lockender Ferne. Dort war alles neu, stand alles im Gegensatz zu dem ehrwürdigen Alter Italiens, dort hatte das 19. Jahrhundert und das wahre europäische Leben begonnen. Ein heißes Sehnen riß die Seele des jungen Fürsten dorthin; er träumte von hellem Licht und Abenteuern, und jedesmal umwölkte ein drückendes Gefühl der Wehmut seinen Geist, wenn er der Unmöglichkeit inne wurde, seinen Wunsch erfüllt zu sehen: Er kannte den unbeugsamen, despotischen Willen des alten Fürsten, und er fühlte sich außerstande, es mit ihm aufzunehmen – da erhielt er plötzlich einen Brief von dem Fürsten, in dem dieser ihm befahl, nach Paris zu reisen, seine Studien in der dortigen Universität zu beendigen und nur zuvor in Lucca die Ankunft eines Onkels abzuwarten, um sich mit diesem zusammen auf die Reise zu begeben. Der junge Fürst sprang vor Glück in die Höhe, küßte seine sämtlichen Freunde ab, gab ihnen in einer Osteria, die in der Umgegend der Stadt lag, ein Festmahl und war zwei Wochen später bereits unterwegs mit einem Herzen, das jedem Gegenstand mit frohem Pochen entgegenschlug. Als man den Simplon passiert hatte, blitzte ein freudiger Gedanke in seinem Kopfe auf; er befand sich auf der andern Seite der Alpen; er war in Europa. Die wilde Unform der Schweizer Alpen, die sich ohne weite Perspektiven und ohne jene zarten, in der Ferne verlaufenden Ausblicke in die Höhe türmten, erschreckte zunächst seinen, an die hohe Ruhe und an die heitere wollüstige Schönheit der italienischen Natur gewöhnten Blick. Aber er erheiterte sich mit einem Schlage beim Anblick der europäischen Städte, der prachtvollen, hellen Gasthöfe und des Komforts, der jeden Reisenden erwartete, so daß er sich's bequem machen konnte, wie wenn er zu Hause wäre. Diese kokette Sauberkeit und dieser Glanz – das alles war ihm neu. In den deutschen Städten fühlte er sich ein wenig überrascht durch den etwas seltsamen Körperbau der Deutschen und den Mangel an Grazie, Harmonie und Schönheit, für die der Italiener ein angeborenes Gefühl im Busen trägt; auch die deutsche Sprache machte einen unangenehmen Eindruck auf sein musikalisches Ohr, aber nun lag die französische Grenze vor ihm, und sein Herz erbebte. Die leichten, hüpfenden Laute einer modernen europäischen Sprache trafen zärtlich kosend sein Ohr, und mit Wonne suchte er ihr sanft gleitendes Geräusch aufzufangen; schon in Italien waren ihm diese Laute als etwas Hohes erschienen, befreit von allen krampfhaften Bewegungen, wie sie den kraftvollen Sprachen aller Völker der gemäßigten Zone eigen sich, die sich noch nicht gewöhnt haben, sich in maßvollen Grenzen zu halten. Einen noch größeren Eindruck aber machten auf ihn die Frauen, diese seltsamen, leicht dahinschwebenden Geschöpfe. Er war überrascht über diese flüchtigen Wesen mit den kaum hervortretenden zarten Formen, den kleinen Füßen, dem feinen, ätherischen Gliederbau, dem Feuer der Augen, das Hingabe und Sympathie ausströmte, und ihrem leichten, kaum über Andeutungen hinausgehenden Geplauder. Voller Ungeduld erwartete er die Ankunft in Paris, das er in seiner Einbildung mit Türmen und Palästen ausschmückte; er machte sich ein eigenes Phantasiebild von dieser Stadt, und mit pochendem Herzen gewahrte er endlich die ersten Anzeichen der Nähe der Hauptstadt: Plakate an den Mauern, Buchstaben von ungeheurer Größe, immer zahlreicher werdende Omnibusse und Diligencen, – und nun erschienen die ersten Häuser der Vorstadt.

Doch jetzt war er in Paris und fühlte sich dunkel von der ungeheuren Außenseite der Stadt umfangen; Staunen erfaßte ihn, als er die Bewegung und all den Glanz in den Straßen erblickte, das wirre Durcheinander der Dächer, den Wald der Schornsteine, die dichten, stillosen Häusermassen mit den eng beieinanderstehenden bunten Läden, die häßlichen, nackten, zusammenhanglosen Fassaden, diese zahllose, bunte Menge goldener Buchstaben, die alle Wände bedeckten, bis auf die Dächer und sogar auf die Schornsteine emporkletterten, die hellen unteren Stockwerke, die aus lauter Spiegelgläsern bestanden und in die man bequem hineinsehen konnte. Dies also war Paris, dieser ewig kochende Krater, dieser Springbrunnen, der eine wahre Funkengarbe von Neuigkeiten, von Aufklärung, Moden, erlesenem Geschmack und minutiösen, aber mächtigen Gesetzen ausspie, denen sich selbst die Tadler nicht zu entziehen vermochten: Diese große Ausstellung aller Erzeugnisse der Kunst, höchster Meisterschaft und aller Talente, die sich in den unbedeutendsten Winkeln Europas verbergen, die drängende Sehnsucht und der schönste Traum eines Zwanzigjährigen, diese Wechselstube und dieser Jahrmarkt Europas. Ganz betäubt und unfähig, sich zu sammeln, streifte er durch die Straßen, die von allerlei Volk wimmelten und von zahlreichen Rinnen, die die Räder vorüberrollender Omnibusse hinterließen, durchfurcht waren, bald gefesselt durch den Anblick eines Cafés und seiner wunderbaren, geradezu königlichen Ausstattung, bald wieder überrascht durch die berühmten gedeckten Passagen, wo ihn das dumpfe Geräusch von einigen tausend Fußgängern betäubte, meist jungen Leuten, die sich wie eine kompakte Masse vorwärts bewegten, und völlig geblendet von dem flimmernden Glanz der Kaufläden, die von oben her durch ein auf das Glasdach der Galerie fallendes Licht erleuchtet wurden. Zuweilen auch blieb er vor einem der vielen Plakate stehen, die in Millionen Exemplaren und dicht nebeneinanderhängend das Auge durch ihre Buntheit beunruhigten: Das waren laute Ankündigungen von einigen vierundzwanzig Vorstellungen, die hier täglich stattfanden, und einer schier unendlichen Anzahl aller möglichen Konzerte; und als nun endlich dies ganze märchenhafte Durcheinander gegen Abend bei der zauberischen Gasbeleuchtung aufflammte – als alle Häuser plötzlich gleichsam durchsichtig wurden und von unten herauf lebhaft zu leuchten begannen, da geriet er vollends in Verwirrung: Die Fenster und die Gläser der Magazine schienen ganz verschwunden, ja überhaupt nicht mehr vorhanden zu sein, und das ganze Innere schien unbewacht unmittelbar an der Straße zu liegen, eine flimmernden Glanz um sich zu verbreiten und sich tief innen in den Gläsern zu spiegeln. *Ma quest' è una cosa divina!* wiederholte der lebhafte Italiener fortwährend.

Sein Leben floß schnell dahin, wie das Leben vieler Pariser und das der zahlreichen jungen Ausländer, die nach Paris kommen. Bereits um neun Uhr befand er sich, kaum daß er aus dem Bett gesprungen war, in einem prachtvollen Café mit modernen Fresken unter Glas und einer von Gold strotzenden Decke. Auf den Tischen lagen ganze Stöße von Zeitungen und Zeitschriften gewaltigen Formats, und ein Kellner von vornehmem Äußern schritt mit einer wundervollen Kaffeekanne in der Hand an den Gästen vorbei. Hier trank er mit der Genußsucht eines Sybariten aus einer ungeheuren Tasse den fetten Kaffee, lehnte sich wohlig in das weiche, elastische Sofa zurück und dachte an die niedrigen, dunklen italienischen Cafés mit ihren unsauberen Bodegas und ihren schmutzigen, ungewaschenen Gläsern. Dann vertiefte er sich in die Lektüre der ungeheuren Zeitungen und gedachte der schwindsüchtigen kleinen Zeitschriften Italiens, des »Diario di Roma«, des »Il Pirato« und ähnlicher, in denen nichts wie harmlose politische Nachrichten und womöglich Anekdoten über die Thermopylen und den Perserkönig Darius zu lesen waren. Hier dagegen spürte man überall die erglühende Leidenschaft, die dem Schriftsteller die Feder geführt hatte. Hier überstürzten sich die Fragen förmlich, jede Erwiderung rief eine neue hervor, hier schien sich ein jeder nach Kräften durchzusetzen, sich recht breitzumachen und großzutun. Irgendeiner drohte mit einer baldigen politischen Umwälzung und verkündigte einen Zusammenbruch des Staates, jede kaum merkliche Bewegung in der Kammer und im Ministerium, jede ihrer Aktionen wuchs sich zu einer gewaltigen, machtvollen Bewegung der hartnäckigen Parteien aus und hallte als lautes, wütendes Geschrei aus den Journalen wider. Ja, der Italiener verspürte etwas wie Furcht, wenn er dies las und daran dachte, daß vielleicht schon morgen die Revolution ausbrechen könnte, wie von einem Dunst umnebelt, verließ er das Lesezimmer, und erst die Straßen von Paris vermochten es, den ganzen Ballast in einem Augenblick aus seinem Kopfe zu vertreiben. Dieser über alle Gegenstände dahinhüpfende Glanz, diese bunte Bewegung erschienen ihm nach der schweren Lektüre fast wie zarte Blumen, die sich an dem Rande eines Abgrundes angesiedelt hatten. Mit einem Schlage befand er sich wieder ganz auf der Straße und war bald gleich allen andern in jeder Hinsicht ein müßiger Flaneur. Er sah sich die fröhlichen, graziösen Verkäuferinnen an, die gleich kaum erblühten Knospen im ersten Lenz der Jugend prangten, und die alle Pariser Kaufläden anfüllten, als wenn die rauhe Gestalt des Mannes etwas Anstößiges an sich hätte und hinter den großen Fensterscheiben wie ein schwarzer Fleck erschienen wäre. Er sah, wie die bis zur Koketterie schmalen, mit den feinsten Seifen gewaschenen Händchen ihm lockend entgegenglänzten, wie sie damit beschäftigt waren, das Konfektpapier zu falten, während die Augen hell und unverwandt auf die Vorübergehenden gerichtet waren; er sah, wie sich an einer andern Stelle ein blondes, lieblich geneigtes Köpfchen, die langen Wimpern tief in die Seiten eines Moderomans versenkt, am Fenster abzeichnete, und wie die Schöne gar nicht bemerkte, daß bereits ein ganzer Haufen junger Leute vor ihr stand, ihren schneeweißen Hals, ja, jedes Härchen auf dem Kopfe betrachtete, und selbst das leise Wogen des Busens belauschte, das die Lektüre begleitete. Er blieb auch vor einem Bücherladen stehen, wo ihm seltsame Buchstaben gleich Hieroglyphen entgegenblickten, oder wo sich dunkle Vignetten gleich schwarzen Spinnen von dem dicken, glänzenden Papier abhoben, Vignetten, die meist mit einem solchen Schwung und einer solchen Leidenschaft hingeworfen waren, daß es oft ganz unmöglich war, herauszubekommen, was sie eigentlich darstellten. Oder er sah sich eine Maschine an, die für sich allein einen ganzen Laden ausfüllte und die hinter der großen Spiegelscheibe in voller Tätigkeit war, indem sie eine ungeheure Walze, die Schokolade zerrieb, hin und her schob. Er blickte auch in die Läden hinein, vor denen die Pariser »Krokodile«, die Hände in den Taschen und mit offenem Munde, stundenlang herumstehen: Da sah man wohl einen gewaltigen roten Hummer aus dem grünen Gemüse hervorgucken, oder eine getrüffelte Pute mit der lakonischen Überschrift »dreihundert Frank« thronen, oder gelbe und rote Fische mit goldigen Flossen und Schwänzen in Glasbecken herumschwimmen. Oder er schlenderte auf den breiten Boulevards umher, die das ganze enge, winklige Paris majestätisch durchquerten; da sah man, wie sich mitten in der Stadt gewaltige Bäume bis zur Höhe eines sechsstöckigen Hauses emporreckten, und wie sich Scharen von Fremden und ein Haufen einheimischer Pariser Löwen und Tiger, die in den Novellen und Erzählungen nicht immer richtig dargestellt sind, auf dem Asphalttrottoir drängten. Und wenn er genug umherflaniert und des Schauens satt war, dann begab er sich in ein Restaurant, wo die mit Spiegelscheiben ausgekleideten Wände längst im Glanze des Gaslichts erstrahlten und unzählige Gruppen von Damen und Herren widerspiegelten, die hinter den kleinen, im Saale verstreuten Tischen saßen und sich geräuschvoll unterhielten. Nach dem Diner eilte er sogleich ins Theater, wobei ihm nur die Wahl schwer wurde, für welches er sich entscheiden sollte: Denn jedes hatte seine eigene Berühmtheit, jedes seinen hervorragenden Autor, jedes seine besonderen Schauspieler. Überall wurden Novitäten aufgeführt. Dort gab es ein glänzendes Vaudeville, lebensprühend, oberflächlich und jeden

Tag neu, wie der Franzose selbst, ein Stück, das vielleicht in drei müßigen Minuten entstanden war, und beim Publikum, dank der unerschöpflichen Laune des Schauspielers, von Anfang bis zu Ende unaufhörliche Lachstürme entfesselte. Dort wieder gab man ein Drama voller Glut und Leidenschaft. – Und unwillkürllich verglich er die trockene, dürftige Schaubühne Italiens, wo der alte Goldoni, den schon alle auswendig kannten, unaufhörlich wiederholt, oder allerhand neue Komödien aufgeführt wurden, deren Harmlosigkeit und Naivität selbst ein Kind hätte langweilen müssen – unwillkürlich verglich er jene mageren Erzeugnisse mit dieser lebendigen, stürmischen, dramatischen Flut, wo das Eisen geschmiedet wurde, so lange es noch heiß, und wo jedermann besorgt war, sein Novität könne vorzeitig kalt werden. Wenn er sich dann gründlich ausgelacht, aufgeregt und sattgesehen hatte, kehrte er müde und ganz überwältigt von all den Eindrücken nach Hause zurück und sank ins Bett, den einzigen Gegenstand, den der Franzose bekanntlich in seiner Stube nicht entbehren kann. Wenn er ein Arbeitszimmer, ein Mittagessen und des Abends einen beleuchteten Raum braucht, dann sucht er ein öffentliches Gebäude auf. Aber der Fürst unterließ es trotzdem nicht, mit diesem abwechslungsreichen Müßiggang auch die geistige Betätigung zu verbinden, nach der seine Seele voller Ungeduld dürstete. Er besuchte auch die Vorlesungen sämtlicher berühmter Professoren. Das lebendige, oftmals Begeisterung ausströmende Wort, die neuen Gesichtspunkte und die neuen Seiten, die der redegewandte Professor den Dingen abzugewinnen wußte, hatten für den jungen Italiener etwas Überraschendes. Er fühlte plötzlich, wie eine Hülle von seinen Augen sank, wie die Gegenstände, die er früher kaum bemerkt hatte, nun plötzlich in einem neuen, hellen Lichte erstrahlten, und wie der alte Plunder von allerhand Kenntnissen, die er sich bisher angeeignet hatte, und die bei der übergroßen Zahl der jungen Leute gewöhnlich wieder spurlos in Vergessenheit geraten, da es ihnen an Gelegenheit zur Anwendung fehlt, plötzlich lebendig zu werden begann und nun, mit neuem Auge angesehen, sich für immer in seinem Gedächtnis befestigte. Er unterließ es auch nicht, sich alle berühmten Prediger, Publizisten und Redner, die Diskussionen in der Kammer und überhaupt alles anzuhören, was den Ruhm von Paris bildet und in Europa laut von sich reden macht. Und trotzdem es ihm häufig an den Mitteln fehlte, da er vom alten Fürsten nur einen geringen Wechsel erhielt, wie er wohl einem Studenten, aber keinem Fürsten angemessen ist, fand er dennoch Gelegenheit, sich alles anzusehen, sich Zutritt bei allen Zelebritäten zu verschaffen, deren Ruhm die europäischen Blätter beständig ausposaunen, indem eins das andere wiederholt, ja, er lernte sogar die Modeschriftsteller persönlich kennen, deren seltsame Schöpfungen, wie die vieler anderer, einen so starken Eindruck auf seine junge, leidenschaftliche Seele gemacht hatten, in denen alle Welt eine bisher noch nie angeschlagene Saite und bislang noch von niemand erfaßte Regungen der Leidenschaften zu vernehmen glaubte. Mit einem Wort, das Leben des jungen Italieners nahm eine Wendung zum Großen und Vielgestaltigen und ward von dem mächtigen Glanze europäischen Lebens umstrahlt. Welche Unzahl von Eindrücken an einem einzigen Tage: Sorgloser Müßiggang und ein unruhiges Erwachen, eine leichte Beschäftigung der Augen und eine angestrengte Arbeit des Geistes, ein Vaudeville im Theater, eine Predigt in der Kirche, der politische Wirbel in den Zeitschriften und in der Kammer, das Händeklatschen in den Auditorien, der erschütternde Donner des Konservatoriumsorchesters, der ätherische Glanz der tanzenden Bühne, der laute Lärm auf den Straßen – welch ein mächtig flutendes Leben für einen fünfundzwanzigjährigen Jüngling! Es gibt keinen herrlicheren Punkt als Paris, und für nichts in der Welt hätte er ein solches Leben hingegeben. Wie angenehm und lustig ist's doch, mitten im Herzen Europas zu leben, wo man fühlt, daß man ein Glied der großen universellen Gemeinschaft ist. Ja, mitunter kam ihm sogar der Gedanke, Italien gänzlich Valet zu sagen und sich für immer in Paris niederzulassen. Italien erschien ihm jetzt wie ein finsterer, mit Schimmel bedeckter Winkel Europas, wo alles Leben und jede Bewegung erstorben war.

So entflohen vier heiße Jahre seines Lebens – vier Jahre von ungeheurer Bedeutung für einen Jüngling – doch am Schlusse dieses Abschnitts erschien ihm gar manches schon nicht in demselben Lichte wie ehemals. Von vielem fühlte er sich enttäuscht. Dasselbe Paris, das unaufhörlich neue Fremde anzog, diese nie erlöschende Leidenschaft der Pariser, machte auf ihn längst nicht mehr den Eindruck wie früher. Er sah, wie diese große Vielseitigkeit und Bewegtheit des Lebens vorüberging, ohne Folgen blieb und in der Seele keinen fruchtbaren Niederschlag hinterließ. In dem Wirbel dieser ewigen siedenden Bewegung und Tätigkeit entdeckte er nun eine furchtbare Untätigkeit und ein schreckliches Vorherrschen des Wortes über die Tat. Er sah, wie jeder Franzose scheinbar nur mit dem erhitzten Kopfe arbeitete, wie diese Lektüre der mächtigen Zeitungsblätter den ganzen Tag in Anspruch nahm und keine Stunde für das praktische Leben übrigließ, wie jeder Franzose in diesem seltsamen Strudel einer von Druckerschwärze beherrschten papierenen Politik erzogen wurde und ohne jede Kenntnis des Standes, dem er angehörte, ohne alle die ihm zukommenden Rechte und Lebensverhältnisse auch in der Praxis kennen gelernt zu haben, sich schon der einen oder andern Partei anschloß, sich all ihre Interessen feurig und leidenschaftlich zu Herzen nahm, und seinen Gegnern heftig entgegentrat, ohne seine Interessen, noch seine Gegner von Angesicht zu kennen – und das Wort *Politik* fing schließlich an, unserem Italiener lebhaften Ekel zu erregen.

In den Bewegungen des Geistes, des Handels … überall und in allem glaubte er nur gewaltsame Anstrengungen und ein ewiges Streben nach neuen Sensationen zu entdecken. Der eine suchte aus allen Kräften dem andern, wenn auch nur für einen Moment, den Rang abzulaufen. Der Kaufmann verwandte sein ganzes Kapital auf die Ausstattung seines Ladens, um die Menge durch seinen

Glanz und seine Pracht anzulocken. Der Buchhandel nahm seine Zuflucht zu allerhand Bildern und Illustrationen, mit denen die Bücher ausgestattet wurden, sowie zu einem luxuriösen Buchschmuck, um hierdurch die erkaltende Aufmerksamkeit wieder auf sich zu lenken: In ihren Romanen und Novellen suchten die Schriftsteller den Leser durch die Seltsamkeit unerhörter Leidenschaften und durch Darstellung häßlicher Ausgeburten der menschlichen Natur zu fesseln. Alles schien sich einem frech und ohne Aufforderung von selbst anzubieten und aufzudrängen wie eine Dirne, die die Männer nachts auf der Straße einzufangen sucht; alles streckte in wildem Wetteifer seine Hand möglichst weit aus wie ein drängender Haufe zudringlicher Bettler. Selbst in der Wissenschaft und in den so durchgeistigten Vorlesungen, deren Wert er unbedingt anerkennen mußte, glaubte er die Absicht herauszufühlen, Vorzüge ans Licht zu stellen, mit ihnen zu prahlen und sich selbst in Szene zu setzen: überall gab es glänzende Episoden, aber dem Ganzen fehlte doch der mächtige, feierliche, erhabene Fluß. Überall das Bestreben, bisher unbeachtete Tatsachen aufzuspüren und ihnen eine ungeheure Bedeutung beizulegen, oft zum Nachteil der Einstimmigkeit und Harmonie des Ganzen, nur um sich den Ruhm einer Entdeckung zu sichern; und schließlich fast durchgängige, dreistes Selbstbewußtsein, dieser völlige Mangel einer Erkenntnis unserer Unwissenheit – und unserem Italiener fiel ein Vers ein, in dem der italienische Dichter Alfieri in einer boshaften Laune den Franzosen den Vorwurf macht:

Tutto fanno, nulla sanno,
Tutto sanno, nulla fanno.
Gira volta son Francesi,
Piu gli pesi, men ti danno.

Eine trübselige Stimmung bemächtigte sich des jungen Fürsten. Vergebens versuchte er es, sich zu zerstreuen und Menschen aufzusuchen, die er achtete, aber seine italienische Natur wollte nicht mit der französischen zusammenstimmen. Er schloß zwar schnell Freundschaften, aber ein Tag genügte, um den Franzosen bis zur letzen Faser seines Wesens kennenzulernen; am nächsten Tage gab es schon nichts mehr an ihm zu erforschen. Weiter als bis zu einer gewissen Tiefe konnte man keine Frage in seine Seele versenken, und die scharfe Klinge des Gedankens wollte nicht weiter eindringen, und doch hatte der Italiener ein viel zu tiefes Gefühl, um eine ihn völlig befriedigende Antwort bei einem leichtsinnig veranlagten Menschen finden zu können. So stieß er auf eine seltsame Leere, selbst in den Herzen derer, denen er seine Achtung nicht versagen konnte. Und er erkannte zuletzt, daß die ganze Nation, bei all ihren glänzenden Eigenschaften, ihrem edlen Streben, ihren ritterlichen Aufwallungen, dennoch etwas Mattes und Unvollkommenes blieb: ein leichtes Vaudeville, das sie selbst geschaffen hatte. Über ihr ruhte keine erhabene Idee von hoher Würde. Überall gab es nur Andeutungen von Gedanken, aber die *eigentlichen* Gedanken fehlten: überall gab es nur halbe und keine ganzen Leidenschaften, alles blieb unvollendet, flüchtig hingeworfen, mit rascher Hand skizziert; die ganze Nation war eine glänzende Vignette, und nicht das Bild eines großen Meisters.

War es nur eine melancholische Stimmung, die ihn plötzlich überfallen hatte und ihn nun alles in einem solchen Lichte sehen ließ, oder lag der Grund dazu in dem wahrhaften, frischen inneren Gefühl der Italiener – genug, dies Paris mit all seinem Lärm und Glanz wurde ihm bald eine drückende Wüste, und unwillkürlich flüchtete er sich bis an die ödesten und entlegensten Enden der Stadt. Nur die italienische Oper besuchte er noch; nur da allein schien seine Seele auszuruhen, und die Klänge der heimatlichen Sprache wuchsen jetzt für ihn bis zu ihrer ganzen Macht und Fülle empor. Immer häufiger sah er jetzt sein ihm fast gänzlich aus dem Gedächtnis entschwundenes Italien vor sich; dort irgendwo in weiter Ferne und in einem eigentümlichen, verlockenden Lichte, sein mahnender Ruf wurde mit jedem Tage deutlicher vernehmbar, und so entschloß er sich denn am Ende, an seinen Vater zu schreiben, er möge ihm erlauben, nach Rom zurückzukehren, da er kein Bedürfnis empfände, länger in Paris zu bleiben. Zwei Monate lang blieb jede Antwort, ja sogar der gewohnte Wechsel aus, den er schon längst zu erwarten hatte. Anfänglich wartete er geduldig, da er den launischen Charakter seines Vaters kannte, endlich aber bemächtigte sich seiner eine gewisse Unruhe. Er ging jede Woche mehrmals zu seinem Bankier und erhielt doch immer nur die gleiche Antwort, daß keinerlei Nachrichten aus Rom eingetroffen seien. Schon war seine Seele der Verzweiflung nahe. Die Mittel zur Bestreitung seines Lebensunterhalts waren schon seit langer Zeit erschöpft, schon hatte er mehrfach beim Bankier eine Anleihe machen müssen, doch auch dies Geld war bereits ausgegeben, und schon lange Zeit aß, frühstückte und lebte er auf Kredit; man begann ihn bereits schief und unfreundlich anzusehen, – aber nicht einmal seine Freunde wollten das geringste von sich hören lassen. Ein Gefühl tiefer Vereinsamung überfiel ihn. Voller Erwartung und Unruhe irrte er durch diese ihm tödliche Langeweile einflößende Stadt. Jetzt im Sommer erschien sie ihm noch weit unerträglicher; die große Menge der Reisenden hatte sich in die Bäder begeben, oder befand sich in den großen europäischen Gasthöfen und unterwegs. Eine gewisse Öde und Leere warf ihre Schatten auf alles. Die Gebäude und Straßen von Paris waren unerträglich; die Gärten verschmachteten elend inmitten der Häuser, auf die die Sonne heiß herniederbrannte. Halbtot blieb er an der Seine auf einer schweren, lastenden Brücke oder am schwülen Ufer stehen und versuchte es, sich selbst zu vergessen, oder sich durch irgendeinen Anblick zu zerstreuen; eine unendliche Langeweile verzehrte ihn, und ein unbekannter Wurm nagte an seinem Herzen. Endlich erbarmte sich das Schicksal seiner – und eines Tages überreichte ihm sein Bankier einen Brief. Es war ein Schreiben seines Onkels, der ihm mitteilte, daß der alte Fürst nicht mehr am Leben sei, und daß er nun kommen könne, um über die Erbschaft zu verfügen; dies erfordere seine persönliche Anwesenheit, weil die Vermögensverhältnisse sich in großer Unordnung befänden. Der Brief enthielt auch noch eine magere Banknote, die gerade dazu reichte, die Reise und den vierten Teil seiner Schulden zu bezahlen. Der junge Fürst wollte keinen Augenblick länger zögern, er wußte den Bankier, wenn auch nicht ohne Mühe, dazu zu bewegen, auf die Bezahlung der Schuld zu warten, und besorgte sich einen Platz im Postwagen. Eine schwere Last schien von seiner Seele genommen zu sein, als Paris in der Ferne vor ihm versank und die frische Luft der Felder ihn anwehte. Zwei Tage darauf war er schon in Marseille; er wollte jedoch nicht eine einzige Stunde ruhen und bestieg noch am selben Abend das Dampfschiff: Er fühlte sich durch das Mittelmeer heimatlich berührt; umspülte es doch die Küsten seines Vaterlandes, und schon beim Anblick seiner unendlichen Wogen fühlte er sich erfrischt. Es ist schwer, die Empfindung zu schildern, die ihn beschlich, als er die erste italienische Stadt – das prachtvolle Genua – erblickte. Doppelt so schön erschienen ihm nun die mächtig emporstrebenden bunten Glockentürme, die schichtweise aus weißem und schwarzem Marmor erbauten Kirchen und das ganze Amphitheater mit den vielen Türmen, das ihn beim Einlaufen des Dampfers plötzlich von allen Seiten umgab. Nie zuvor hatte er Genua gesehen. Diese funkelnde Buntheit der Häuser, Kirchen und Paläste inmitten dieser feinen ätherischen Luft, die in einer fast unbegreiflichen Bläue erstrahlte, – war ganz unvergleichlich. Er stieg ans Ufer und befand sich sogleich in diesen dunklen, wunderbaren, engen, mit Fliesen ausgelegten Straßen, über denen oben nur ein ganz schmaler Spalt blauen Himmels sichtbar war. Dieses dichte Nebeneinander hoher gewaltiger Häuser, dieser Mangel jeden Wagengerassels, diese kleinen dreieckigen Plätze und dazwischen die gewundenen Linien der Straßen, die wie kleine Korridore aussehen und unzählige Läden genuesicher Gold- und Silberschmiede beherbergen, – das alles hatte für ihn etwas Überraschendes. Die malerischen Spitzenmäntel der Frauen, die kaum merklich von dem warmen Siroccowind hin und her bewegt wurden, ihr fester Tritt, der helle Klang der Stimmen auf den Straßen, die offenstehenden Tore der Kirchen, der Weihrauchduft, den sie ausströmten – dies alles wehte ihn an wie ein Hauch aus fernen, längst vergangenen Zeiten. Es fiel ihm ein, daß er schon seit vielen Jahren nicht mehr in der Kirche gewesen war, in der Kirche, die in jenen aufgeklärten Gegenden Europas, wo er geweilt hatte, ihre hohe, reine Bedeutung eingebüßt hatte. Vorsichtig trat er ein und sank stumm neben dem prachtvollen marmornen Säulengang auf die Knie; er betete lange, ohne selbst zu wissen, um was er bat – er dankte Gott dafür, daß Italien ihn wieder in seinen Schoß aufgenommen, daß ihn wieder ein Bedürfnis nach dem Gebet überkommen hatte, daß seine Seele so feierlich gestimmt war …, und das war sicherlich das schönste Gebet. Mit einem Wort, er ließ Genua wie eine wundervolle Station zurück: hier hatte er den ersten Kuß Italiens empfangen. Und mit demselben heiteren Gefühl sah er Livorno, das öde Pisa und das von ihm bisher so wenig gekannte Florenz an sich vorüberziehen. Majestätisch grüßten ihn die schwere fazettierte Kuppel des florentinischen Doms, die dunklen Paläste einer königlichen Architektur und die strenge Größe der kleinen Stadt. Dann ging's weiter über den Appenin, auch hier begleitete ihn dieselbe heitere Seelenstimmung, und als dann endlich nach einer sechstägigen Reise in klarer Ferne auf blauem Himmelsgrunde eine sich herrlich rundende Kuppel aufleuchtete – oh! wieviel Gefühle drängten sich da plötzlich in seiner Brust! Nie hatte er ähnliche gekannt, und er hätte sie auch nicht aussprechen können. Aufmerksam betrachtete er jeden Hügel und jede Erhebung. Und nun waren endlich auch der Ponte Molle und das Stadttor da, jetzt nahm ihn der schönste aller Plätze auf, die Piazza del Popolo; der Monte Pincio mit seinen Terrassen, Treppen, Statuen und den sich oben ergehenden Menschen tauchte auf! Gott! Wie fing da sein Herz an zu pochen! Der Vetturino jagte über den

Corso dahin, auf der der Fürst einst so unschuldig und treuherzig mit dem Abbé spazierengegangen war, als er noch nichts anderes wußte, als daß die lateinische Sprache die Mutter der italienischen sei. Und nun zogen auch wieder alle Häuser an ihm vorbei, an denen er jede Einzelheit auswendig kannte: der Palazzo Ruspoli mit seinem ungeheueren Café, die Piazza Colonna, der Palazzo Sciarrà, der Palazzo Doria, und endlich bogen die Reisenden in die engen Gassen ein, auf die die Ausländer so schimpfen; hier lärmte es nicht von Menschen, und nur selten begegnete man dem Laden eines Barbiers mit ein paar gemalten Lilien über der Tür, oder dem eines Hutmachers, der einen breitkrempigen Kardinalshut vor dem Eingang aufgehängt hatte, oder endlich einem Laden mit geflochtenen Stühlen, die gleich hier am Ort und mitten auf der Straße hergestellt wurden. Endlich machte der Wagen vor einem großartigen Palais im Stil Bramantes halt. In dem kahlen, noch nicht aufgeräumten Flur ließ sich niemand sehen. Auf der Treppe wurde der Ankömmling von dem alten gebrechlichen *Maestro di casa* begrüßt, weil der Portier wie gewöhnlich mit seinem Stab ins Café gegangen war, wo er die meiste Zeit zu verbringen pflegte. Der Alte öffnete eilig die Läden, und allmählich wurde es hell in den gewaltigen altertümlichen Sälen. Ein trauriges Gefühl bemächtigte sich des Fürsten – ein Gefühl, das ein jeder versteht, der nach einer Anwesenheit von mehreren Jahren nach Hause zurückkehrt, wo einem alles soviel älter und verödeter vorkommt, und wo jeder Gegenstand, den wir seit unserer Kindheit kennen, eine so trübselige Sprache redet. Und je heiterer die Erinnerungen sind, die sich an ihn knüpfen, um so drückender ist das Gefühl der Wehmut, das bei seinem Anblick unser Herz ergreift. Der Fürst durchschritt die lange Flucht der Säle, betrat flüchtig das Arbeitszimmer und das Schlafzimmer, wo vor noch gar nicht langer Zeit der alte Besitzer des Schlosses auf einem Bett ruhte, über dem sich ein Baldachin mit Quasten und einem Wappen erhob, und aus dem er gewöhnlich in Pantoffeln und im Schlafrock ins Arbeitszimmer trat, um ein

Glas Eselsmilch zu trinken, da er gern dick werden wollte. Dann besichtigte er das Ankleidezimmer, wo der Alte sich einst mit der peinlichsten Sorgfalt einer alten Kokette geputzt hatte; pflegte er sich doch von hier aus in seinem Wagen, begleitet von seinen Lakaien, zum Corso nach der Villa Borghese zu begeben, wo er seine Lorgnette unaufhörlich auf eine Engländerin richtete, die gleichfalls hier ihre Spazierfahrt machte. Auf den Tischen und in den Schubladen konnte man noch die Reste von Schminke, Puder und allen möglichen Farben finden, mit deren Hilfe sich der Greis zu verjüngen suchte. Der *Maestro di casa* erzählte, er habe noch zwei Wochen vor seinem Tode den festen Entschluß gefaßt, zu heiraten, und hätte sogar ausdrücklich zu diesem Zwecke eine Konsultation mit ausländischen Doktoren abgehalten, um mit diesen zu beraten, wie man wohl *con onore i doveri di marito* erfüllen könne, aber eines schönen Tages sei er nach einem Besuche bei einigen Kardinälen und einem Prior ganz müde nach Hause zurückgekehrt, habe sich in seinen Lehnsessel gesetzt und sei den Tod der Gerechten gestorben, obwohl sein Tod noch seliger gewesen wäre, wenn es ihm nach den Worten des *Maestro di casa* ein paar Minuten früher eingefallen wäre, nach seinem Beichtvater *il padre* Benvenuto zu schicken. Der junge Fürst hörte sich das alles zerstreut an, ohne mit seinen Gedanken bei der Sache zu sein. Nachdem er sich von der Reise und den seltsamen Eindrücken erholt hatte, machte er sich daran, seine Angelegenheiten zu ordnen. Er war erschrokken über die Verwirrung, die hier herrschte. Alles, vom Kleinsten bis zum Größten, befand sich in einem geradezu unmöglichen Durcheinander. Vier nie endenwollende Prozesse wegen einiger verfallener Schlösser und Güter in Ferrara und Neapel, alle Einnahmen schon auf drei Jahre im voraus völlig erschöpft; Schulden und tiefste Armut inmitten von höchstem Prunk und Luxus – das war das Bild, das sich den Augen des Fürsten darbot. Der Alte Fürst war eine unbegreifliche Mischung von Geiz und Verschwendung gewesen. Er hielt sich ein großes Personal von Bedienten, die er nicht bezahlte, die nichts außer ihrer Livree erhielten und sich mit den Trinkgeldern der Ausländer begnügen mußten, die beim Fürsten erschienen, um sich die Galerie anzusehen. Der Fürst hatte Jäger, Offizianten, *Lakaien,* die hinter seinem Wagen herfuhren, und *Lakaien,* die nirgends hinfuhren und nur tagelang in einem nahegelegenen Café oder in einer benachbarten Osteria saßen und schwatzten. Der junge Fürst entließ sofort das ganze Gesindel, all diese Lakaien und Jäger und behielt nur den alten *Maestro di casa;* er hob fast den ganzen Marstall auf, verkaufte alle Pferde, die nie gebraucht worden waren, berief die Rechtsanwälte zu sich, um weitere Beschlüsse über die Prozesse zu fassen, und wußte es so einzurichten, daß von den vier Prozessen nur noch zwei übrigblieben; auf die übrigen Prozesse verzichtete er, da sie ja doch gänzlich aussichtslos waren. Er nahm sich vor, sich von nun ab in allem einzuschränken und in seinem Leben die strengste Ökonomie walten zu lassen. Das wurde ihm nicht sehr schwer, da er sich schon früh gewöhnt hatte, sich einzuschränken. Es wurde ihm auch nicht schwer, dem Verkehr mit seinen Standesgenossen zu entsagen; – übrigens bestand diese ganze Gesellschaft nur aus zwei oder drei aussterbenden Familien, deren Erziehung ganz auf ein paar dürftigen Brocken französischer Bildungselemente beruhte, ferner aus einem reichen Bankier, um den sich ein Kreis von Ausländern scharte, und in ein paar unnahbaren, zugeknöpften, unfreundlichen Kardinälen, die ihr Leben in größter Zurückgezogenheit beim Tresettespiel (einer Art Schafskopf) mit ihrem Kammerdiener oder Barbier verbrachten. Mit einem Wort, er sonderte sich gänzlich von allen Menschen ab, widmete sich ganz dem Studium Roms und erinnerte in dieser Beziehung sogar an die Ausländer, die zunächst durch die unbedeutende schmucklose Außenseite der Stadt mit ihren dunklen fleckigen Häusern überrascht sind und sich, von Gasse zu Gasse irren, erstaunt fragen: Wo ist denn das gewaltige alte Rom? um es erst später wahrhaft kennenzulernen, wenn das antike Rom allmählich aus den engen Gassen hervorzutreten beginnt: hier in Form einer dunklen Arke, dort in Form marmorner, in die Mauer eingelassener Karniese, einer verwitterten Porphyrsäule, eines Giebels inmitten eines übelriechenden Fischmarktes; oder als ein vollständiger Portikus vor einer neueren Kirche, oder endlich ganz abseits und dort weit in der Ferne, wo die bewohnte Stadt ein Ende nimmt: hier wächst es plötzlich aus tausendjährigem Efeulaub und Aloen mitten aus der offenen Ebene in seiner ganzen Größe hervor: als ungeheures Kolosseum, als Triumphpforte, als Ruinen der unübersehbaren Cäsarenpaläste, der kaiserlichen Bäder, der Tempel und Gräberhallen, die auf dem offenen Felde verstreut liegen; jetzt bemerkt der Fremde schon nichts mehr von den neuen engen Straßen und Gassen, ganz umfangen von der antiken Welt; in seiner Erinnerung erstehen die gewaltigen Gestalten der Cäsaren, und sein Ohr glaubt den Schrei und das Beifallsklatschen des alten römischen Volks zu vernehmen.

Aber es ging ihm doch auch wieder nicht so, wie dem Ausländer, der allein für seinen Titus Livius und Tacitus schwärmt, an allem vorübersieht und für nichts Sinn hat, außer für die Antike, und der in einer edlen und pedantischen Aufwallung gern die ganze neue Stadt niederreißen würde – nein, er fand alles gleich schön, die antike Welt, die sich unter dem dunklen Architrav, regte, das gewaltige Mittelalter, das überall die Spuren gigantischer Künstler und einer wunderbaren Freigebigkeit der Päpste hinterlassen hatte, und endlich die an dieses sich anschließende neue Zeit mit ihren zahlreich sich drängenden neuen Völkern. Ihm gefiel diese wunderbare Verschmelzung zu einem Ganzen, dieser Charakter einer dichtbevölkerten Hauptstadt und dieser Charakter einer einsamen Wüste, die sich hier miteinander mischten, diese Paläste und Säulen, dieses Gras und das wilde Gebüsch, das sich an den Mauern dahinzog, der lärmende Markt inmitten dunkler, einsamer, unten verdeckter Massen, das helle Geschrei des Fischhändlers in der Säulenhalle, der Limonadenverkäufer vor dem Pantheon mit seiner fliegenden mit grünem Laub geschmückten Bude; ihm gefiel selbst die Unscheinbarkeit dieser dunklen, unordentlichen Straßen, der Mangel aller hellen, gelben Farben an den Häusern, dieses Idyll inmitten der Stadt, die Ziegenherde, die auf dem Straßenpflaster ausruhte, das Schreien der Kinder und diese reine feierliche Stille, die unsichtbar auf allen Dingen zu liegen schien, und die auch den Menschen umfing. Ihm gefielen diese unaufhörlichen Überraschungen, diese Plötzlichkeiten, die einem in Rom so auffallen. Wie ein Jäger, der am frühen Morgen auf die Jagd geht, oder wie ein alter Ritter, der auf Abenteuer auszieht, so machte er sich jeden Tag auf, um neue und immer neue Wunder aufzusuchen; er blieb unwillkürlich stehen, wenn sich plötzlich inmitten einer ärmlichen Gasse ein Palast vor ihm auftürmte, der eine finstere und strenge Größe atmete. Seine schweren unerschütterlichen Mauern waren aus dunklem Travertin errichtet, seine Spitze krönte ein prachtvolles, wunderbar ausgeschmücktes, kolossales Karnies, die mächtige Tür war mit marmornen Tragbalken ausgelegt, und die Fenster mit ihrem herrlichen architektonischen Schmuck boten einen majestätischen Anblick dar. Oder es blickte ihm plötzlich auf einem kleinen Platz ein malerischer Brunnen entgegen, der sich selbst und seine vom Moos verunstalteten granitenen Stufen mit feuchtem Naß besprengte, oder eine finstere, schmutzige Straße endete plötzlich mit einer glänzenden architektonischen Dekoration eines Bernini, mit einem gen Himmel strebenden Obelisk, mit einer Kirche oder einer Klostermauer mit ihren kohlschwarzen Karniesen, die am dunkelblauen Himmel im Glanze der Sonne aufflammten; je weiter sich die Straßen in die Tiefe verloren, um so häufiger wurden die Paläste und die architektonischen Schöpfungen eines Bramante, Borromini, Sangallo, della Porta, Vignola, Buanarotti, und es wurde ihm endlich klar, wie man nur hier in Italien das Gefühl hat, daß es eine Architektur gibt, und etwas von ihrer strengen künstlerischen Größe ahnt. Aber noch größer war der geistige Genuß, wenn er in das Innere der Kirchen und Paläste trat, wo sich Arken, flache Pfeiler und runde Säulen aus allen möglichen Marmorarten, unterbrochen von blauen Basaltkarniesen, von Porphyr, Gold und antiken Steinen, miteinander zu einer wundervollen Harmonie verbanden, sich einstimmig einem tief durhdachten Plane fügend, und wo sich hoch über dies alles die unsterbliche Schöpfung des Pinsels erhob. Sie waren von einer hohen Schönheit, diese tief durchdachten Ausschmückungen der Säle, voll von einer königlichen Größe und architektonischen Pracht, die sich in diesem fruchtbaren Zeitalter überall ehrfürchtig vor der Malerei zu beugen wußte, als der Künstler noch Architekt, Maler und sogar Bildhauer in einer Person war. Diese mächtigen Schöpfungen des Pinsels, wie sie heute schon nicht mehr vorkommen, ragten in düsterer Größe vor ihm auf den dunklen Mauern, sie, die noch immer aller Nachahmung unerreichbaren, unbegreiflichen Vorbilder. Und wenn er nun in das Innere eines solchen Gebäudes trat und sich immer tiefer in dem Anblick versenkte, dann glaubte er zu fühlen, wie sich sein Geschmack, den im Keim seine Seele schon immer barg, beinahe merklich entwickelte. Wie kleinlich und armselig erschien ihm gegenüber dieser majestätischen, wunderbaren Pracht aller Prunk des 19. Jahrhunderts, der höchstens brauchbar war, Läden auszuschmücken, und der nichts als Möbeltischler, Tapezierer, Zimmerleute, Vergolder und einen ganzen Haufen von Handwerkern hervorgebracht, die Welt der Raffaele, Tiziane und Michelangelos beraubt und die Kunst bis zum Handwerk herabgedrückt hatte! Wie elend erschien ihm jetzt all dieser Luxus, der einen nur beim ersten Blick verblüfft, und den man bald mit Gleichmut betrachtet, angesichts dieses erhabenen Einfalls, seine Mauern mit unsterblichen Gebilden des Pinsels auszuschmücken, dieser wunderbaren Idee der Besitzer jener Paläste – sich einen ewigen Gegenstand des Genusses zu verschaffen in Stunden, wo man von der Arbeit und von den lärmenden Sorgen des Lebens ausruht, sich in einen Winkel zurückzieht, weit abseits von allen Menschen, in ein altertümliches Sofa zurückgelehnt, seinen Blick stumm auf die Wand richtet und mit der Seele tief in die Geheimnisse des Pinsels eindringt, ganz in die Betrachtung der in der Schönheit webenden geistigen Ideen verloren! Denn unendlich erhebt die Kunst den Menschen, indem sie den Regungen unserer Seele eine wunderbare Schönheit und eine hohen Adel verleiht. Wie klein erschien ihm vor dieser unerschütterlichen, fruchtbaren Pracht, die den Menschen mit Gegenständen umgab, die seine Seele mit Bewegung erfüllten und veredelten, der heutige kleinliche Schmuck, wie er alljährlich von der unruhigen Mode ausgespien und wieder zerstört wird, diesem seltsamen, unbegreiflichen Produkt des 19. Jahrhunderts, vor dem sich die Weisen stumm beugen, dieser verheerenden Vernichterin alles dessen, was ungeheuer, erhaben und heilig ist. Wenn er sich derartigen Überlegungen hingab, schoß ihm unwillkürlich der Gedanke durch den Kopf: »Rührt nicht vielleicht daher jene gleichgültige Kälte, die unser gegenwärtiges Zeitalter umfängt, jenes gemeine Geschäftsinteresse und diese vorzeitige Abstumpfung der Sinne, die noch nicht einmal Zeit hatten, zu erwachen und sich zu entwickeln? Man beraubte den Tempel seiner Heiligtümer, und der Tempel ist kein Tempel mehr. Fledermäuse und böse Geister haben ihre Wohnstätte in ihm aufgeschlagen.«

Je tiefer sein Blick in die Dinge eindrang, um so mehr überraschte ihn die ungewöhnliche Fruchtbarkeit jenes Zeitalters, und unwillkürlich mußte er ausrufen: »Wie und wann vermochten sie nur all dies zu erschaffen?« Dieser wunderbare Charakter, der Rom auszeichnete, wuchs für ihn mit jedem Tag zu immer mächtigere Größe empor. Eine Galerie neben der andern, und immer noch wollten sie kein Ende nehmen. Dort jene Kirche barg irgendein Wunderwerk des Pinsels, dort jene verwitternde Mauer entzückte den Blick durch eine Freske, deren Farben bereits zu erlöschen drohten, und dort auf den hoch emporgetürmten Marmorblöcken und Säulen, die aus alten heidnischen Tempeln hierhergebracht worden waren, leuchtete einem ein von einem unsterblichen Pinsel ausgeschmückter Plafond entgegen. Das alles glich einer tief verborgenen Goldader, die mit gewöhnlicher Erde bedeckt und nur dem Bergmann allein bekannt war. Wie voll war seine Seele jedesmal, wenn er den Heimweg antrat, und wie verschieden war dieses von ruhiger, feierlicher Stille erfüllte Gefühl von jenen unruhigen Eindrücken, mit denen Paris seine Seele so sinnlos bestürmt hatte, wenn er dort müde und abgespannt nach Hause zurückkehrte und nur selten fähig war, sich über das Ergebnis dieser Empfindungen Rechenschaft abzulegen.

Jetzt erschien ihm die unscheinbare und dunkle Außenseite Roms, über die die Ausländer so sehr klagen, noch mehr zu diesen inneren Schätzen der Stadt zu stimmen. Es wäre ihm geradezu peinlich gewesen, nach alledem auf ein moderne Straße mit ihren prunkvollen Läden, den stutzerhaft gekleideten Menschen und den eleganten Equipagen hinauszutreten: dies wäre ihm fast wie eine unheilige Zerstreuung, ja, wie eine Tempelschändung vorgekommen. Diese bescheidene Stille, dieser eigentümliche Charakter der römischen Bevölkerung, dieser Schatten des 18. Jahrhunderts, der noch in Form eines schwarzen Abbés in einem Dreimaster mit schwarzen Stümpfen und Schuhen oder eines pupurnen altertümlichen Kardinalwagens mit seinen vergoldeten Achsen, Rädern, Karniesen und Wappen durch die Straßen huschte, gefiel ihm weit besser, denn dies alles stimmte so gut mit der Gravität und Würde Roms überein: dieses lebendige, nie hastende Volk, das ruhig und malerisch durch die Straßen schritt, den Mantel über den Arm geschlagen oder die Jacke über der Schulter, ohne jenen schwerfälligen Ausdruck in den Gesichtern, der ihm bei den blauen Blusenträgern und überhaupt an der ganzen Bevölkerung von Paris aufgefallen war.

Hier erschien selbst die Armut in einem heiteren Lichte, sorglos und unbekannt mit Qualen und Tränen streckte sie unbefangen und schön ihre Hand aus; hier wirkte alles anmutig und heiter: die malerischen Regimenter von Mönchen, die in langen weißen und schwarzen Kleidern über die Straßen gingen, ein schmutziger rothaariger Kapuziner, der plötzlich in seinem hellen kamelfarbenen

Kleide in der Sonne aufleuchtete, endlich dieses ganze Künstlervolk, das sich hier aus allen Weltgegenden zusammenfand, die engen Fetzen europäischer Kleidung fortwarf und in freien, malerischen Kostümen einherging, die würdigen majestätischen Bärte, wie wir sie auf den Porträts Leonardo da Vincis und Tizians finden, und die so wenig Ähnlichkeit mit dem häßlichen, schmalen Bärtchen haben, das sich der Franzose zurechtschneidet und dann fünfmal im Monat stutzen lassen muß. Hier bekam der Künstler ein Gefühl für das lange wallende Haar, das er sich in dichten Locken herunterfallen ließ. Hier erhielt selbst der Deutsche mit seinen krummen Beinen und seinem ungegliederten Körperbau einen bedeutenden Ausdruck, ließ sich seine goldenen Locken über die Schultern fallen und kleidete sich in eine leicht gefaltete griechische Bluse oder einen Samtrock, wie er unter dem Namen Cinquecento bekannt ist und wie ihn nur die Künstler in Rom tragen. Auf ihren Gesichtern lagen die Spuren einer strengen Ruhe und einer friedlichen Arbeit. Selbst die Gespräche und Meinungsäußerungen, die man auf den Straßen, in den Cafés, in den Osterien vernahm, hatten keine Ähnlichkeit mit denen, die der Fürst in den anderen Straßen Europas gehört hatte, ja, sie waren ihnen geradezu entgegengesetzt. Hier hörte man nichts von gefallenen Fonds, von Kammerdebatten oder von der spanischen Frage. Hier sprach man nur von einer neuerdings entdeckten antiken Statue, von der Kraft des Pinsels der großen Meister, hier stritt man sich und diskutierte über das neu ausgestellte Werk eines modernen Künstlers und über Volksfeste, oder man hörte hier Reden, in denen der Mensch sein Inneres preisgab, Reden, die in Europa durch langweilige Salongespräche und politische Unterhaltungen verdrängt sind, die jeden beseelten Ausdruck aus den Gesichtern vertrieben haben.

Oft verließ er die Stadt, um sich in der Umgegend umzusehen, und dann setzten ihn neue Wunder in Erstaunen. Wie herrlich waren diese stummen Wüsteneien der römischen Felder, die, mit Ruinen antiker Tempel übersät, sich ringsherum mit unbeschreiblicher

Ruhe vor ihm ausdehnten. Bald ließ die dichte Decke gelber Blüten sie ganz wie in Gold getaucht erscheinen, bald wieder ließen die roten Blüten wilden Mohns sie aufglühen wie eine neuentfachte Kohle. In vier verschiedenen Richtungen bot sich ein vierfacher wunderbarer Anblick dar. Auf der einen Seite flossen die Felder unmittelbar in einer scharfen ebenen Linie mit dem Horizont zusammen. Die Arkaden der Wasserleitungen schienen in der Luft zu schweben und gleichsam auf den glänzenden silbernen Himmel aufgeklebt zu sein. Auf der andern Seite sah man hinter den Feldern die Berge hindurchschimmern. Sie türmten sich nicht wild und jäh aus der Ebene empor wie in Tirol oder in der Schweiz, sondern schienen sich in harmonischen fließenden Linien, sich hebend und senkend und umstrahlt von der herrlichen Klarheit der Luft, zum Himmel emporfliegen zu wollen. An ihrem Fuße zog sich eine lange Arkade von Wasserwerken gleich einem langgestreckten Fundament dahin, der Gipfel der Berge glich der luftigen Fortsetzung eines wunderbaren Gebäudes, und die Farbe des Himmels war hier schon nicht mehr silbern, sondern hatte jenen unbeschreiblichen Ton des jungen Flieders. In einer dritten Richtung wurden diese Felder gleichfalls durch Berge begrenzt, aber hier traten sie näher an sie heran, türmten sich höher empor, traten mit ihren Vorderreihen noch stärker hervor und verschwanden in sanften Abstufungen in der Ferne. Die dünne, blaue Luft ließ ihre Farben wunderbar abgetönt erscheinen, und durch diese blaue, ätherische Hülle hindurch sah man die Häuser und Villen von Frascati kaum merklich durchschimmern, hier leise und sanft berührt von den Strahlen der Sonne, dort untertauchend in dem Helldunkel kaum erkennbarer Haine, die in der Ferne erglühten. Aber wenn man sich plötzlich umdrehte, dann lag mit einemmal ein neues Bild vor einem. Die Felder gingen unmittelbar in die Stadt Rom über. Die Ecken und die Linien der Häuser zeichneten sich scharf und klar ab, in scharfen Konturen rundeten sich die Kuppeln, die Statuen des lateranischen Johann und die majestätische Kuppel der

Peterskirche, die immer höher und höher emporstrebte, je mehr man sich von ihr entfernte, und die ganze Stadt bereits verschwunden war. Noch mehr aber liebte er es, diese Felder während eines Sonnenunterganges von der Terrasse einer der Villen von Frascati oder Albano zu betrachten. Dann erschienen sie wie ein unübersehbares Meer, das hinter dem dunklen Gitter der Terrasse erglänzte und aufstieg. Alle Unebenheiten und Linien verschwanden in dem sie umspielenden Lichte. Anfangs erschienen sie noch grünlich, und hie und da erkannte man noch die Arkaden und Grabmäler, die auf ihnen verstreut waren, dann aber spielten sie plötzlich in regenbogenfarbenem Lichte, in hellen, durchscheinenden, gelben Tönen, und kaum noch konnte man die Ruinen der antiken Baudenkmäler erkennen. Endlich aber färbten sie sich in immer tieferen Purpur, verschlangen selbst die unendliche Kuppel und flossen in ein dunkles Himbeerrot zusammen, und nur noch der in der Ferne glänzende goldenen Streifen des Meeres trennte sie von dem Horizont, der ebenso purpurrot dalag wie sie. Niemals aber hatte er gesehen, daß die Felder gleich dem Himmel wie in Flammen getaucht waren. Lange stand er, ganz erfüllt von einer unbeschreiblichen Wonne, in diesen Anblick versunken, da, und dann hatte er wieder alles vergessen, selbst sein Entzücken. Und wenn dann auch die Sonne untergegangen war, der Horizont schnell erlosch und sich noch schneller, ja beinahe plötzlich die Felder verdunkelten, wenn dann der Abend sein finsteres Antlitz zeigte, Leuchtkäfer in feurigen Fontänen über den Ruinen emporschwirrten, und jenes plumpe geflügelte Insekt, das aufrecht herangeflogen kommt wie ein Mensch und unter dem Namen Teufel bekannt ist, ihm plötzlich sinnlos ins Auge flog, dann erst merkte er, daß die Kälte der südlichen Nächte bereits herabgesunken war und ihn ganz durchschüttelte, und er beeilte sich, in die Straßen der Stadt zu kommen, um nicht an dem Fieber das hier im Süden weit verbreitet ist, zu erkranken.

So floß sein Leben in dem Genuß der Natur, der Künste und der

Antike dahin. Bei dieser Lebensweise erfaßte ihn plötzlich stärker als je der Wunsch, sich tiefer in die Geschichte Italiens zu versenken, die er bisher nur fragmentarisch und in einzelnen Episoden kennen gelernt hatte. Ohne dies wäre ihm die Gegenwart unvollständig und unvollkommen erschienen, und so machte er sich gierig daran, die Archive, die Chroniken und Memoiren zu studieren. Er konnte sie jetzt nicht bloß so lesen, wie irgendein Italiener, der ewig in der Stube hockt, sich mit Leib und Seele in die beschriebenen Vorgänge versenkt und über der großen Zahl der Personen und der Ereignisse, die sich um ihn drängen, die große Masse, das Ganze aus den Augen verliert – er konnte jetzt alles ruhig überschauen, wie aus einem Fenster des Vatikans. Sein Aufenthalt außerhalb Italiens inmitten des Lärms und der Bewegung tätiger Völker und Staaten diente ihm als strenge Prüfung und Probe bei allen Schlüssen und Folgerungen, und verlieh seinem Auge eine reiche Vielseitigkeit und einen allumfassenden Blick. Wenn er jetzt in den Geschichtsbüchern las, war er noch mehr und ohne alle Voreingenommenheit überrascht von der Größe und dem Glanz der italienischen Vergangenheit. Er war ganz erstaunt über die schnelle und vielseitige Entwicklung des Menschen auf einem so schmalen, eng begrenzten Fleckchen Erde, durch die mächtige und kraftvolle Regsamkeit aller Kräfte. Er sah, wie hier der Mensch in voller Tätigkeit war, wie jede Stadt ihre eigene Sprache sprach und ihre große Geschichte besaß, die ganze Bände ausfüllte, und wie hier mit einem Schlage alle Arten und Gestalten des bürgerlichen Lebens und der Regierungsformen entsprangen: Ewig bewegte Republiken voll starker, unbotmäßiger Charaktere, und mitten unter ihnen – allmächtige Despoten, eine ganze Stadt voll königlicher Kaufleute, von geheimen Fäden der Regierung umsponnen unter der monarchischen Scheingewalt des einen Dogen; die Fremden, die herbeigerufen worden waren und nun inmitten der einheimischen Bewohner lebte, die starken Zusammenstöße und Abwehrmaßnahmen im Schoße eines unbedeutenden Städtchens, der fast märchenhafte Glanz der Herzöge und Monarchen winziger Länder, alle die Mäzene, Protektoren und Inquisitoren, diese ganze Reihe großer Männer, die um ein und dieselbe Zeit zusammentrafen, die Lyra, der Zirkel, das Schwert und die Palette, diese Tempel, die mitten im Streit, im Kampf und während mächtiger Unruhen errichtet wurden, diese Feindschaften, die Blutrache, diese Züge von Großmut und diese ganze Masse romantischer Ereignisse im bürgerlichen Leben, mitten im Wirbel des politischen, gesellschaftlichen Daseins, und das wundersame Band, das sich um dies alles schlang; eine so erstaunliche Entfaltung aller Seiten des politischen und bürgerlichen Lebens, ein solches Erwachen aller menschlichen Elemente in einem so engen Bezirk, die an andern Orten immer nur in Bruchstücken und auf großen Flächen zur Darstellung kamen! – Und das alles war plötzlich verschwunden, plötzlich dahin, alles war erloschen, wie erkaltete Lava, und von Europa selbst aus seinem Gedächtnis getilgt wie ein alter, unnützer Plunder.

Nirgends, nicht einmal in den Journalen, zeigt uns das arme Italien noch seine des Diadems beraubte Stirn; mit seiner politischen Bedeutung hat es jeden Einfluß auf die Welt verloren.

»Wie aber«, dachte er, »wird denn sein Ruhm nie wieder auferstehen? Gibt es denn gar kein Mittel, ihm seinen entschwundenen Glanz wiederzugeben?« Und er gedachte der Zeit, als er noch als Student der Universität, als er in Lucca von der Zurückführung der ruhmreichen Vergangenheit geträumt hatte; er erinnerte sich, wie dies der liebste Gedanke der italienischen Jugend gewesen war und wie sie gutmütig und treuherzig beim vollen Becher davon geschwärmt hatten. Und nun mußte er erkennen, wie kurzsichtig diese jungen Leute gewesen waren, und wie kurzsichtig die Politiker sind, die dem Volke Trägheit und Sorglosigkeit vorwerfen. Und eine dunkle Ahnung des mächtigen Fingers, vor dem der Mensch verstummt und sich demütig beugt, des mächtigen Fingers, der den Weltereignissen ihr Ziel und ihren Gang vorschreibt, bemächtigte sich seiner und erfüllte sein Gemüt mit Staunen und

Ehrfurcht. Aus dem Schoße Italiens hatte Er den armen, von seinem eigenen Heimatlande verfolgten Genuesen emporsteigen lassen, der allein sein ganzes Vaterland zugrunde richten sollte, indem er ein neues, unbekanntes Land und neue, weite Seewege entdeckte. Der Horizont der Welt erweiterte sich; das Leben Europas erhielt einen mächtigen Schwung und ward erfüllt von lebhafter Bewegung. Schiffe begannen die Welt zu umsegeln und befreiten die mächtigen Kräfte des Nordens. Das Mittelmeer verödete, und wie das versandende Bett eines Flusses versandete Italien, das in dem Wettstreit zurückgeblieben war. Noch steht Venedig, noch spiegeln sich seine erloschenen Paläste in den Wellen des Adriatischen Meeres, und ein herzzerreißender Schmerz erfüllt die Seele des Fremden, wenn der Gondelführer gebeugten Hauptes an den kahlen Mauern und zerstörten Brüstungen stummer marmorner Balkone mit ihm vorrüberrudert. Stumm liegt Ferrara da und schreckt uns mit dem drohend finstern Anblick seines herzoglichen Schlosses. Traurig und öde stehen in ganz Italien die gebeugten Türme und die architektonischen Wunder inmitten einer Generation, die gleichgültig zu ihnen emporsieht. Laut schallt das Echo durch die einst so lebhaften Straßen, und der ärmlich Betturino hält vor einer schmutzigen Osteria, die sich in einem prunkvollen Schloß angesiedelt hat. Im härenen Bußkleid des Bettlers wandelt das heutige Italien einher, und wie staubige Lumpen hängen an ihm die Fetzen seines verblichenen Königsmantels.

In einer Aufwallung tiefen Seelenschmerzes hätte er mitunter sogar Tränen vergießen können. Aber dann bemächtigte sich seiner von selbst ein großer, trostreicher Gedanke, und ein höheres Ahnungsvermögen gab ihm die Gewißheit, daß Italien noch nicht gestorben sei, daß die Spuren seiner ewigen, unerschütterlichen Macht über die ganze Welt sich noch fühlbar machten, daß sein gewaltiger Genius ewig über dem Lande schwebt, er, der von Anbeginn das Schicksal Europas in seinen Busen gelegt hatte, der das Kreuz in die finsteren europäischen Wälder trug, der mit dem

Bootshaken der bürgerlichen Ordnung den an ihren fernen Grenzen hausenden halbwilden Menschen an sich zog, der die Glut des Verkehrs und des Welthandels entfachte, die Listen der Politik und das verwickelte Federwerk der bürgerlichen Verhältnisse spielen ließ, all seine geistigen Kräfte glanzvoll entfaltete, seine Stirn mit dem heiligen Kranze der Poesie umwand, und als der *politische* Einfluß Italiens bereits zu schwinden begann, die Welt mit herrlichen Wundern erfüllte: Mit Kunstwerken, die den Menschen mit nie geahnten Genüssen und göttlichen Gefühlen beschenkten, wie sie bisher noch nie den Schächten seiner Seele entstiegen waren. Und als nun auch das Jahrhundert der Kunst zur Neige ging und die ganz von ihren Rechnungen und Geschäften in Anspruch genommenen Menschen für sie erkaltete, da schwebt er über der Welt und wird er getragen von den klagenden Seufzern der Musik, und an den Ufern der Seine, an der Newa, an der Themse, an der Moskwa, am Mittelmeer und am Schwarzen Meer, an den Küsten Algeriens und auf fernen, vor kurzem noch halbbarbarischen Inseln ertönt begeisterter Beifall zum Preise der unser Ohr mit Wohllaut erfüllenden Sänger. Und endlich beherrscht er selbst durch sein ehrwürdiges Alter und als Bild des Verfalls und der Verwesung noch drohend die Welt: Diese erhabenen architektonischen Wunder blieben uns erhalten wie ein mahnender Schatten, als ein ewiger Vorwurf, um Europa seinen kleinlichen chinesischen Luxus und seine kindliche, spielerische geistige Zersplitterung entgegenzuhalten. Dieser ganze Haufen untergegangener Welten, die sich in wunderbarer Weise mischten mit der ewig blühenden Natur – das alles existiert nur zu dem Zweck, um die Welt aufzurütteln, um den Bewohner des Nordens zuweilen wie im Traum diesen Süden sehen zu lassen, es existiert nur, damit der Gedanke an ihn den Nordländer aus dem kalten Leben und all der Geschäftigkeit, die die Seele verhärtet und erstarren läßt, herausreiße und über sich emporhebe, indem sich plötzlich ein leuchtender, den Menschen weit mit sich forttragender Ausblick vor ihm auftut, ihm eine coliseische, mondbeglänzte Nacht, das in Schönheit sterbende Venedig, ein unsichtbares Leuchten des Himmels und das warme Gekose der herrlichen Luft vorzaubert – auf daß er wenigstens *einmal* in seinem Leben ein *schöner Mensch* sei.

In einem solchen feierlichen Augenblick söhnte er sich mit dem Niedergang und Verfall seines Vaterlandes aus, und nun glaubte er, überall Keime des ewigen Lebens und einer besseren Zukunft zu erblicken, die uns der ewige Schöpfer der Welt unablässig bereitet, in solchen Augenblicken dachte er auch häufig über die Bedeutung des römischen Volkes für die Gegenwart nach; und es schien ihm, als ob hier noch ein ganz unverbrauchtes Material vorliege. In den Epochen des Glanzes hatte es auch nicht ein *einziges* Mal eine bedeutende Rolle gespielt; nur die Päpste und die adligen Familien hatten ihre Namen ins Buch der Geschichte eingezeichnet, das Volk aber war unbeachtet geblieben. Das Spiel der Interessen in ihm und um es herum hatte nicht in seinen Kreis eingegriffen und es mit sich fortgerissen; noch war es unberührt von jeglicher Bildung geblieben, die wie ein Sturmwind die in ihm schlummernden Kräfte aufgerüttelt hätte. Etwas von kindlicher Güte und Vornehmheit lag in seiner Natur. Dieser Stolz auf den römischen Namen, der Grund, weshalb ein großer Teil der Bürger, die sich für Nachkommen der alten Quiriten hielten, nie eine eheliche Verbindung mit anderen Bevölkerungsklassen einging, dieser aus Gutmütigkeit und Leidenschaft gemischte Charakter, ein Beweis für seine Schönheit und Reinheit (der Römer vergißt nie das Gute oder Böse, das ihm angetan wird; er ist entweder gut oder böse, verschwenderisch oder geizig, seine Laster und Tugenden ruhen noch getrennt in ihren ursprünglichen Schächten und stellen noch nicht jenes unbestimmte Gemenge dar, wie beim Menschen unserer Zivilisation, der alle möglichen Leidenschaften, jedoch jede nur in ganz geringen Dosen, besitzt, und bei dem sie alle unter der Oberherrschaft des Egoismus stehen); diese Unmäßigkeit und diese Neigung, aus dem Vollen zu genießen – ein allgemein verbreiteter

Zug bei allen starken Völkern –, das alles wurde für ihn von großer Bedeutung. Und dann diese strahlende, ungekünstelte Heiterkeit, wie wir sie heute bei kaum einem andern Volke finden; überall, wo der Fürst hingekommen war, hatte er den Eindruck gewonnen, als mache man mühsame Anstrengungen, das Volk zu *zerstreuen* und zu unterhalten; hier dagegen unterhielt es sich selbst, hier wollte es selbst an allem mit teilnehmen; während des Karnevals war es kaum zu zügeln; alles, was es sich im Laufe eines Jahres zurückgelegt hatte, war es bereit, in diesen einundeinhalb Wochen wieder durchzubringen; für ein Kostüm konnte es sein ganzes Geld ausgeben; der einfache Mann verkleidet sich als Bajazzo, als Weib, als Poet, als Doktor oder Graf, schwatzt euch allerhand törichtes Zeug vor oder hält euch wohl gar eine Vorlesung, ob ihr nun zuhört oder nicht – und diese Fröhlichkeit ergreift alle miteinander wie ein Wirbel, vom vierzigjährigen Mann bis zum jüngsten Burschen, der letzte Bettler, der nichts anzuziehen hat, wendet seinen Kittel, schwärzt sich sein Gesicht mit Kohle, schließt sich dem bunten Haufen an und läuft mit. Und diese Heiterkeit entspringt ganz einfach seiner Natur, sie ist kein Produkt des Rausches, denn dasselbe Volk pfeift einen Betrunkenen aus, wenn es ihm auf der Straße begegnet. Und dann – diese Züge eines angeborenen künstlerischen Instinkts und Gefühls! Hatte doch einmal in Gegenwart des Fürsten eine einfache Frau einen Künstler auf einen Fehler in seinem Gemälde aufmerksam gemacht; er sah, wie dieses Gefühl sich in der malerischen Kleidung und in dem Schmuck der Kirchen ausprägte, sah, wie das Volk in *Gensano* die Straßen mit Blumenteppichen bedeckte, wie die vielfarbigen Blumenblätter sich zu bunten Flecken und Schatten verwandelten und auf dem Pflaster zu allerhand Figuren gruppierten – zu dem Wappen eines Kardinals, zum Bilde des Papstes, zu einem Namenszug, zu Vögeln, Tieren und verschieden gestalteten Arabesken; er sah, wie die Eßwarenhändler, die Pizzicaruoli, am Abend vor Ostersonntag ihre Läden ausschmückten: Die Schinken, die Würste, die weißen

Schweinsblasen, die Zitronen und allerhand Blätter ordneten sich zu einem bunten Mosaik zusammen, das einen *Plafond* darstellte. Die zylindrischen Parmesankäse und andere Käsesorten bildeten ganze Säulenreihen, indem sie sich übereinander türmten; Talgkerzen gruppierten sich zu dem mosaikartigen Gewebe eines Vorhanges, der die inneren Wände schmückte; da sah man ganze Statuen und historische Gruppen, die einen christlichen oder biblischen Stoff darstellten, aus schneeweißem Talg gegossen, den der erstaunte Beschauer für Alabaster halten mußte – der ganze Boden verwandelte sich in einen heiteren Tempel, in dem vergoldete Sterne erstrahlten, der von kunstvoll aufgehängten *Ampeln* erleuchtet wurde und in dessen Spiegelscheiben sich zahllose Haufen von Ostereiern spiegelten. Zu alledem ist ein gewisser Geschmack erforderlich, und der Pizzicaruolo machte das nicht, weil es ihm etwas einbrachte, sondern nur, um andere und sich selbst an diesem Anblick zu erfreuen. Und endlich war dies ein Volk, das sich seiner eigenen Würde bewußt war: Hier bildete es das Volk, *il popolo,* und nicht den gemeinen Pöbel; es war sich bewußt, die wahren Urelemente des ersten Quiritenzeitalters in sich zu tragen; nicht einmal die fremden Reisenden, diese Verführer, die die Korruption in die müßig dahinlebenden Völker tragen, – brachten es fertig, dies Volk zu verderben, obwohl sich freilich infolge der Überflutung mit fremden Gästen die Gasthäuser und die Landstraßen mit einer Klasse von verächtlichen Leuten bevölkern, nach denen sich der Reisende häufig ein Urteil über das ganze Volk bildet. Sogar die Torheit der Regierungsmaßnahmen, dieser zusammenhanglose Haufen aller möglichen Gesetze, die zu den verschiedensten Zeiten und unter ganz verschiedenartigen Verhältnissen entstanden waren, und noch bis heute nicht wieder aufgehoben sind, unter denen es sogar Edikte gibt, die aus der alten römischen Republik stammen, selbst sie haben es nicht vermocht, in diesem Volke das hohe Rechtsbewußtsein zu entwurzeln. Es verfolgt den unehrlichen Gläubiger mit seinem Tadel, begleitet den Leichenzug der Verstorbenen mit Pfeifen und spannt sich großmütig vor den Leichenwagen, der den Körper eines vom Volke geliebten Mannes mit sich führt. Selbst das Betragen der Geistlichkeit, das häufig Ärgernis erregen könnte und in andern Ländern Sittenlosigkeit und Korruption zur Folge haben würde, scheint keinen Eindruck auf das Volk zu machen: Denn es versteht die Religion von ihren heuchlerischen Dienern zu unterscheiden und ist noch nicht angekränkelt von dem kalten Geist des Unglaubens. Und schließlich haben es selbst die Not und die Armut, diese unvermeidlichen Begleiterscheinungen eines stagnierenden Staates, nie zu finsteren Übeltaten verleitet: Dieses Volk bleibt immer heiter, erträgt alles mit Ruhe, und nur in Romanen und Erzählungen lesen wir von Mordtaten und Messerstechereien auf den Straßen. Aus diesen Zügen ersah der Fürst, daß er es hier mit einem starken, noch unberührten Volke zu tun hatte, dem sich offenbar in der Zukunft noch ein großes Feld der Betätigung eröffnen mußte. Die europäische Bildung hatte es, wie es schien, mit Absicht übergangen und keine ihrer Vollkommenheiten in seinen Busen Wurzeln schlagen lassen. Selbst die geistliche Herrschaft, dieses seltene Schattengebilde, das sich aus einer vergangenen Zeit herübergerettet hatte, hatte sich gleichsam nur zu dem Zwecke erhalten, um die Nation vor fremden Einflüssen zu behüten, damit keiner der ehrgeizigen Nachbarn sich an ihr vergreife, und damit ihr stolzes Volkstum in stiller Einsamkeit warten könne, bis ihre Stunde kommen werde. Und dennoch hatte man hier in Rom nicht den Eindruck der Totenstarre; selbst diese Ruinen und die prunkvolle Armut strömten nichts von jener peinigenden, bohrenden, qualvollen Stimmung aus, die uns bei der Betrachtung der Überreste einer bei lebendigem Leibe verwesenden Nation befällt. Hier war man von dem entgegengesetzten Gefühl beherrscht: von einer heiteren, feierlichen Ruhe. Und jedesmal, wenn der Fürst an dies alles dachte, versank er unwillkürlich in Sinnen, und es schien ihm, als läge eine seltsame, geheimnisvolle Bedeutung in dem Worte: »Das ewige Rom.«

Die Folge davon war, daß er sich mit immer größerem Eifer dem Studium seines Volkes hingab. Er beobachtete es auf den Straßen und in den Cafés, von denen jedes sein eigenes Publikum hatte; in dem einen verkehrten die Antiquare, in einem andern die Jäger und die Schützen, in einem dritten die Bedienten der Kardinäle, in einem vierten die Künstler, in einem fünften die ganze römische Jugend und die römischen Dandys. Er beobachtete es in den Osterien, in den echten römischen Osterien, in die sich nie ein Fremder verirrt, wo sich ein römischer *Nobile* zuweilen neben einem *Minente* niederläßt, und wo an heißen Tagen alle Anwesenden ihre Röcke und Krawatten ablegen; oder er besuchte eine jener kleineren, ärmlichen aber malerischen Vorstadtschenken mit ihren luftigen Fenstern ohne Glasscheiben, wo die Römer mit ihren Familien oder in zahlreicher Gesellschaft einkehrten, um dort zu Mittag zu essen oder, wie sie sich ausdrückten, *per far allegria.* Er ließ sich neben ihnen am Tische nieder, speiste mit ihnen zu Mittag und beteiligte sich an ihren Unterhaltungen, immer wieder erstaunt über ihren schlichten, gesunden Menschenverstand und über die Lebhaftigkeit und Originalität, mit der diese ungebildeten Leute zu erzählen verstanden. Die beste Gelegenheit jedoch, sie kennenzulernen, bot sich ihm während der Zeremonien und Festlichkeiten, wenn die ganze Bevölkerung Roms plötzlich an der Oberfläche erscheint und eine schier unendliche Menge holder Schönheiten vor einem auftauchen, von deren Existenz man bisher keine Ahnung hatte, und wie man ihnen nur noch auf den Basreliefs und in den Anthologien der Alten begegnet. Diese großen, tiefen Augen, diese Alabasterschultern, diese pechschwarzen Haare, die sich in tausendfältigen Formen ums Haupt schlingen oder auf die Schultern herabfallen, malerisch durchbohrt von einem goldenen Pfeil, diese Hände, dieser stolze Gang – dies alles erinnerte ihn an die ernste, klassische Schönheit, und hatte nichts gemein mit dem leichtsinnigen Reiz graziöser Frauen. Hier glichen die Frauen mehr den Bauten Italiens: Sie glichen entweder Palästen oder ärmlichen

Hütten, sie waren entweder vollendete Schönheiten oder ganz häßlich; die Mittelmäßigkeit war hier überhaupt nicht vertreten, *hübsche* Frauen gab es hier nicht. Und er genoß ihren Anblick, wie er die Verse einer herrlichen Dichtung genoß, deren Schönheit sich noch weit über die der andern erhebt, und die in der Seele einen kühlen, erfrischenden Schauer hervorrufen.

Allein, bald gesellte sich zu all diesen Genüssen ein Gefühl, das all den anderen den Krieg erklärte – ein Gefühl, das die mächtigsten Leidenschaften aus ihrem geistigen Schlummer erweckte, Leidenschaften, die sich in demokratischer Rebellion gegen die hohe Seeleneinheit auflehnten: er erblickte Anunziata. Und so sind wir denn endlich bei dem hehren Bildnis angelangt, das sein helles Licht über den Anfang unserer Erzählung verbreitete.

Es war zur Zeit des Karnevals. »Heute gehe ich nicht zum Corso«, sagte der Principe zu seinem *Maestro di casa,* während er aus dem Hause trat, »der Karneval fängt an, mich zu langweilen; ich finde die Gartenfeste und die Aufzüge, wie sie im Sommer stattfinden, viel schöner.«

»Ja, ist denn das ein Karneval?« versetzte der Alte. »Das ist ein Karneval für Kinder. Ich erinnere mich eines Karnevals! Da sah man auf dem ganzen Corso auch nicht einen Wagen, und auf den Straßen gab's die ganze Nacht Musik; die Maler, die Architekten und die Bildhauer stellten ganze Gruppen und veranstalteten große Aufführungen, und das Volk – der Herr Fürst verstehen doch – das *ganze* Volk, alle – alle Vergolder, Rahmenbauer, Mosaikleger, sämtliche schönen Frauen, die ganze Signoria und alle Nobili – sie alle, alle … machten mit … *o quanta allegria!* Das war ein richtiger Karneval. Aber heutzutage, was ist denn das für ein Karneval! Ach! …« sagte der Alte, zuckte die Achseln, und dann sagte er noch einmal »Ach!«, zuckte nochmals die Achseln und fügte schließlich hinzu: *»E' una porcheria!«* – Der *Maestro di casa* unterstützte seinen Ausruf in einer lebhaften Auffwallung seines Temperaments mit einer äußerst kräftigen Geste, beruhigte sich aber sogleich wieder, als er bemerkte, daß der Fürst schon längst nicht mehr vor ihm stand, sondern sich schon lange auf der Straße befand. Da er keine Lust hatte, sich am Karneval zu beteiligen, hatte er weder eine Maske mitgenommen, noch auch ein Drahtnetz vors Gesicht gelegt. Er hüllte sich tief in seinen Mantel und wollte sich über den Corso nach dem andern Stadtteil begeben. Aber das Menschengewühl war zu groß. Er drängte sich zwischen zwei Menschen hindurch, wobei ihm eine Ladung Mehl auf den Kopf geschüttet wurde; ein bunter Harlekin schlug ihm, während er mit seiner Kolombine an ihm vorbeistürmte, mit seine Knarre auf die Schulter, von allen Seiten flogen ihm *»confetti«* und Blumensträuße ins Gesicht, von beiden Seiten flüsterte ihm jemand ins Ohr, von rechts ein Graf, von links ein Arzt, der ihm eine lange Vorlesung über den Inhalt seines Blinddarmes hielt. Es war völlig unmöglich, zwischen all den Menschen hindurchzukommen, denn die Volksmenge wuchs immer mehr an, und die lange Kette der Wagen machte halt, da sie nicht mehr vorwärtskommen konnte. Jetzt richtete sich die Aufmerksamkeit der Menge auf einen mutigen Burschen, der auf Stelzen die Häuserreihen entlangschritt, obwohl ihm jeden Augenblick die Stelzen unter den Beinen weggeschlagen werden konnten und er Gefahr lief, sich auf dem Pflaster zu Tode zu fallen. Aber deswegen schien er sich keine Sorge zu machen. Er trug einen ausgestopften Riesen auf seiner Schulter, den er mit einer Hand festhielt, und in der andern Hand ein Stück Papier mit einem Sonett und einem darangehefteten Schwanz, wie man sie bei Papierdrachen findet, und schrie dazu aus voller Kehle: *»Ecco il gran poeta morto! Ecco il suo sonetto colla coda!«* (Da ist der verstorbene große Dichter! Das ist sein Sonett mit dem Schwanz [coda]*).

Der verwegene Bursche hatte eine so dichte Menschenmenge um sich geschart, daß der Fürst in dem Gedränge kaum noch zu atmen

* In der italienischen Poetik gibt es eine besondere Form, die unter dem Namen Sonett mit dem Schwanz (con la coda) bekannt ist – sie wird dann angewandt, wenn das Gedicht den ganzen Gedanken nicht zu fassen vermag, und daher ein Zusatz erforderlich wird, der oft größer ist als das eigentliche Sonett.

vermochte. Endlich setzte sich die ganze Menge hinter dem toten Poeten in Bewegung, auch die lange Wagenreihe, worüber der Fürst sehr erfreut war, obgleich ihm in dem Gedränge der Hut vom Kopfe geschlagen worden war, nach dem er jetzt eilig griff. Als er noch damit beschäftigt war, den Hut aufzuheben, schlug er die Augen auf und blieb wie angewurzelt stehen: Vor ihm stand ein Mädchen von einer unbeschreiblichen Schönheit, sie hatte ein leuchtendes albanisches Kostüm an und kam in Gesellschaft von zwei andern gleichfalls schönen Frauen daher, die aber neben ihr verblaßten wie die Nacht vor dem Tage. Das war ein herrliches Wunderbildnis. Alles mußte vor ihrem Glanze dahinschwinden. Wenn man sie ansah, wurde es einem klar, warum die italienischen Dichter schöne Frauen mit der Sonne verglichen. Ja, das war eine Sonne, das war die vollkommenste Schönheit! Aller Glanz, der uns zersplittert und auf die einzelnen Schönen dieser Welt verteilt entgegenstrahlt, war hier in einer einzigen vereinigt. Wenn man ihren Busen und ihre Büste ansah, erkannte man sogleich die Mängel des Busens und der Büste anderer schöner Frauen. Im Vergleich mit ihrem dichten, glänzenden Haar mußte jedes andere Haar dünn und farblos erscheinen. Ihre Hände mußten jeden Menschen zum Künstler machen! Denn wie ein Künstler hätte er sie ewig anschauen mögen und es nie gewagt, sie anzuhauchen. Im Vergleich mit ihren Füßen mußten die Füße aller Engländerinnen, aller Deutschen, aller Französinnen und der Frauen aller anderen Nationen wie Holzspäne erscheinen, nur die antiken Bildhauer haben die hehre Idee ihrer Schönheit in ihren Statuen festgehalten. Ihre Schönheit war vollkommen und wie dazu geschaffen, jedermann in gleicher Weise zu blenden. Hierzu bedurfte es nicht eines besonderen Geschmacks; angesichts solcher Vollendung mußten alle Geschmacksrichtungen zusammentreffen; vor ihr mußten alle andächtig auf die Knie sinken, der Gläubige wie der Ungläubige wären vor ihr niedergefallen, wie vor einer plötzlichen Erscheinung der Gottheit. Der Fürst sah, wie die ganze Menge und alle Anwesenden, soviel ihrer da waren, sie anstarrten, wie sich ein unwillkürliches mit Entzücken gemischtes Staunen in den Zügen der Frauen malte, wie sie immer wieder ausriefen: »*O bella!*« wie alle ohne Ausnahme sich in Künstler verwandelt zu haben schienen und ganz im Anschauen des schönen Wesens verloren waren. Aber im Gesicht des Mädchens war nichts zu lesen, außer einem lebhaften Interesse für den Karneval: sie sah nur die Menge und die Masken, merkte nichts von den auf sie gerichteten Augen und hörte kaum auf die hinter ihr stehenden Herren in Samtjacken, anscheinend ihre Verwandten, die sie wahrscheinlich hierher begleitet hatten. Der Fürst suchte von den Leuten, die neben ihm standen, zu erfahren, wer und woher wohl dies wunderschöne Mädchen sei, aber man antwortete ihm überall bloß mit einem Achselzucken und einer unbestimmten Geste und fügte hinzu: »Ich weiß nicht, wahrscheinlich ist's eine Fremde*.«

Unbeweglich und mit angehaltenem Atem schien er sie mit seinen Blicken verschlingen zu wollen. Endlich richtete auch das schöne Mädchen seine tiefen Augen auf ihn, um sie jedoch gleich verlegen von ihm abzuwenden. Ein Schrei weckte ihn aus seinen Träumereien: vor ihm stand ein mächtiger Wagen. Eine Anzahl Masken in roten Blusen rief ihn beim Namen, bestreute ihn mit Mehl und begleitete ihre Späße mit dem langgezogenen Rufe »hu… hu… hu!« In einem Nu war er unter dem lauten Gelächter der Umstehenden von Kopf bis zu den Füßen mit Mehl überschüttet. Ganz weiß wie Schnee, ja selbst mit weißen Augenwimpern, eilte der Fürst nach Hause, um sich umzuziehen.

Als er zu Hause angekommen war und sich umgekleidet hatte, war soviel Zeit verstrichen, daß nur noch einundeinhalb Stunden bis zum Ave-Maria übrigblieben. Die Wagen kehrten bereits leer vom Corso zurück: die Insassen hatten sich auf die Balkons zurückgezogen, um sich das Volk anzusehen, das sich in Erwartung

* Die Römer nennen alle, die nicht in Rom leben, Fremde, (*forestieri*), auch wenn sie nur zehn Meilen außerhalb der Stadt wohnen.

der Pferderennen noch immer durch die Straßen drängte. Als er in den Corso einbog, stieß er auf einen Wagen, der mit Männern und Frauen angefüllt war. Die Männer trugen Jacken, die Frauen hatten Blumenkränze auf dem Haupt und Zimbeln und Kastagnetten in den Händen. Die Insassen des Wagens schienen in heiterer Stimmung nach Hause zurückzukehren, er war an der Seite mit Girlanden geschmückt, und die Speichen und Reifen der Räder waren mit grünen Zweigen umwunden. Aber das Herz des Fürsten wurde kalt, als er sah, daß im Wagen, inmitten der Frauen, das schöne Mädchen saß, das einen so tiefen Eindruck auf ihn gemacht hatte. Ein strahlendes Lächeln erleuchtete ihr Antlitz, und unter Schreien und Singen rollte der Wagen schnell an ihm vorbei. Sofort machte der Fürst sich auf und eilte ihm nach, aber ein langer Zug von Musikanten kam ihm in den Weg: eine Geige von schreckenerregender Größe kam auf einem sechsrädrigen Wagen dahergefahren. Ein Mann saß rittlings auf dem Steg, und ein anderer, der ihr zur Seite ging, strich mit einem gewaltigen Fiedelbogen über vier dicke Stricke, die die Saiten darstellen sollten. Die Herstellung dieser Geige hatte wahrscheinlich viel Mühe und große Unkosten an Zeit und Geld verursacht. Voran schritt ein Mann mit einer ungeheueren Trommel. Eine große Menge Volks, junge Burschen und Knaben folgten in hellen Scharen dem Musikantenaufzug, und die ganze Prozession wurde beschlossen durch einen in Rom wegen seiner Leibesfülle bekannten Pizzicaruolo, der eine Klistierspritze von der Größe eines Kirchturms in der Hand trug. Als der Zug die Straße verlassen hatte, sah der Fürst, daß es schon zu spät war und daher keinen Sinn mehr hatte, hinter dem Wagen herzulaufen; zudem wußte er ja auch nicht, welchen Weg er eingeschlagen hatte. Dennoch aber konnte er den Gedanken nicht aufgeben, das schöne Mädchen wieder aufzufinden. Seine Einbildungkraft zauberte ihm immer wieder dieses strahlende Lachen und den offenen Mund mit der langen Reihe wundervoller Zähne vor. »Das ist ein Blitzstrahl und kein Weib!« sagte er immer wieder zu sich selbst und fügte stolz hinzu: »Sie ist eine Römerin: ein solches Weib konnte nur in Rom geboren werden. Ich muß sie unbedingt wiedersehn; ich trage Verlangen nach ihrem Anblick, nicht um sie zu lieben – nein, ich möchte sie nur ansehen, ihre ganze Gestalt betrachten: ihre Augen, ihre Hände, ihre Finger, ihre glänzenden Haare. Ich will sie nicht küssen, ich möchte sie nur ansehen. Wie nur? So muß es doch auch sein, das liegt im Wesen der Natur; sie hat kein Recht, ihre Schönheit zu verbergen und mit sich fortzutragen. Die vollendete Schönheit ward der Welt ja darum geschenkt, damit jeder sie anschaue, und auf daß er ihr Bild ewig in seinem Herzen trage. Wenn sie nur *schön*, nur eine gewöhnliche Schönheit und kein Wesen von dieser höchsten Vollkommenheit wäre, dann hätte sie wohl das Recht, einem *einzelnen* anzugehören, er könnte sie in eine Wüste forttragen und der Welt ihren Anblick vorenthalten. Aber die vollkommenen Schönheit muß jedem sichtbar sein. Läßt denn ein Architekt einen prachtvollen Tempel in einer engen Gasse errichten? Nein, er stellt ihn auf einen offenen Platz hin, damit der Mensch ihn von allen Seiten betrachten und sich an ihm erfreuen könne. Ward etwa deshalb das Licht angezündet, auf daß es auf dem Tische stehe, allen Helligkeit spende und auf daß sich alle im Lichte bewegen. Nein, ich muß sie unbedingt sehen!« So sprach der Fürst zu sich selbst, dachte dann lange nach und ging alle Mittel durch, die ihn zu seinem Ziele führen könnten; endlich schien er eins gefunden zu haben: Sofort und ohne einen Augenblick zu zögern, begab er sich in eine der entlegenen Gasse, deren es in Rom sehr viele gibt, wo es nicht einmal einen Kardinalspalast mit einem gemalten Wappen auf dem ovalen Holzschilde gibt, wo sich über jedem Fenster und jeder Tür der engen Häuschen eine Nummer befindet, wo sich das Pflaster bucklig emportürmt und wieder senkt, und wohin sich von Fremden höchstens ein geriebener deutscher Künstler mit seinem Feldstecher und seinem Farbenkasten verirrt, oder etwa noch ein Ziegenbock, der hinter der vorübergehenden Herde zurückgeblieben ist und stehenbleibt, um sich diese merkwürdige Straße anzuschauen, die er noch nie gesehen hat. Hier hört man die sonoren Stimmen der Römerinnen; in allen Fenstern ertönt Geplauder und lebhafte Wechselrede. Hier herrscht volle Aufrichtigkeit, und der Passant kann hier alle häuslichen Geheimnisse erfahren; selbst Mutter und Tochter sprechen hier nicht anders miteinander, als indem beide ihre Köpfe zum Fenster hinausstecken. Männer sieht man hier überhaupt nicht. Kaum erglänzt der erste Strahl der Morgensonne, und schon öffnet sich das Fenster, und *siora* Susanna blickt auf die Straße hinaus. In einem anderen Fenster erscheint *siora* Grazia, noch damit beschäftigt, sich den Rock anzuziehen, sodann öffnet *siora* Nanna das Fenster, auf sie folgt *siora* Lucia, die sich das Haar kämmt, und endlich streckt *siora* Cecilia ihre Hand aus dem Fenster, um sich die Wäsche zu holen, die auf einer Schnur vor dem Hause hängt und nun ihre Strafe dafür erhält daß sie so widerspenstig war und sich so schwer erreichen ließ: denn Donna Cecilia drückt sie zornig zusammen und wirft sie mit den Worten: *che bestia!* auf den Boden. Hier lebt alles, hier ist alles in Bewegung, hier fliegt plötzlich ein Schuh aus dem Fenster, um einen unartigen Jungen oder einen Ziegenbock zu treffen, der mit einem einjährigen Kind an einem Korb steht, es beschnuppert und seinen Kopf vorbeugt, um ihm zu zeigen, was zwei Hörner sind. Hier blieb nichts unbekannt, hier wußte man alles. Die Signoras waren über alles unterrichtet, was auf der Welt passierte, sie wußten, was *siora* Giuditta sich für ein Tuch gekauft hatte, bei wem es heute Fisch zum Mittagessen gab, wer Barbaruccias Geliebter und welcher Kapuziner der beste Beichtvater war. Nur selten flocht auch der Gatte ein Wort ein, der meist auf der Straße an die Mauer gelehnt dastand, eine kurze Pfeife in den Zähnen hielt, und es für seine Pflicht hielt, wenn er von einem Kapuziner reden hörte, ein paar Worte, wie: »Das sind alles Gauner!« hinzuzufügen, worauf er wieder fortfuhr, seine Nase in Rauchwolken einzuhüllen. Hier kam nie ein Wagen vorbeigefahren, außer etwa ein zweirädriger

Rumpelkasten, der von einem Maultier gezogen wurde und Mehl für den Bäcker mitführte, gewöhnlich wurde er auch von einem schläfrigen Esel begleitet, der kaum dazu zu bewegen war, seinen Korb mit den Broccoli bis an seinen Bestimmungsort zu schleppen, trotz aller Hühs der Straßenjungen, die seine unempfindlichen Lenden mit Steinwürfen regalierten. Hier gibt es keine Magazine, außer ein paar kleinen Läden, wo Brot, Bindfaden und Glasflaschen feilgeboten werden, und einem dunklen, engen Café, das sich in einer Straßenecke befindet, da konnte man stets den Anblick eines beständig auf die Straße herauslaufenden Bottegas genießen, der den Signoris in kleinen Blechkannen Kaffee oder eine in Ziegenmilch gekochte Schokolade, die unter dem Namen »Aurora« bekannt ist, servierte. Alle Häuser gehörten hier zwei, drei, mitunter aber auch vier Hausbesitzern, von denen der eine nur den lebenslänglichen Nießbrauch, ein zweiter nur eine Etage besaß, deren Mietzins er jedoch nur zwei Jahre lang erheben durfte, wonach der Stock auf Grund eines Testaments auf zehn Jahre an den *padre* Vincenzo fiel, dessen rechtlicher Anspruch jedoch von einem Verwandten des ursprünglichen Besitzers, der in Frascati wohnte, und der schon rechtzeitig für die Einleitung eines Prozesses gesorgt hatte, angefochten wurde. Es gab auch solche Hausbesitzer, die nur ein einziges Fenster in einem bestimmten Hause und zwei andere in einem andern Hause besaßen, und die Einkünfte von dem Fenster, für das der unordentliche Mieter übrigens den Mietzins meist schuldig blieb, mit einem Bruder teilten, – mit einem Wort, hier gab es in Hülle und Fülle Material für unaufhörliche Prozesse und reichen Broterwerb für die Advokaten und Kuriale, die Rom überschwemmten. Alle Damen, von denen soeben gesprochen wurde, sowohl die vornehmsten, die stets mit ihrem vollen Namen genannt wurden, wie die geringeren Ranges, die nur mit Diminutiven beehrt wurden: alle Tattas, Tuttas, Nannas usw. hatten meistens gar nichts zu tun; das waren Gattinnen von Rechtsanwälten, kleinen Beamten, kleinen Kaufleuten, Trägern, Facchinos, gewöhnlich aber Frauen unbeschäftigter Bürger, deren ganzes Talent darin bestand, sich geschickt mit ihren nicht mehr ganz intakten Mänteln zu drapieren. Viele von den Signoras standen den Malern Modell. Hier gab es Modelle aller Arten. Wenn sie Geld hatten, verbrachten sie ihre Zeit mit ihren Männern oder in großer Gesellschaft in den Osterien, hatten sie kein Geld – so waren sie deshalb auch nicht betrübt, sondern saßen am Fenster und blickten auf die Straße hinaus. Heute war die Straße stiller als sonst, weil ein Teil der Bewohner mit der Volksmenge nach dem Corso gezogen waren. Der Fürst ging auf die alte verfallene Tür eines Häuschens zu, die zahlreiche Löcher aufwies, so daß selbst der Hauswirt lange mit dem Schlüssel nach dem Schlüsselloch suchen mußte. Er war eben im Begriff, nach dem Ring zu greifen, als er plötzlich die Worte vernahm: »Signor Principe will Peppe sehen?« Er hob das Haupt und erblickte *siora* Tutta, die ihren Kopf aus dem dritten Stock hervorstreckte.

»So ein vorlautes Frauenzimmer!« rief *siora* Susanna aus dem gegenüberliegenden Fenster. »Der Principe ist vielleicht gar nicht deswegen gekommen, um Peppe zu sehen!«

»Natürlich, um Peppe zu sehen! Nicht wahr, Herr Fürst? Doch nur um Peppe zu sprechen?«

»Ach was, Peppe! Was für einen Peppe?« fuhr *siora* Susanna, mit beiden Händen gestikulierend, fort. »Der Fürst hat gerade Zeit, jetzt an Peppe zu denken! Jetzt ist doch Karneval. Der Fürst will sicher mit seiner Kusine Marchesa Montelli, und mit seinen Freunden eine Wagenfahrt unternehmen und in die Stadt fahren, *per far allegria*. Peppe! Peppe!«

Der Fürst war höchst erstaunt, solche Details über die Art, wie er seine Zeit verbringen wollte, zu vernehmen, aber er hatte keinen Anlaß, sich zu wundern, denn *siora* Susanna wußte alles.

»Nein, meine lieben *siognore*«, sagte der Fürst, »ich muß in der Tat Peppe sprechen.« Diesmal jedoch war es *siora* Grazia, die die Antwort erteilte; sie hatte schon längst ihren Kopf aus einem

Fenster der zweiten Etage herausgestreckt und saß lauschend da. Sie schnalzte zur Antwort ein wenig mit der Zunge und machte eine bezeichnende Bewegung mit dem Finger – das gewöhnliche Zeichen der Verneinung bei den Römerinnen – und fügte dann hinzu: »er ist nicht zu Hause.«

»Aber vielleicht wissen Sie, wo er ist, wohin er gegangen ist?«

»Eh, wohin wird er gegangen sein!« versetzte *siora* Grazia, indem sie ihren Kopf ein wenig auf die Seite neigte, »vielleicht – in die Osteria, am Platz beim Brunnen; wahrscheinlich hat ihn jemand aufgefordert; er ist halt irgendwohin gegangen: »chi lo sa (wer will es wissen).«

»Wenn der Principe ihm irgend etwas zu bestellen hat«, fiel hier Signora Barbaruccia ein, die am gegenüberliegenden Fenster saß und im Begriff war, sich einen Ohrring ins Ohr zu hängen: »Sie brauchen es mir nur zu sagen, ich will es ihm ausrichten.«

»Nein, lieber nicht«, dachte der Fürst und dankte für ein solches Entgegenkommen. In diesem Augenblick lugte aus einer Nebengasse eine mächtige schmutzige Nase hervor, die wie eine ungeheure Axt über den gleich darauf zum Vorschein kommenden Lippen und über dem ganzen Gesicht schwebte: das war Peppe in eigener Person.

»Da ist Peppe!« rief *siora* Susanna.

»Da kommt Peppe, *siora* Principe! rief *siora* Grazia lebhaft aus ihrem Fenster.

»Er kommt, Peppe kommt!« trompetete *siora* Cecilia aus einer Straßenecke.

»Principe! Da ist ja Peppe! Da ist Peppe! (*ecco* Peppe, *ecco* Peppe)« schrien die Kinder auf der Straße.

»Ich sehe, ich sehe«, sagte der Fürst, ganz betäubt von dem lauten Geschrei.

»Da bin ich, *eccelenza*. Da bin ich!« sagte Peppe, indem er die Mütze abnahm. Man merkte es ihm an, daß er schon etwas vom Karneval abgekriegt hatte. Er war auf einer Seite mit einer Ladung

Mehl bedacht worden: der ganze Rücken und eine Seite waren ganz weiß, der Hut war eingedrückt und das ganze Gesicht mit weißen Tupfen bedeckt. Peppe war schon deswegen merkwürdig, weil er sein ganzes Leben lang den Diminutivnamen Peppe getragen hatte. Er hatte sich durchaus nicht bis zum Guiseppe aufschwingen können, obwohl er bereits grau zu werden begann. Er stammte sogar aus einer guten und wohlhabenden Kaufmannsfamilie, aber er hatte sein letztes Häuschen in einem Prozeß verloren. Schon sein Vater, ein Mensch von derselben Gattung wie Peppe, trotzdem er *sior* Giovanni genannt wurde, hatte sein ganzes Vermögen aufgezehrt, und nun fristete Peppe gleich vielen andern notdürftig sein Leben, so wie es gerade kam: Bald nahm er Dienste bei einem Ausländer, bald spielte er den Boten bei einem Rechtsanwalt, bald brachte er einem Künstler das Atelier in Ordnung, bald wieder diente er als Wächter in einem Weinberg oder in einer Villa, und je nach dem Amt, das er bekleidete, wechselte er auch beständig sein Kostüm. Mitunter begegnete man Peppe in einem weiten Rock mit einem runden Hut auf der Straße, bald wieder in einem engen Kaftan, der an zwei drei Stellen geplatzt war und so enge Ärmel hatte, daß Peppes lange Arme wie zwei Besenstiele aus ihnen hervorguckten, zuweilen aber erschien er in einem ganz undefinierbaren Kostüm, wobei er die einzelnen Kleidungstücke noch nicht einmal richtig angezogen hatte; mitunter konnte man fast glauben, er habe die Jacke an Stelle der Hosen angezogen und sie hinten, so gut es eben ging, zugebunden. Er war stets zu allen möglichen Diensten bereit und übernahm allerlei Aufträge, häufig sogar, ohne daß dabei etwas für ihn abfiel. Er lief hin und verkaufte für die in seiner Straße wohnenden Damen allerhand Plunder: in Pergament gebundene Bücher eines verarmten Abbés oder Antiquars oder das Gemälde eines Künstlers; er ging morgens zu den Abbés und nahm ihre Hosen und Schuhe, um sie zu putzen, mit sich nach Hause, wobei er es dann meist vergaß, sie zur rechten Zeit wieder zurückzubringen, bloß aus dem übereifrigen Wunsch, sich irgendeinem Dritten gefällig zu erweisen, und die Abbés hatten dann den ganzen Tag über Zimmerarrest, das sie ja nicht ohne Hosen und Stiefel ausgehen konnten. Oft fiel ihm eine beträchtliche Geldsumme zu. Aber er verfügte über sie nach römischer Art, das heißt schon am folgenden Tage war fast nichts mehr davon übrig, und dies nicht etwa deshalb, weil er das Geld für sich verbrauchte oder verschwendete, sondern weil er alles in der Lotterie verspielte, für die er eine große Leidenschaft besaß. Es gab kaum eine Nummer, mit der er es nicht schon versucht hatte. Jede unbedeutende, ganz alltägliche Begebenheit erhielt für ihn eine große Bedeutung. Wenn es sich einmal ereignete, daß er irgendeinen Plunder auf der Straße fand, so sah er gleich in seinem Wahrsagebuch nach, unter welcher Nummer er dort verzeichnet stand, um sich sofort das entsprechende Lotteriebillett zu besorgen. Einmal träumte er, daß der Satan, – den er ohnedies aus einem unbekannten Grunde jedesmal zu Beginn des Frühlings im Traume sah – daß ihn der Satan bei der Nase gepackt hielt und über die Dächer sämtlicher Häuser schleifte, von der St.-Ignatius-Kirche, über den ganzen Corso durch die Tre-Ladroni-Gasse bis nach der Via della Stamperia, bis er endlich auf der Treppe der Trinita halt machte und sagte: »Das hast du dafür, daß du zum heiligen Pankratius gebetet hast, Peppe! Deine Nummer wird nicht gewinnen.« Dieser Traum machte in der ganzen Straße großes Aufsehen, und besonders *siora* Cecilia und *siora* Susanna regten sich sehr über ihn auf; aber Peppe deutete ihn in seiner Weise: er holte sofort sein Wahrsagebuch und fand hier, daß der Teufel 13, die Nase 24 und der heilige Pankratius 30 bedeuteten, und kaufte sich noch am selbigen Morgen alle drei Nummern. Dann addierte er alle drei Zahlen zusammen, was 67 ergab, und besorgte sich noch Nummer 67. Wie gewöhnlich waren alle vier Nummern Nieten. Ein anderes Mal geriet er in Streit mit einem Weinbauer, einem dicken Römer namens *sior* Raphael Tomacelli. Was der Anlaß zu diesem Streite war, das weiß Gott allein; es gab jedoch zwischen ihnen einen sehr lauten, von lebhaften Handbewegungen begleiteten Disput, und schließlich wurden beide kreidebleich – ein drohendes Zeichen, auf das hin gewöhnlich alle Frauen entsetzt ans Fenster eilen und der vorüberkommende Spaziergänger sich in Sicherheit zu bringen sucht – mit einem Wort, ein Zeichen dafür, daß beide Parteien gleich zum Messer greifen werden. Und in der Tat, der dicke Tomacelli hatte bereits seine Hand in den ledernen Stiefelschaft gesteckt, der seine dicke Wade eng umspannte, um sein Messer hervorzuholen, und rief: »Warte nur, ich krieg dich schon, du Kalbskopf!«, als sich Peppe plötzlich mit der Hand vor den Kopf schlug und eilig das Schlachtfeld verließ. Es war ihm eingefallen, daß er sich noch nie ein Lotteriebillett auf das Stichwort »Kalbskopf« gekauft hatte. Es sah im Wahrsagebuch nach, unter welcher Nummer der »Kalbskopf« verzeichnet stand, und lief schleunigst nach der Lotteriekollekte, so daß alle Straßenbewohner, die sich bereits auf ein blutiges Schauspiel gefaßt gemacht hatten, durch diese unerwartete Wendung aufs höchste überrascht wurden, ja selbst Raphael Tomacelli ließ sein Messer wieder in den Stiefelschaft gleiten, wußte lange nicht, was er nun beginnen sollte, und sagte schließlich: *»Che uomo curioso!«* (Seltsamer Mensch!) Übrigens ließ sich Peppe dadurch, daß die Billette stets Nieten waren, und daß das Geld weggeworfen war, nicht im mindesten beirren. Er war fest überzeugt, daß er einmal reich werden würde, und wenn er an einem Laden vorüberging, unterließ er es nie, zu fragen, was ein jeder Gegenstand koste. Als er einmal erfuhr, daß ein großes Haus verkauft werden sollte, begab er sich zum Verkäufer, um sich bei diesem genauer danach zu erkundigen, und als seine Bekannten sich über ihn lustig machten, versetzte er treuherzig: »Was lacht ihr, warum lacht ihr? Ich will es doch nicht gleich kaufen, sondern später einmal, wenn ich Geld haben werde. Das ist doch gar nicht so seltsam ... Ein jeder sollte sich ein Vermögen erwerben, um seinen Kindern, den Armen, oder für einen Kirchenbau und andere schöne Dinge etwas zu hinterlassen ... *Chi lo sa.«* Der Fürst kannte ihn schon lange, sein Vater hatte ihn sogar einmal als Bedienten engagiert, aber sehr bald wieder davongejagt, weil Peppe seine Livree bereits in einem Monat aufgetragen und die ganzen Toiletten des alten Fürsten durch einen unvorsichtigen Stoß mit dem Ellenbogen durchs Fenster auf die Straße geworfen hatte. »Hör mal, Peppe!« sagte der Fürst. – »Was befehlen *eccellenza?*« versetzte Peppe, der barhaupt vor dem Fürsten stand. »Der Herr Fürst braucht nur zu sagen 'Peppe!' und schon bin ich da! Daher brauchen der Herr Fürst nur zu sagen: 'Hör mal, Peppe!', so erwidere ich schon: *'Ecco me, eccelenza'«*

»Du mußt mir folgenden Dienst leisten, Peppe!« ...

Bei diesen Worten sah der Fürst sich um, und bemerkte, daß sich sämtliche *siore* Grazias, sämtliche Susannen, Barbarucci, Tettas und Tuttas, soviel ihrer da waren, neugierig aus dem Fenster lehnten; die arme *siora* Cecilia aber war beinahe im Begriff, auf die Straße herunterzufallen. »Hm, die Sache steht schlimm!« dachte der Fürst: »Komm, Peppe, folge mir!«

Mit diesen Worten schritt er voran, während Peppe ihm gesenkten Hauptes folgte und vor sich hinmurmelte: »Eh! Diese Weiber sind so neugierig, weil's eben Weiber sind, weil sie eben neugierig sind.«

Lange schritten sie, jeder mit seinen eigenen Gedanken beschäftigt, aus einer Straße in die andere. Peppe dachte bei sich: »Der Fürst will mir wahrscheinlich einen wichtigen Auftrag geben, weil er nicht in Gegenwart der andern davon reden will; folglich habe ich ein schönes Geschenk oder gar Geld von ihm zu erwarten. Wenn mir der Fürst aber Geld gibt, was soll ich damit anfangen? Soll ich es dem Caféhausbesitzer *sior* Serviglio geben, dem ich schon lange was schuldig bin? *Sior* Serviglio wird in der ersten Fastenwoche sein Geld von mir zurückfordern, denn er hat all sein Geld für den Bau der ungeheuren Geige verbraucht, an der er drei Monate lang eigenhändig gearbeitet hat, um während des Karnevals mit ihr durch alle Straßen zu ziehen, jetzt wird *sior* Serviglio wahrscheinlich noch lange statt Rostbraten nur Ziegenfleisch und in Wasser gekochte Broccoli essen, bis er sich wieder mit seinem Café genug Geld verdient hat. Oder soll ich *sior* Serviglio noch nicht bezahlen, sondern ihn bloß zum Mittagessen in eine Osteria auffordern? Denn *sior* Serviglio ist ein – *vero Romano* und wird mir um der ihm erwiesenen Ehre willen die Rückzahlungfrist noch ein wenig verlängern; die Lotterie beginnt bestimmt in der zweiten Woche der Fasten. Wie soll ich nur bis dahin das Geld verwahren? Wie kann ich es so verstecken, daß weder Giacomo, noch Meister Petruccio, der Drechsler, etwas davon erfährt, die mich sicherlich bitten werden, ihnen etwas zu leihen? Giacomo hat nämlich all seine Kleider bei den Juden im Ghetto versetzt, Meister Petruccio hat gleichfalls seine Kleider zum Juden ins Ghetto getragen, und hat einen Unterrock und das letzte Tuch seiner Frau in Stücke gerissen, um sich als Weib zu verkleiden … wie soll ich es nur anstellen, daß ich ihnen nichts leihen muß?« Dies waren die Gedanken, die Peppe durch den Kopf gingen.

Der Fürst seinerseits aber dachte: »Peppe kann herauskriegen, wo das schöne Mädchen wohnt, wer sie ist und kann sie mir auffinden. Erstens kennt er alle Menschen und hat daher eher als alle andern Gelegenheit, in der Menge einem Freund zu begegnen, er kann von diesem etwas erfahren, kann in alle Cafés und Osterien hineinblicken und kann sogar jemand ansprechen, da er durch seine Figur bei niemand Verdacht erregt. Er schwatzt zwar mitunter zuviel und ist recht zerstreut, aber wenn man ihn bei seiner Römerehre faßt und ihm sein Ehrenwort abnimmt, so wird er das Geheimnis schon zu bewahren wissen.«

So dachte der Fürst, während er die Straßen durchschritt; endlich blieb er stehen, als er gewahrte, daß er die Brücke längst überschritten hatte und sich schon lange auf *der* Seite Roms befand, die jenseits des Tibers liegt, daß er bereits bergan ging und daß die Kirche S. Pietro in Montorio nicht mehr fern war. Um nicht auf dem Wege stehen zu bleiben, betrat er den Platz, von dem aus man ganz Rom überblicken kann, und sagte zu Peppe gewandt: »Hör mal, Peppe: ich muß dich um einen Dienst bitten.«

»Was wünschen *eccellenza?*« versetzte Peppe.

In diesem Augenblick aber sah der Fürst Rom vor sich liegen; wie ein herrliches, leuchtendes Panorama breitete sich die ewige Stadt vor ihm aus. Auf der ganzen hellen Masse der Häuser, Kirchen, Kuppeln und Turmspitzen lag der leuchtende Glanz der herabsinkenden Sonne. Einzeln und in ganzen Gruppen traten eines hinter dem andern die Häuser, die Dächer, die Statuen, die schwebenden Terrassen und die Galerien hervor; dort funkelten die dünnen Spitzen der Türme und Kuppeln eines Massivs und spielten mit der kapriziösen Buntheit bemalter Laternen in tausend Farben, dort trat ein ganzer Palast hervor, dort die schön geschmückte Spitze der Antoninussäule mit dem Kapitäl und der Statue des Apostels Paulus; mehr rechts strebten die Gebäude des Kapitols mit ihren Rossen und Statuen in den Himmel, noch mehr rechts, über der leuchtenden Masse der Häuser und Dächer erhob sich majestätisch und streng das finstere Massiv des celiseischen Kolosses, dort wieder funkelte eine Flucht von Mauern, Terrassen und Kuppeln, in blendendes Sonnenlicht getaucht. Und über der ganzen blitzenden Masse grüßten die Wipfel steinerner Eichen fern aus den Villen der Ludovisi und Medici mit ihrem dunklen Laub herüber, über ihnen ragte ein Wald von römischen Pinien empor, die ihre zarten Stämme mit den kuppelförmigen Wipfeln in die Luft streckten. Und dieses ganze Bild wurde seiner gesamten Länge nach begrenzt von dunkelblauen Bergen, die sich zart und durchsichtig wie die Luft am Horizont erhoben und von einem phosphoreszierenden Lichte umwoben wurden. Kein Wort und kein Pinsel hätte die wunderbare Harmonie und den einträchtigen Zusammenhang aller Züge dieses Bildes schildern können! Die Luft war so rein und durchsichtig, daß die zarteste Linie der fernen Gebäude klar hervortrat und daß alles so nahe erschien, wie wenn man es mit der Hand greifen konnte. Das letzte kleinste architektonische Ornament, der Arabeskenschmuck eines Gesimses – alles zeichnete sich mit einer unbeschreiblichen Deutlichkeit ab. In diesem Augenblick ertönte ein Kanonenschuß und ein ferner, in eins zusammenfließender Schrei der Volksmenge – das Zeichen, daß schon die Rosse ohne Reiter vorbeigaloppiert waren und damit der Karnevalstag seinen Abschluß gefunden hatte. Die Sonne sank immer tiefer herab und näherte sich dem Erdrand; ihr Abglanz auf der Masse der Bauwerke wurde immer rosiger und glühender, die Stadt erschien jetzt noch belebter und näher, die Pinien noch dunkler, das Blau der Berge wurde noch tiefer, sie phosphoreszierten noch stärker, und der erlöschende Himmelsäther wurde noch wundersamer und feierlicher! ... O Gott, welch ein Anblick! Und ganz hingerissen von all der Herrlichkeit vergaß der Fürst sich selbst, die Schönheit Anunziatas, das rätselhafte Schicksal seines Volkes und alles, was es auf dieser Welt gab.

Über diese Ausgabe

Der Text dieser Ausgabe folgt *Gogols sämtliche Werke in fünf Bänden* hg.v. Otto Buek, Bd. II, Berlin 1923.